Siri

LENA EINHORN

Siri

NORSTEDTS

ISBN 978-91-1-304546-7
© Lena Einhorn 2011
Norstedts, Stockholm
Pocketutgåva 2012
Omslagsfoton: © Kungliga biblioteket
Omslag: Elsa Wohlfahrt Larsson
Tryckt hos ScandBook AB, Falun 2012
www.norstedts.se

Norstedts ingår i
Norstedts Förlagsgrupp AB,
grundad 1823

I

1890

Siri knäppte den översta knappen i Puttes rock. Hon huttrade till och tog snabbt på sig handskarna igen. Vintern var tidig i år, det var inte ens december och snön föll på dem i stora flingor. Greta och Karin satt tryckta mot varandra på en bänk. De viskade till varandra, fnittrade till och med. De tycktes inte lida nämnvärt av den kalla vinden. Besynnerligt var det hur sällan någonting märktes på barnen. Fast kanske märktes det lite på Putte, både på humöret och på hans lilla kropp. Putte var mer som hon, känslig i kroppen, benägen att låta det mesta sätta sig i luftrören.

"Följ med Strömma till Beatelund och tag skjuts", hade August skrivit till henne, och lagt till att han skulle betala resan. Vilket var rimligt eftersom hon ju inte hade några pengar. Att tillbringa vintern i ett kallt hus på Värmdö var dessutom inget hon själv skulle ha valt. Men han hade bett henne, och hon hade bestämt sig för att göra honom till viljes. Denna sista gång.

Putte hostade till. Hon drog pojken intill sig, höll hans magra kropp, iklädd den slitna lilla rocken, tryckt mot sin. Så stod de där på däcket och tittade ut mot de karga öarna som for förbi, färglösa i det dystra novemberljuset. Medan S/S Strömma kanal kämpade mot vinden kämpade hon själv mot tårarna som plötsligt vällde upp i hennes ögon. Hon undrade hur de hade hamnat här, av alla ställen på jorden. Hur de hade hamnat på en skärgårdsbåt på väg ut i ett ishav. Deras paradis förvandlat till sin motsats. Så passande, och så ironiskt. Han hade sagt att det var för barnens skull de borde komma ut, ifall hon skulle falla ifrån före honom, för "annars skulle de stå främmande och ensamma i världen". Fast hon visste att det var för hans skull. Det var för hans skull de skulle avsluta allt på denna gudsförgätna halvskärgårdsö, mitt i vintern.

2

1875

Det var en sådan där vårsol som öppnar sinnena. Trots att människorna som vimlade runt henne på Drottninggatan inte kände varandra låg det en stämning av upprymdhet i luften. Stockholm kunde locka fram sådana känslor, åtminstone en dag i maj när solen lyste, sommaren låg runt hörnet och skyltfönstren i stråkets butiker lockade dem som hade råd.

Siri Wrangel hade bråttom, ja hon småsprang faktiskt. Hon kryssade fram mellan människor och hästar och allehanda fordon på den gyttriga gatan. Hon hade klätt upp sig. Inte på något överdrivet sätt – friherrinnan Wrangel var ju till naturen en elegant person, med det slags frimodiga otvungenhet som gjorde att hon föreföll vara bekväm vilka klädesplagg hon än bar och vilka situationer hon än befann sig i. Ändå hade hon kastat en extra blick i spegeln den morgonen, rättat till den blå slöjan, puffat till det långa lockiga håret. Hon var faktiskt nervös där hon skyndade fram, och mest av allt orolig att knepet skulle misslyckas. Fem i tolv hade väninnan sagt. Inte något till synes givet klockslag, så att mötet skulle verka mer slumpartat.

Det var ett djärvt påhitt, det var det, kanske till och med lite löjligt. Men ibland hade nöden ingen lag.

Klänningen frasade där hon sprang på den smala trottoaren. Här längre ner på Drottninggatan var det mycket mer trångt än hon hade föreställt sig. Hon tog sig hastigt ner på gatan igen.

"Se upp!"

Hon väjde i sista stund för ryttaren, eller så var det han som väjde för henne.

"Åh förlåt!" ropade hon efter honom, och bannade sig själv tyst. Varför kunde hon aldrig se till att ta sig den där extra tiden, inte ens när det var viktigt?

Äntligen närmade hon sig Bryggaregatan. Och plötsligt såg hon dem! De stod faktiskt där, i hörnet, och samtalade, med ryggen mot henne. Hon saktade omedelbart stegen. De måste ju stöta på varandra som av en tillfällighet. Han hade faktiskt tackat nej en gång redan.

"Men se god dag!" Siri dämpade med en ansträngning den snabba andhämtningen.

Väninnan vände sig hastigt om, och likaså mannen i hennes sällskap.

"Men Siri!" utbrast hon. "Tänk att vi skulle råkas just här." Den finlandssvenska accenten klingade välbekant, och ändå udda, på denna Stockholmsgata. "Jag har precis talat om er. Vilket sammanträffande!"

Nej, någon stor skådespelerska var hon inte, Ina Forstén.

"Så trevligt att råkas, Ina." Siri tyckte själv att hon lyckades bättre med att låta naturlig.

Väninnan vände sig nu till mannen som stod bredvid. Han var liten, på något vis, om än inom det man skulle kalla normallängd. Pannan var hög, något som påtagligt kontrasterade mot den lilla hakan och munnen. På överläppen hade han en liten mustasch och under munnen ytterligare en hårtufs. Detta uppvägdes mer än väl av behåringen på hans huvud. En riktig lejonman hade han, en som föreföll ha kammats med omsorg.

"Pojke", kom Siri på sig själv att tänka. "Pojke, fastän man."

Men så såg hon blicken.

"Får jag presentera friherrinnan Wrangel – August Strindberg, författare."

De skakade hand. Det var ett försiktigt handslag. Men blicken …

Hon samlade sig raskt:

"Varför vill ni inte komma till oss? Varför måste vi gå genom Finland?!"

Så skrattade hon lätt, för att han skulle förstå att förebråelsen bara var på skämt. Kanske till och med så att han skulle tjusas lite. För då skulle han väl ändå komma?

Men mannen framför henne förblev tyst.

"Förlåt, jag menade inte att vara ohövlig …", mumlade hon.

"Inte alls!" Han avbröt henne. "Jag tog det endast som vänlig gästfrihet." Dessa var de första ord han yppat. Rösten var mjuk, och ljus. Och plötsligt insåg hon vad det var för känsla blicken hade ingett henne. Det var medlidande. Så väldigt märkligt.

"Men så bra!" Hon log lättat. "Kan ni komma till oss då? Jag och min make har läst både *Hermione* och *Den fredlöse*, och när fröken Ina berättade att hon träffat er kunde vi inte längre motstå frestelsen att bjuda in er. Ja", hon tittade på väninnan, "jag vet inte om fröken Ina berättat, men hon läste upp er senaste pjäs för oss, *Mäster Olof*. Ett mästerverk, tycker jag. Den borde absolut sättas upp!"

August Strindberg såg plötsligt påtagligt mer intresserad ut. Så han var alltså ändå mottaglig för smicker …

"Vi har lite kontakter inom teatervärlden", lade hon därför till. "Kanske blygsamma, men ändå."

Men nu sa han ingenting. Ingenting alls. Han rörde inte ens en min.

"Norrtullsgatan 12", sa hon, trots att hon med ens förstod att det inte tjänade någonting till. "Ni är välkommen när helst ni har vägarna förbi."

Sedan tittade hon på klockan, för vad skulle hon annars göra.

"Oj, det var fasligt vad sent det var. Nu måste jag nog skynda vidare."

De tog farväl och så skyndade hon nerför gatan (fast hon egentligen inte alls hade bråttom). Halvvägs ner i nästa kvarter stannade hon upp och kastade en blick bakåt. Ina och författaren hade gått över till andra sidan Drottninggatan, och Ina gick precis in i en bod. Författaren stod kvar utanför. Han tittade intensivt in i boden. Intensivt och länge.

Så låg det alltså till! Den pojkaktige författaren var förälskad. Men varför såg han då så sorgsen ut?

Nej, inte tjänade det mycket till att fundera på den saken. Hon skulle aldrig råka honom igen, inte utan att förödmjuka sig.

För nu hade hon ändå försökt två gånger.

"Så var det med det ...", tänkte hon medan hon i sakta mak vandrade hemåt och försökte hålla besvikelsen ifrån sig.

3

De bodde i staden, och ändå avskilt. På en gata med stora lummiga trädgårdar, där varje hus var avskärmat från nästa, och från alla förbipasserande, med hjälp av långa, höga plank. Norrtullsgatan 12, alldeles invid Stora Surbrunnsgatan, var en av de finare adresserna i kvarteret. Ett hus omgivet av stora askar och en välskött trädgård, med bersåer skilda från varandra av välansade häckar.

De flesta genomtänkta trädgårdar erbjuder ju skiftande miljöer, allt efter humör. Men faktum var att befann man sig innanför detta plank kunde man tro att man befann sig långt ute på landet. Och det var ingen tillfällighet. Siri hade bestämt sig för att det var detta hon behövde för att kunna leva här.

Det satt fyra människor runt whistbordet. De kände varandra väl. De träffades hos henne och Carl varje onsdag, året runt utom på sommaren, alltid vid samma klockslag. Och värdparet satt då i en soffa bredvid och läste. För så ansåg man i deras kretsar att ett ungt nygift par skulle förströ sina äldre släktingar. På söndagseftermiddagarna träffades de sedan alla på middag hemma hos hustruns mor, året runt utom på sommaren, alltid vid samma klockslag.

"Sådär!" Betty von Essen log triumferande medan hon med en stor armrörelse drog in sticket till sin egen hög.

Kapten Wrangel log uppskattande. Det gjorde han oftast, i alla fall mot henne. Bettys medspelare, hennes ogifta syster Mathilde, Kill kallad, drog av någon anledning inte till sig riktigt lika mycket uppmärksamhet, trots att hon var en minst lika god whistspelare.

Betty skrattade och klappade kaptenen på armen. Så vände hon sig om.

"Siri!" sa hon bort mot soffan, där hennes enda barn satt och läste bredvid sin make. "Tror du att Hilda skulle kunna ta in lite mer te?"

Siri tittade upp. "Javisst, mamma!"

Så ropade hon på pigan. Men Hilda svarade inte. Och fem sekunder senare hörde de dörrklockan.

Hilda hade av en slump tittat ut genom fönstret när han kom över gårdsplanen. Och sedan inte kunnat ta blicken från honom. Dels därför att den främmande mannens besök var oannonserat, dels därför att han verkade så villrådig. Han stannade plötsligt till, alldeles innanför grinden, som om han fått en insikt eller kommit på sig själv med att ha glömt något. Sedan stirrade han på huset och på de väldiga askarna bredvid. Nästan som om de skrämde honom. Plötsligt tog vinden tag i hans hatt. Blixtsnabbt sträckte han upp en hand och grep tag i den, ögonblicket innan den skulle blåsa av hjässan med det yviga håret. Nu tog han några försiktiga steg. Så blev de plötsligt till stora bestämda kliv, som om han slutligen övervunnit sitt motstånd och bestämt sig.

Sällskapet vid whistbordet verkade knappt ha reagerat på dörrklockan. Men Siri hörde. Hon kastade en snabb blick på Carl för att se om han väntat någon. Men han såg lika förvånad ut som hon.

Nu kom Hilda in i salongen:

"Ursäkta, baronen har besök."

Det klack till i henne. Av ingen rimlig orsak alls. Bara därför att hon inte väntade sig besök, vilket förstås var en löjlig anledning.

Han lade ifrån sig boken. *Från jorden till månen* av Jules Verne. Han var halvvägs igenom den, såg hon.

Så reste han sig och följde efter Hilda.

Siri försökte återgå till sin egen läsning men hade plötsligt svårt att koncentrera sig. Nej, det var klart att hon inte skulle gå upp. Så dum och trossvag fick hon bara inte vara. För något oannonserat besök från Mariefred kunde det väl rimligtvis inte vara? Inte i dag, väl? Eller?

För att sysselsätta sig började hon i stället betrakta människorna runt spelbordet. Kammarherren hade tänt en cigarr, och den spred sin stickande lukt i rummet. För övrigt föreföll de fyra äldre människorna nu befinna sig i djup koncentration. Teet tycktes bortglömt.

Siri tittade mot dörren. Carl hade fortfarande inte kommit tillbaka. Hon fingrade på boken, låtsades försöka läsa igen. Läste samma mening tre gånger. Så blundade hon. Nu fick det vara nog ... Hon reste sig.

"Men välkommen! Vilket oväntat besök!" Hon hörde Carls röst borta i tamburen. Hon skyndade på stegen, nu påtagligt nervös. Så kom hon runt hörnet. Och till sin förvåning upptäckte hon att framför hennes make stod någon hon absolut inte förväntat sig möta!

"Men herr Strindberg, så trevligt!" Lättad, och glatt överraskad, gick hon fram till honom.

Han mumlade något till svar. Han såg blyg ut, till och med lite ängslig. Författaren hade förstås redan uppfattat att tillfället han valt för sitt besök kanske inte var det allra bästa. Och ändå var det ju det!

"Vi har min mor och moster här, och min makes far och farbror. De spelar ett parti whist. Kom så får jag presentera er!" Hon sträckte ut handen till honom, nästan som man gör till ett barn.

För i själva verket längtade hon ju efter sällskap. Vilket kunde tyckas konstigt när salongen var full av gäster.

"Får jag presentera August Strindberg, skriftställare." Siri bröt in i tystnaden. Alla tittade upp. Författaren själv såg fortfarande mest besvärad ut.

"Kanske jag kan återkomma någon annan gång?" viskade han bönfallande när presentationen var över och de visat honom till soffan.

Siri hejdade en impuls att försöka övertala honom att stanna. Hon funderade ett ögonblick:

"Kom på middag på lördag. Klockan tre. Det blir bara vi tre."

Och när författaren ändå tycktes tveka tillade hon:

"Kom, så får ni också träffa vår lilla dotter. Hon heter Sigrid, som jag. Fast vi kallar henne Kickan. Jag har ju hört att ni tycker så hemskt mycket om barn."

4

1890

"1647" stod det ovanför den bastanta träporten. Lilla Greta gapade medan hon tittade på den sirliga portalen med de två änglarna. Visst hade byggnaden varit ståtlig om det inte vore för att den vita putsen flagnade. Och visst vittnade de gracila ankarslutarna om att de befann sig på ett ställe med anor. Men välkomnande kunde man inte kalla huset, inte med den bästa vilja i världen. Åtminstone inte denna ruggiga novemberdag.

Siri betalade hästkarlen som transporterat dem från Beatelund. Han bockade och tog emot, och så for ekipaget iväg bort mot landsvägen igen. Hon och hennes tre barn stod nu ensamma kvar med sitt bagage på grusgången, och stirrade på sitt nya hem i tystnad. Om Siri känt sig illa till mods på båten ut till Värmdö hade åsynen av denna byggnad knappast gjort henne på bättre humör.

"Ja, barn", sa hon så hurtigt hon bara kunde. "Det är ju nästan ett slott, det här!"

Plötsligt såg de hur en gardin fördes åt sidan i fönstret alldeles till vänster om träporten. En man kikade ut. Så försvann han. Strax därpå öppnades den tunga porten med ett knarrande.

"Fru Strindberg?"

Siri gick fram mot trappan. Hon stannade nedanför.

"Ja", svarade hon. "Patron Eklund?"

"I egen hög person." Hon såg att han granskade henne och barnen, och förmodligen uppfattade han att kläderna de bar var slitna och lappade.

"Är ni alla från Finland?"

"Nej", svarade hon bara.

"Och maken?"

Hon harklade sig. "Han befinner sig på annan plats."

"Jaha …" Patronen höjde på ögonbrynen.

Men nej, hon tänkte inte ge honom fler upplysningar om den saken. För inte hade hon lust att förklara för denne nyfikne man vad deras ärende på hans kalla ö bestod i. Det skulle dessutom bara göra honom än mer misstänksam.

"Tre månader, sa vi?" Patronen avbröt hennes tankar.

"Ja", svarade hon. "Om inget oförutsett inträffar."

"Nej, just det …" Han granskade dem igen. Ännu var han uppenbarligen inte villig att släppa dem innanför porten, trots kylan där ute. "Så vi ska få barn på gården. Hur gamla är de?"

"Tio", svarade Karin. "Nio", svarade Greta. Putte svarade inte, för han hade inte lust. "Sex", sa Siri, som snabbt beslutat sig för att detta var fel ögonblick att ägna sig åt uppfostran.

"Är de artiga?"

Vad hade hon utsatt dem för – vad hade de båda utsatt dem för?

"Ja", sa hon med skärpa i rösten, "de är artiga, och rena, och de underbaraste människorna i världen!"

"Så bra då", svarade patron Eklund, uppenbart oförmögen att uppfatta bettet i Siris röst. "Då så, då ska ni vara välkomna till Lemshaga." Äntligen öppnade han dörren på vid gavel.

Från ett hus till ett annat, en by till en annan, ett språk till ett annat. Och nu var de här. Inte konstigt att hennes barn inte hade några andra vänner än varandra.

Och hon lovade sig själv, dyrt och heligt, att när detta var över skulle de få ett riktigt hem. Hon, Karin, Greta och Putte.

De skulle inte inkvarteras i den stora mangårdsbyggnaden, med de gracila ankarslutarna och den flagnande putsen. De skulle bo i den högra flygeln, en rödfärgad, timrad tvåvåningsbyggnad, till synes hemtrevligare, men ohyggligt mycket kallare.

"Ni sover på ovanvåningen", hade patron Eklund sagt. "Där är det varmast."

"Nej!" hade Siri svarat, mer bestämt än nöden krävde. Patronen hade tittat förvånat på henne. Men han hade inte frågat. Bara hjälpt dem in med väskorna, och lydigt ställt dessa på nedervåningens is- kalla golv. Han var nog ingen elak man, patron Eklund. Bara lite orolig av sig.

Det visade sig finnas två rum på nedre botten – ett stort och ett litet – och en genomgångskammare. Och så fanns det ett lagom stort lantkök. Alla rum var lika kalla och skulle förbli svåruppvärmda, även när Siri eldade för fullt i alla spisar och kakelugnar. Ändå insisterade hon på att de skulle stanna nedanför trappan. Och barnen ifrågasatte det inte.

Det hade hänt att hon kallats nervig – och viljestark, och ibland irrationell, så som konstnärssjälar ofta beskrivs. Men den resa livet hade bjudit henne på under de senaste femton åren hade skalat bort allt "onödigt trams", som hon själv brukade kalla det. Lever man dag och natt intill en oberäknelig person blir man själv mycket snabbt både vuxen och rationell. Och hennes ovilja att bosätta sig på över- våningar var, åtminstone i hennes tycke, sakligt motiverad. Hon hade ändå bott på många övervåningar under de senaste åren, fler över- våningar än hon ens kunde räkna. Det var först i Holte hon hade lagt sig till med sin nya tvångsföreställning, om man nu kunde kalla den en sådan. Det var vid den tiden då August plötsligt hade låtit henne, ja faktiskt bett henne, bli teaterchef, regissör, huvudrollsinnehavare, ekonom och ansvarig för familjens hela framtid. Och det var rena turen att hon ändå hade varit hemma och inte i Köpenhamn, den dagen det hände. För det var en lördag, och hon hade tagit ledigt från teatern. Hon hade precis lämnat huset på morgonen för att gå in till byn och köpa ägg. Just när hon stängde grinden bakom sig hörde hon ett vrål av fasa. Hon vände sig om och fick se hur lågorna slog upp i barnkammaren på husets övervåning. Hon kastade ifrån sig korgen och rusade tillbaka mot huset samtidigt som hon knäppte upp alla knappar i sin kappa. Hon kom upp på övervåningen på samma gång som Eva Carlsson. De slängde hennes kappa och ett täcke som Eva fick tag i över det brinnande golvet. Sedan hoppade de två kvinnorna på kappan och täcket tills elden var släckt.

Efteråt satt Greta och Karin i ett hörn och grät hejdlöst. Lille Putte, däremot, stod bredvid det svarta, illaluktande täcket och bara darrade; det var han som hade råkat välta fotogenlampan på bordet. Siri tog honom i famnen och höll honom hårt, tills darrandet upphört. "Det var inte Puttes fel", sa hon gång på gång. "Det var mammas, som varit så dum och lämnat en så dum lampa på bordet."

Det var efter detta som Siri införde två absoluta regler i hushållet: inga fotogenlampor i barnkammaren, endast ofarliga moderatörlampor; och aldrig någonsin att barnen skulle bo på ovanvåningen. August fann sig snällt i båda reglerna. För när det gällde barnens väl och ve hade de, trots allt, ja, förunderligt nog, haft en osannolik förmåga till samarbete. Kunde de inte rätt älska varandra, så kunde de ändå båda älska sina barn.

Innan solen gick ner över Lemshaga den eftermiddagen tog hon och barnen en promenad runt sitt nya tillfälliga hem. Från gravkullarna söder om gården kunde de se strandängarna mot havet, där patronen sagt att man framåt våren kunde se dvärgbeckasiner. Och bortom ängarna det dystra grå vattnet. Samma vatten som kunde fylla en med livslust en sommar på en ö i Stockholms skärgård hade en så helt motsatt effekt på ens lynne en vinterdag som denna.

"Dvärgbeckasiner." Karin avbröt hennes tankar. "Tror mamma att pappa vet något om dvärgbeckasiner?"

"Jag vet inte", svarade Siri bara. För vad skulle hon säga? Den var förstås dubbelbottnad, dotterns fråga. Och nej, Siri kunde inte säga när Karin skulle träffa sin pappa härnäst. Trots det faktum att om man skrek tillräckligt högt kunde han nog nästan höra det.

De lämnade kullen när det mörknade. De gick tillbaka till den kalla flygeln. Och de gick och lade sig, tidigt, alla fyra. För vad annat kan man göra på landet på vintern? Flickorna fick det stora sovrummet, det med fönster ut mot gården, medan Siri gjorde i ordning för sig själv och Putte i genomgångsrummet. Det lilla sovrummet skulle hon sitta och arbeta i om dagarna, om hon nu skulle lyckas finna något arbete.

Innan klockan var nio var det mörkt i den rödtimrade flygelbyggnaden, som låg intill en 1600-talsgård på en stor ö nära hennes utvalda hemvist i världen. Liksom svalorna på våren hade de återvänt hem från en lång resa. Fast det var långt till våren, och de var inte riktigt hemma.

*

Eva Carlsson kom till Lemshaga ett par veckor senare. Hon kom bärande på en enda väska, efter att ha blivit uttransporterad från Stockholm med S/S Strömma kanal och skjutsad till gården av samma körkarl som kört Siri och barnen. Men till skillnad från dem stod hon inte storögt och betraktade sitt nya hem. Den bastanta kvinnan gick rakt fram till flygeldörren och öppnade den med självklarhet – som vanligt, skulle man kunna säga. "Frun!" ropade hon så fort hon kom in. Men Putte var den som hörde först, och som kom springande för att möta henne.

"Mamma, mamma!" ropade han. "Eva är här!"

Det var Eva Carlsson, den trognaste av barnsköterskor, som tillsammans med Siri packat koffertar och boklådor när de gav sig av, då för så länge sedan. Det var hon som hjälpt Siri att packa upp och packa ner alltsedan dess. Det var hon som suttit med barnen de kvällar då Siri och August var upptagna av annat. Som berättat för dem om människor som blivit levande begravda och gamla grevar som gick igen. Och de hade lyssnat med skräckblandad förtjusning. Ja, de tyckte om Eva. Förutom mamma och pappa var hon den enda människa som hade blivit en konstant i deras liv.

Hade Eva följt dem över hela Europa, i sex långa år, så fanns det väl ingen anledning varför hon skulle lämna deras tjänst nu, när de kommit hem till Sverige? Så kunde man väl tycka. Ändå hade Siri tvekat. Hon hade inte råd att betala Eva, vilket var det mest uppenbara skälet. Men när August hade insisterat, och sagt att han skulle stå för notan, hade hon gett med sig.

Hon borde vara glad och lättad.

Men det var något besynnerligt med hela arrangemanget, och med Augusts envetenhet. Det var ju trots allt han som nu tvingades betala för två hushållerskor, en åt Siri, en åt sig själv.

Och generös med pengar hade han ju aldrig varit.

5

1875

Man skulle nog kunna säga att hon valt det själv, alltihop – ja, det skulle man definitivt kunna säga. Och då skulle man tala både sanning och osanning.

Hon stod vid salongsfönstret och tittade ut mot sin trädgård. Den prunkande trädgården bakom planket på Norrtullsgatan.

Och där, mitt i grönskan, gick hennes make, med den lilla flickan vid handen. Carl såg henne inte. Kickan såg henne inte heller. Siri kunde stå ostört och titta på dem, genom salongsfönstret.

Flickan hade nyligen lärt sig att gå. Nåja, för ett halvår sedan. Kickan var sen, hon var ju ändå snart två år. Två år … Så fort livet gick …

Nu satte sig Carl på huk, och han plockade en blomma från aristolochiabuskaget. Så höll han den framför barnet. Han sa något. Siri kunde förstås inte höra vad. Men hon tyckte att flickan log. Ja, hon såg bestämt glad ut.

Siri tog ett djupt andetag.

Nu reste sig Carl. Och han ropade på Dadda. Det hörde hon.

Barnsköterskan kom strax ut och hämtade Kickan.

Sedan stod hennes make ensam kvar i trädgården. Helt stilla.

Och så var det plötsligt som om hon betraktade en kuliss, eller en målning, från en annan tidsålder. En trädgård, med mörkröd aristolochia, en lång man i blå kaptensuniform, med jackan uppknäppt. En grön grind, perfekt snidad. Konturerna var skarpa, även de runt skuggorna. Färgerna var alls inte fula men ganska grälla, konstnären hade inte haft en särskilt stor palett. Och hade flickan stått kvar där ute i trädgården hade målningen nog nästan blivit banal.

Nu rörde sig mannen. Han såg allt lite villrådig ut, kastade blickar bort mot gatan. Sedan mot huset. Letade han kanske efter henne?

Ja, han letade bestämt efter henne.

För nu såg han henne, och han log. Han log stort.

Och hon tänkte:

Hur skulle jag någonsin kunna klara mig utan honom?

6

"Det spökar här." Han sa det på fullt allvar.

Hon tittade sig omkring i sin hemtrevligt möblerade salong. Kanske borde hon ha blivit sårad, men hon var inte så lagd, åtminstone inte när det gällde hennes sällskapsrum.

"Berätta", sa hon och tittade nyfiket på författaren.

"Ni förstår", sa han, utan att dölja sitt obehag, "jag har bott i den här våningen, för hundra år sedan. Ja, för hundra år sedan, så gammal är jag."

Och då kunde hon förstås inte låta bli att skratta, trots att han inte såg det allra minsta skämtsam ut.

Det visade sig faktiskt att han talade sanning. August Strindberg hade bott på precis denna adress, i precis denna våning, i precis dessa rum! Deras hem var platsen för hans olyckliga ungdomstid.

"Men Herre Gud, kan vi inte jaga spökena på flykten!" svarade hon då, och kände än en gång – för vilken gång i ordningen? – det överrumplande medlidandet.

Han hade dykt upp på deras tröskel precis klockan tre, som de hade avtalat. Och den här gången såg han betydligt mer avslappnad ut.

Hon blev obegripligt glad. Även Carl såg riktigt upprymd ut.

De hade satt sig till bords nästan omedelbart. Och Strindberg hade frågat om inte den lilla flickan kunde få sitta med vid bordet. Han tyckte ju så mycket om barn.

Så Carl hade ställt fram barnstolen och ropat tillbaka Dadda.

Och sedan hade Kickan suttit med dem, stilla och tyst, medan de vuxna åt. Ibland hade Siri hållit sin arm om hennes axel. Då satt Kickan ännu mer stilla.

Det var efter middagen som de hade gått in i salongen, för dessert. Och det var nu som författaren hade återkallat de hemska minnena från sin barndom.

"Men finns det inte någon som kan driva ut de dystra tankarna?" undrade Carl. "Fröken Forstén, är inte hon en mycket nära vän?"

Siri kastade en förebrående blick på honom. Hon hade berättat för Carl om sina misstankar, och eftersom Ina Forstén inte befann sig i rummet, och därför knappast kunde driva ut några dystra tankar hos deras gäst, var det uppenbart att Carl bara tagit tillfället i akt att stilla sin nyfikenhet.

Det blev inte bättre av att Strindberg rodnade. "Fröken Forstén är förlovad med min bekant", mumlade han. "Operasångaren Algot Lange. Visste ni inte det?"

Nej, det visste de ju inte! Hon skyndade sig att förklara att de egentligen inte kände Ina. Det var bara så att Constance Mellin, hennes barndomsväninna i Helsingfors, hade bett henne att ta hand om Ina under dennas konserturné i Stockholmstrakten.

Strindberg tittade förvånat på henne. Och så sprack han plötsligt upp i ett leende.

"Så besynnerligt. Då hade vi båda ålagts samma uppgift!"

Och sedan skrattade han, för första gången. Och snart skrattade de alla tre. Ett förlösande långt skratt, ett första tecken på den gemenskap som snart skulle komma att känneteckna deras umgänge.

"Det där schabraket är ändå nytt!" utbrast författaren och pekade på den stora flygeln i hörnet av salongen. "Den stod inte här på min tid."

"Nej", sa Siri och log. "Den är från mitt barndomshem, Jackarby i Finland. Den brukade stå i tapetsalen där."

"Spelar ni?" Han tittade nyfiket på henne.

Hon nickade.

"Sååå …", sa Strindberg, och han drog verkligen på ordet. "Även Friherrinnan är alltså konstnär."

Ett ögonblick blev det alldeles tyst i salongen. Påtagligt och oförklarligt tyst.

"Nu tycker jag att vi går ut i trädgården", utbrast Carl. "Det är ju ändå försommar!"

Ja, det var alldeles ljuvligt varmt i Stockholm den kvällen. Och aristolochian blommade i deras trädgård. Och författaren blev kvar hos dem länge, längre än han förmodligen själv hade avsett. Men framåt sju, när både kaffe och avec hade avklarats, reste han sig ändå från trädgårdsstolen ute i bersån för att ta farväl.

Carl tittade överraskat – nej, faktiskt bestört – på honom.

"Men inte ska ni gå redan! Vi väntar ännu en gäst!"

Det gick inte att ta miste på Strindbergs förvåning. Han hade vid det här laget tillbringat fyra timmar i deras sällskap – mer än man kan förvänta sig vid en första visit. Dessutom hade ingen nämnt något om ytterligare besökare.

"Det är min kusin", sa Siri och harklade sig. "Från Mariefred. Hon kommer inte så ofta, men just i kväll är hon i Stockholm." Så kastade hon en blick på Carl.

"En förtjusande ung kvinna", tillade han, "som vi hemskt gärna skulle vilja veta er åsikt om."

Nu mumlade författaren något om att han trodde att de förstått att hans känslor redan var engagerade. Fast då skrattade Carl. Och så sa han att de inte hade några avsikter.

"Vi tror bara att ni skulle uppskatta fröken Sofis sällskap."

Så författaren satte sig ner igen, förundrad, och ändå tydligt belåten. Han hade kanske bara tagit avsked i tron att han börjat fresta på deras gästfrihet. Och så satt de där i ytterligare en timme, i väntan på kusinen, i livligt samspråk om Strindbergs arbete på Kungliga Biblioteket, fast kanske allra mest om hans pjäser. Siri kunde nämligen inte sluta fråga om hans pjäser.

Klockan var över åtta när Hilda kom ut med brevet. Carl tittade konfunderat på klockan och så sprättade han snabbt, och synbart sammanbitet, upp kuvertet. De betraktade honom i tystnad medan han läste den lilla noten. Så räckte han den till Siri, utan ett ord.

Hon blev alldeles röd i ansiktet.

Och författaren tryckte stolen ett par centimeter bakåt i gruset.

"Det är väl ändå bra starkt!" utbrast Carl. "En snäll och olycklig barnunge trivs hos oss nygifta, som ju är hennes släktingar. Och hennes föräldrar vill förbjuda flickebarnet att stiga över vår tröskel. Det är ju faktiskt oförskämt!"

Nu reste han sig verkligen, Strindberg.

"Det har varit en fantastisk dag", mumlade han. "Men intrycken har varit så många att jag nu känner att jag måste återvända till min vindskammare för att smälta dem."

Siri tittade på honom.

"Vi har skrämt bort er …", sa hon.

Han skakade på huvudet.

"Så ni kommer tillbaka till oss?"

Han nickade. Och så skyndade han bort mot grinden.

Så fort han försvunnit utom synhåll sjönk Carl liksom ihop.

Hon lade handen på hans arm. "Hur är det, min skatt?"

Han hörde henne nog inte, för han svarade inte. Så hon upprepade frågan.

Äntligen tittade han upp på henne.

"Bara bra, älskade min rosenknopp."

Och medan han såg på henne kunde hon, ett kort ögonblick, se frågan i hans ögon. Men ögonblicket var så kort att hon inte ens hann svara. Eller så kunde hon skylla på det. Att hon inte hann svara.

Sedan log han och klappade henne på huvudet, som man gör med ett barn. Ja, precis som med ett barn.

7

Författaren kom verkligen tillbaka. Och inte bara en gång. Snart var han hos dem nästan dagligen.

Det var besynnerligt hur snabbt, lätt och nästan omärkligt han gled in i deras liv. Och med vilken entusiasm de släppte in honom. För de var ju verkligen en udda trio, utan några yttre gemensamma nämnare, vare sig när det gällde bakgrund, bildning eller umgänge. Till råga på allt hade Strindberg högtidligt deklarerat att det militära var något han aldrig kunnat förlika sig med och att adeln var ett stånd han alltid hyst fördomar mot.

Ändå upptäckte de att han inte kunde låta bli att studera porträtten på deras anfäder, och vapnen som hängde på deras väggar. Till och med Carls uniformsrock tycktes väcka hans omåttliga intresse.

Så motsägelsefullt verkade detta, att man skulle kunna tro att Siri och Carl tjänade som studieobjekt för författaren, för någon pjäs han höll på att skriva. Fast hon visste att detta inte var skälet, åtminstone inte det huvudsakliga. August var alldeles för förtjust.

Vari bestod då deras egen förtjusning? Egentligen var det ganska svårt att förklara. August hade vad man brukar kalla karisma, eller snarare ett sätt att behöva och att belöna dem som kände sig manade att ta hand om honom. Han belönade dem förstås inte på något konkret sätt. Endast genom sin närvaro, sin intensitet och sina förtroenden. De förtroenden som av någon anledning fick dem att känna sig utvalda att rädda hans liv. Trots sin försagdhet hade han för vana att berätta de mest intima, och ofta sorgsna, detaljer ur sitt liv för dem. Sådant som man knappast berättar för främlingar.

Men var detta verkligen den huvudsakliga anledningen till hennes nya upprymdhet?

Eller var det möjligen så att denna nya bekantskap ingav henne ett vagt hopp om att kunna rädda också sitt eget liv?

*

Hon hade först inte märkt honom, upptagen som hon var av att kamma Kickans hår. Han stod på tröskeln in till biblioteket.

"Kom in", sa hon och skrattade, för han hade tittat på dem med en så besynnerlig blick. "Slå er ner."

Så August kom in. Och han slog sig ner mittemot dem. Men uttrycket i ögonen fanns kvar.

"Det är så roligt att ni tycker om barn", försökte hon.

"Det finns inget vackrare än en moder med ett barn", mumlade han.

Carl hade gått ut med Mutte, deras silkespudel. August hade dröjt sig kvar efter middagen, så som han ibland brukade. Och hon hade satt sig att kamma Kickans långa lockiga hår. Så som hon ibland brukade.

"Känns det bättre att vara i spökhuset nu?" frågade hon. För att byta samtalsämne.

"Mycket bättre!" svarade han, och äntligen släppte han dem med blicken. Så lutade han sig bakåt i stolen och tittade bort mot kakelugnen, som säkert hade stått där redan på hans tid. Sedan satt han bara tyst. Länge. Och de enda ljud som nu hördes var kammen mot det långa håret, sprakandet från kakelugnen och den tickande klockan borta i hörnet.

Men hans tystnad kändes faktiskt inte påträngande eller krävande. Inte ens efter fem minuter, inte ens efter tio. Kanske hjälpte det att den lilla flickan fanns med i rummet. Kanske hjälpte det att Siri själv var sysselsatt.

Så stilla var allt att det var ganska oförutsett när det hände. Alldeles särskilt som det var han, inte hon, som tog upp det.

"Jag avundas er ert bibliotek." Han hade satt sig upp i stolen och tittat runt i rummet.

"Det är mest dramer", svarade hon. "Allt från Aischylos till Ibsen. Och nu Strindberg." Hon log.

Han nickade.

"Ja, jag har förstått att ni närde vissa … hade vissa …"

Så gick det till. Avsiktligt eller oavsiktligt.

Och kammen stannade i den lillas hår.

"Ja, ursäkta att jag …", sa han.

"Har min make berättat …?" mumlade hon.

"Nej", avbröt han snabbt. "Nej, alls inte. Jag lade ihop två och två."

Nu drog hon ut kammen ur håret, tog bort några hårstrån. Och så ropade hon på Dadda.

Trettio sekunder senare hade den lilla flickan lämnat rummet.

Och Siri satt alldeles stilla.

"Ja, ni får ursäkta att jag …", sa han igen.

"Hur bär ni er åt för att avstå era drömmar?"

Han tittade förvånat på henne.

"Men jag har inte avstått mina drömmar!" svarade han, med emfas. "Då skulle jag dö!" Detta sa han som en självklarhet.

"Det är precis så jag känner", sa hon innan hon hunnit tänka.

Han tittade förskräckt på henne. "Att ni vill dö?"

Hon kastade ett öga bort mot hallen. Hon tyckte att hon hade hört någon komma genom ytterdörren.

Nej, ingen hade kommit genom ytterdörren. Hon hade inbillat sig.

"Jag har ett underbart liv …", mumlade hon.

"Ja …", sa han dröjande. Men det lät som en fråga.

Så hon berättade för honom. För det var nog trots allt därför hon hade gjort sådana omåttliga ansträngningar att få träffa honom denna vår.

Hon berättade för honom om tapetsalen i Jackarby, om Constance och Hulda och Ada, om den ständigt återkommande leken. Om vad den gjorde med henne. Och om hur hon visste redan innan hon var tio. Hur hon visste precis hur hennes liv skulle komma att gestalta sig.

"Vad spelade ni?" undrade han.

"Små teaterstycken som vi skrev ihop själva. Och så komponerade jag danser, och små musikstycken till danserna. Men mest spelade vi teater. Det var gudomligt …"

Han log. "Förklara."

Så hon försökte, fast det egentligen var omöjligt.

"Därför att det fick mig att nå livet. Genom att jag gestaltade någon annan än mig själv. Jag vet att det låter tokigt … men något sådant var det. Att komma bort ifrån mig själv genom att vara någon annan, att nå mig själv genom att vara någon annan. Att leva till fullo, att bryta igenom mitt eget skal, att bli hel."

Och hon såg att han nog förstod.

"Uppmuntrade de er?"

Hon ryckte på axlarna. "De skrattade i alla fall när jag försökte vara rolig."

Han log igen. Så nickade han mot porträttet som hängde bakom henne, på väggen.

"Är det er far?"

"Ja."

"Han ser vänlig ut."

Hon vände sig om. Ansiktet i ramen var fruset i en förgången tid. Håret var fortfarande brunt, kammat för att täcka över en begynnande flint. Han var ung, det var så länge sedan.

"Han var den vänligaste människan i världen. Han borde ha blivit något annat."

"Vad blev han?"

"En man med en förlorad gård."

"En man med en förlorad gård …", mumlade Strindberg, som om han memorerade frasen för framtida bruk. "Och sedan?"

"Ja sedan … Han hamnade vid en lampa, i en fåtölj, i ett annat land. I en Stockholmsvåning."

"Och ni?"

"Hur menar ni?"

"Hur gick det med ert teaterintresse?"

Nu blev hon tyst. För detta förstod han uppenbarligen inte. Mycket förstod han, men inte detta.

"Det sägs att adeln är privilegierad …", sa hon till slut. "Eller hur?"

Han nickade.

"Men grevar får knappt möblera om i sina slott. Förstår ni?"

Nu stirrade han på henne.

"Men det är löjligt! Försökte ni inte ens!?"

"Åh, August", sa hon, och hon kunde inte låta bli att le. För att han ändå var så bedårande. Och för att han ägde en frihet som hon aldrig skulle uppnå.

"Jag försökte många gånger. Sista gången … Jag var väl nitton, vi hade redan flyttat till Stockholm. Jag kom in i pappas rum. Han tittade upp mot mig från sin bok. 'Gillan' – så kallade de mig – 'Gillan, så roligt att se dig', sa han. *Så roligt att se dig* … Och då vågade jag fråga igen."

"Vad svarade han?"

"'Gå på spektakel så ofta du vill, kära barn, men förskona mig från sådana griller!'"

"Så grymt."

"Han var inte grym!"

"Nej …"

Strindberg var tyst ett ögonblick.

"Men nu är ni ju en vuxen kvinna! Som får styra sitt eget liv."

Hon tittade in i hans blå ögon. Och så sa hon det:

"Har ni en aning om vad som skulle hända med Carls karriär om jag ställde mig på en teaterscen?"

Nu hördes ljud utanför rummet, vardagliga ljud som säkert hade funnits där hela tiden. Slammer av porslin ute i köket. Dadda måste ha lagt den lilla och övergått till disken, eftersom Hilda hade kvällen ledig. Carl var säkert tillbaka, satt väl i sitt arbetsrum och läste, boken av Jules Verne kanske. Kvällssolen lyste in genom fönstret och gjorde så att den handvävda persiska silkesmattan vid deras fötter lyste.

"Problemet …", sa hon, "det *egentliga* problemet …"

"Ja …?"

"… är att jag inte duger något till."

"Strunt!" utbrast han.

"Jag är för vek, jag är för dum, jag är för kraftlös."

"Så ska ni inte säga!"

"Jo. Då man lider blir man alltid egoist och då man är egoist blir man oftast orättvis. Jag förmår inte skänka glädje till dem jag älskar."

Nu var August tyst, i flera sekunder.

"Ni är en underbar hustru till er make."

"Carl är en fantastisk man. Jag förtjänar honom inte."

"Ni är en underbar mor till er dotter."

Nu svarade hon inte.

*

Hon hade suttit vid flygeln i timmar. Den som stod mitt i tapetsalen på Jackarby. Hon hade spelat samma passage om och om igen. För ännu lät det inte riktigt bra. Inte riktigt som hon ville ha det. Så när långfingret på höger hand till slut hade börjat värka, då lindade hon en bit tyg runt det, och fortsatte spela. Och håret föll framför hennes ansikte och hennes ögon. Hela tiden. Men hon avbröt inte sitt spel.

Jo, när mamma Betty kom in för att berätta att hon blev störd. När mamma Betty kom in för att säga att Gillan borde göra något annat. Något som var lite mindre envetet. När mamma sa att hon inte orkade höra klinkandet mer. Då avbröt hon sitt spel. En kort stund.

För det märkliga var, att när Gillan gick in för något alltför envetet, ja då störde det mamma Betty. När hon å andra sidan inte gick in för något alls, som till exempel hushållsarbete, ja då störde också detta mamma Betty.

Med pappa var det tvärtom. Han kunde sitta i timmar och lyssna på hennes pianospel.

"Gillan …"

Hon tittade upp.

Carl von Essen stod i dörröppningen, iklädd sin rökrock och innetofflorna. I handen hade han en lykta med ett tänt stearinljus.

"Jag skulle behöva ha en bok. Från södra flygeln."

"Från södra flygeln?"

"Ja, Stendhals *Kartusianklostret i Parma.* I biblioteket, den vänstra bokhyllan, näst översta raden, närmast fönstret."

Hon tittade undrande på honom.

"Men Gillan då!" utbrast han när han såg hennes min. "Inte ska du väl vara pjåskig!"

Nej, pjåskig var ju det sista hon var. Och bad pappa henne så var det säkert mycket viktigt. Så hon reste sig från pianostolen, gick fram till honom, tog lyktan ur hans hand, gick ut i farstun, satte på sig kängorna och kappan och gick rakt ut i det kalla och våta höstmörkret.

Medan hon trevade sig fram mellan huvudbyggnaden och den obebodda södra flygeln kastade hon blickar mot de svagt upplysta fönstren bakom vilka hennes mor säkert satt och broderade och tjänstefolket avslutade dagens göromål. Borta i södra flygeln var det däremot beckmörkt. Och konstigt var inte det. För där ville ingen bo sedan farbror Odert tagit livet av sig i det gamla biblioteket. Allt gårdsfolket trodde att det spökade där.

Ändå hade han skickat dit henne i nattmörkret. Med ett stearinljus! Hon samlade mod. Nej, pjåskig var det sista hon var.

Medan hon höll handen framför lyktan, så att vinden inte skulle leta sig in i springorna och blåsa ut den fladdrande lågan, gick hon tvärs över det våta gruset, bort mot spökhuset. Hon befann sig bara några meter från fönstret, det mot biblioteket, när hon studsade till. För mitt på golvet där inne skönjdes en skugga, något som rörde sig, som vaggade fram och tillbaka, rytmiskt som pendeln på stora klockan i salongen. Hon vände tvärt för att fly. Men så tog nyfikenheten över.

Hon gick försiktigt fram till fönstret, och lade näsan mot det kalla glaset. Nu såg hon honom klart och tydligt, fast bakifrån. Och farbror Odert kunde det inte vara, för han hade dött vid en betydligt lägre ålder än mannen som vaggade av och an där inne. Hon tryckte ansiktet ännu närmare glaset. Och nu kände hon igen honom! Det var ju bokhållar Lind! Vad i hela friden gjorde han i biblioteket? Och vad höll han i sina händer? Han svängde runt, runt, med något tätt slutet till sitt bröst. Men se på … Det var ju Lina, hennes stora docka … Och så lycklig han såg ut, bokhållar Lind, där han gungade fram och tillbaka med den livlösa varelsen. Hennes Lina, som låg slängd i hörnet av biblioteket, därför att hon aldrig hade begripit vad man skulle göra med en till människa förklädd tingest.

Hon lämnade fönstret eftersom hon inte ville störa. Och hon vände tillbaka mot huvudbyggnaden. Hon skulle komma på en bra ursäkt till sin far. Och han skulle inte bli arg på sitt enda barn. Han blev aldrig arg på riktigt. Han bara låtsades ibland, för att hon inte skulle bli pjåskig.

Och hon kunde inte låta bli att undra varför han *egentligen* skickat ut henne i höstmörkret. Var det för att hon skulle få se hur lycklig bokhållar Lind var?

Eller var det möjligen för att se om hon vågade?

"Kasta dig upp på hästen och galoppera så fort du bara kan!" brukade han säga. "Bekymra dig inte om vad människor förväntar sig. Och blir Siri von Essen gift, så visst är det bra. Men blir hon det inte, så kan hon bli minst lika lycklig som gammal fröken."

Bli den du vill, Gillan, gör allt du förmår! Rid! Rid!

Men varför, i herrans namn, hade då inte ens han låtit henne galoppera så fort hon bara kunde?

*

Det finns en herre här, en löjtnant som jag är ganska betagen i. Han är utmärkt behaglig och jag tycker mycket om honom, men jag är ej precist kär, åtminstone ej dödligt i honom. Jag nämner detta blott som en flamma.

Hon hade skrivit till Constance så fort hon hade träffat Carl, sommaren efter pappas död. Och kanske var det ingen slump att han, av alla de "flammor" hon beskrivit för väninnan, skulle bli den hon ändå till slut skulle ta till sitt hjärta. För han påminde om hennes pappa, på så många sätt. Han var god, han var omtänksam, han var kärleksfull, han uppmuntrade henne. Hon, som för Constance så ofta beklagat sig över att hon inte kunde "börja älska på riktigt", hade ändå lärt sig till slut. Ingen kunde dessutom anklaga henne för att inte ha funnit ett gott parti. Förmögen var löjtnant Carl Gustaf Wrangel förvisso inte, men definitivt ståndsmässig. En baron i själva verket. Så det var knappast förvånande att mamma hade blivit så vidunderligt glad över hennes val.

De gifte sig sommaren 1872, på Siris tjugotvåårsdag. Ett år senare gav hon liv till en ljuvlig liten flicka.

Och något slutade leva inom henne.

Så kändes det. Och i den känslan frös hon fast.

Ändå kunde ingen säga att det liv hon levde var fel. Inte ens hon själv. För hon hade kära vänner, och välstånd, och kärlek. Och när hon lutade huvudet mot Carls bröst fick hon frid, frid från alla de kaotiska känslor hon bar inom sig. Han, hennes lugne, tålmodige make, märkte inte törnena, han som så ofta var tvungen att plocka bort dem.

Vad mer, kan man undra, kan man begära av livet och kärleken?

Inget, om man skulle döma efter människorna som levde i hennes närhet. Inget alls.

8

Klockan var tio på aftonen då de steg ombord. Skeppsbron var fortfarande fylld av folk, trots den sena timmen. Hamnarbetare bar omkring på fläsk- och smörtunnor, och på de många mastbärande fiskebåtarna revades segel. Segelfartygen var fortfarande i majoritet, men en och annan ångbåt syntes också. Dessa ångbåtar tog stockholmarna ut i skärgården, och från flera kom fortfarande rök. Det var runt dem människorna på kajen flockades.

Men hon skulle inte ut i skärgården, åtminstone skulle hon inte stanna där. Hon skulle mycket, mycket längre.

"Jag skulle vilja springa ibland – långt, långt. Så långt att min egen skugga inte kunde följa mig." Det hade hon sagt August kvällen innan avfärden, som något slags förklaring.

Fast det var ju inte hon som hade valt denna resa. Det var mamma, eller så var det Carl, eller så var det båda. Vilan skulle få henne på mycket bättre humör, sa de. Carl hade framhållit att hon skulle bli fri ifrån allt vad vardagsbestyr hette, i hela fem veckor. "Och bröllopet kommer att vara sagolikt."

Ja, bröllopet var en utmärkt förevändning. För något måste hon ju göra.

"Ni om någon borde förstå." Hon hade tittat på August. "Ni som liksom jag varje dag känner dessa osynliga händer som sluter sig kring hjärnan, som vill stanna hjärtats slag. Denna hemska makt som vill tvinga en att skrika fastän man inte kan."

Och sedan hade hon skyndat sig att tillägga:

"Jag älskar honom, mer än allt, mer än min salighet. Aldrig har han förebrått mig att jag är så här tokig. Hur kan han vara lycklig med mig?"

De hade gått ombord alla tre, vilket kunde tyckas egendomligt. Men antingen var det så att varken Carl eller August förmådde ta avsked av henne. Eller så följde de med för hennes skull. Och det spelade egentligen ingen roll vilket. Hon ville ha dem där. Sedan, framemot morgonen, vid sista möjliga tillfälle innan man stävade ut på det öppna havet, skulle de stiga av vid skärgårdens sista tullstation. Och hon skulle sova tills hon åter var med vänner, i Finland.

Medan kapten Conradi drog i ångvisslan lade S/S Dagmar ut från kajen. Båten gled ut på det lugna vattnet, förbi den bullrande och stinkande storstaden. Carl lade alpackasjalen tätare om Siris armar, höll om hennes axlar, beskyddande. På andra sidan om honom stod August och tittade ner i vattnet.

"Jag älskar dessa vidunder", mumlade han. "De tar mig dit jag vill."

Men Siri hörde honom inte. Hon tittade upp mot Carl, sökte hans blick.

Han skrattade och pussade henne på kinden. "Min skatt", sa han. "Resan kommer att göra dig gott. Men jag kommer att sakna dig ohyggligt!"

Nu sänkte sig solen över deras stad, och Beckholmen med sina varv gled förbi utanför båten.

Carl lade armen fastare om hennes axlar, frågade om hon frös. Hon kröp intill hans stora varma kropp.

Snart hörde hon Augusts röst, långt borta. Han pratade om sin barndom, om sin far ångbåtskommissionären, om sina somrar i skärgården. "Den enda underbara tid jag hade i min barndom." Brottstycken, ord som kilade sig in i hennes egna surrande tankar. Ord som flöt upp och ner som en farkost på vågorna: "Innan jag visste ordet av satt jag i ett ovalt rum med vitt och förgyllning och med röda sammetssoffor. Och jag tittar ut genom ett litet fönster och ser gröna stränder, blågröna vågor, höskutor och ångbåtar tåga förbi. Det var som ett panorama, eller som de sagt att teatern var ..."

Hans mjuka röst, så vilsam. Och de vackra meningarna. De lade sig som balsam över något inne i henne. "På stränderna marscherade små röda hus fram, och vita. Och utanför stod gröna träd med snö på, stora gröna dukar surrade förbi, med röda kor på ..." Hon tog ett djupt andetag, drog in den ljumma kvällsluften i lungorna. Hon skulle ju ändå till Helsingfors! Till Constance och alla sina släktingar och vänner. Till bröllop och sommarnöje. Hon skulle faktiskt hem!

"Berätta mer", sa hon till August. "Berätta mer om er barndom, och om era resor ut i skärgården."

Och i hans ord, i berättelsen om en resa till Drottningholms slott – "det vackraste minnet från min barndom" – vaggades hennes oroliga själ tillfälligt till ro.

Medan ångan, som stadigt pulserade ur de två skorstenarna, drev dem in i Halvkakssundet stod de tre vännerna ute på däck och berättade historier ur livet för varandra. Förbi deras åsyn gled de mörka tallarna ute på skärgårdsklipporna, fast topparna var guldgula, som kronor. Och akterut såg de hur vattnet som hade delats av deras fartyg bildade en gyllene väg, tillbaka mot Stockholm. Landskapet runt deras farkost tycktes förtrollat. Men i stugorna hade fotogenlamporna ändå redan tänts, och endast en och annan människa kunde ännu skönjas vid stränderna. Hur sällan vi ändå tar in det sköna. Och för folket ute på de små öarna var väl detta bara ännu en natt, i tillvarons långa radda av nätter.

Hon såg hur August rös där han stod i den allt kyligare vinden som grep tag i dem när de kom ut på Höggarnsfjärden. Han hade berättat att han drabbats av en varannandagsfrossa veckan innan, och nu gjorde den sig uppenbarligen åter påmind. Hon tog av sig alpackasjalen och svepte den omsorgsfullt runt honom. August betraktade henne, men han sa inget och gjorde inget. Och Carl, som såg allt, stördes inte av det som utspelade sig mellan hans hustru och författaren. Det var ju som om de var ett, alla tre.

Och människorna på båten lade sig att vila. Till och med farkosten själv hade gått in i en jämn, sövande lunk, som inte tycktes kräva någon medveten närvaro av en mänsklig styrande kraft. Men vännerna på däck vilade inte. De förmådde inte.

Klockan var tre på morgonen när den dök upp bakom en udde. Lotsbåten.

"Nej, inte redan!" stönade Siri. Carl var blek.

Och medan kapten Conradi kom ner från kommandobryggan för att växla några ord med lotsen gjorde de sig redo.

August backade några steg, så att Siri och Carl skulle få vara ensamma med varandra ett ögonblick. Carl kysste henne. Och när hon tittade in i hans ansikte såg hon att hans ögon tårats. Hon torkade bort det våta. Sedan släppte hon honom och gick fram till August, tog hans hand och tryckte den mellan sina båda.

"Trösta Carl när jag har åkt", sa hon. "Håll honom sällskap några timmar." Så log hon: "När jag träffar Ina ska jag försöka förhöra mig om hur det ligger till med hennes känslor."

Då bugade han och kysste hennes hand.

Medan Siri stod kvar på den stora ångarens däck gick de båda männen mot lotsbåten. Två steg på fallrepstrappan, och de hade lämnat henne. August bar fortfarande hennes sjal över axlarna. Ingen hade föreslagit att han skulle återlämna den.

Så, medan lotsbåten avlägsnade sig mot tullstationen, började Dagmar åter ta fart och stäva ut mot det öppna havet. Siri tittade efter den lilla båten länge, så länge det bara gick. Och precis när den skulle försvinna bakom udden igen tyckte hon sig se hur Carl och August föll varandra om halsen.

Och hennes alpackasjal fladdrade i vinden.

9

Vagnshjulen skumpade över den knaggliga stenläggningen.

Hon vände sig om. Constance och Waldemar åkte alldeles bakom henne. De hade just lämnat Nikolaikyrkan, de var nygifta. De såg omåttligt lyckliga ut.

Själv hade hon en vag känsla av illamående.

Hon vände hastigt blicken framåt igen. Nu åkte de förbi Södra hamnen, och snart skulle de in i Brunnsparken. Det gick alldeles för fort.

Med ett ryck stannade vagnen framför Brunnshuset. Någon, en obekant man, hjälpte henne nerför steget. Sedan stod hon där, ensam, på grusgången.

Men så kom Axel. Han räckte henne armen. Och sedan tog han ett fast tag om henne och ledde henne in i den stora salongen. Där skrattades det och sjöngs, trots att inget vin ännu hade serverats. Nu kom Ada fram. Hon slöt upp bredvid dem, grep tag i Siris fria arm. Och så var hon omsluten av vänner.

Hennes fostersyster som gift sig med brodern till hennes bästa väninna. Så enkelt de alla hade löst det. Så bra de alla verkade ha det.

Och vad var det hon saknade?

Var det tacksamhet?

Kvällen framskred oerhört långsamt. Talen avlöste varandra i den stora salongen. De svårigheter Constance och Waldemar utsatts för under så lång tid – han var ju endast en ofrälse läkare – nämndes knappt med ett ord. Möjligen ett "ni visste att ni var ämnade för varandra", eller ett "kärleken besegrar allt".

Siri tittade sig omkring på de välbekanta ansiktena. Constance strålade. Waldemar kunde inte sluta titta på sin nyblivna hustru. Paret som suttit bredvid henne vid bordet dansade nu sin fjärde dans tillsammans, trots att de inte känt varandra vid kvällens början. Och Ada och Axel dansade tätt tillsammans ute på dansgolvet. Det flöt inom henne. Något flöt inom henne. Hon längtade så intensivt efter Carl, så intensivt att hon trodde att hon skulle gå sönder. Fast längtade var fel ord. Det kändes som att hon skulle dö om hon inte fick se honom snart.

Och vad var det hon saknade?

Var det tacksamhet?

Eller var det mod?

10

"I kraft av mitt ämbete har jag i dag, den 2 januari 1891, kallat makarna August och Siri Strindberg att inför Värmdö församlings kyrkoråd erhålla en varning för det mellan dem rådande missförhållandet. En första varning utdelades av mig personligen den 19 december, mottagen endast av maken." Kyrkoherden gjorde en kort paus, och tittade på Siri. "Då makarna fortsatt levt åtskilda utdelas härmed en *andra* varning av kyrkorådet!"

De befann sig i den kalla prästgården, invid kyrkan. Det var August som valt just denna plats för avslutningen av deras drama. Och Siri hade redan efter en minut i salen ångrat att hon gått med på det. Motviljan kom sig inte bara av kyrkoherdens auktoritära framtoning och mässande stämma, utan framför allt av hans benägenhet att undvika henne, annat än vid utdelandet av förebråelser. Siri hade hört att kyrkoherde Kallberg själv nu var inne på sitt tredje äktenskap. Så han hade väl problem med det motsatta könet, antog hon.

"Närvarande vid detta sammanträde är, förutom kontrahenterna och jag själv, godsägarna G.E. Silfverhielm, P.J. Malmberg, J.A. Sandin och V. Wahlberg, organisten P.E. Lindgren, herr J. Carlsson samt kyrkovärdarna C.E. Boman och C. Dahlberg. Jag förklarar härmed sammanträdet öppnat." Kyrkoherden slog så hårt med hammaren i bordet att det ekade i prästgårdens stora sal.

Hon kastade en snabb blick på August. Hon hade inte sett honom på många veckor, och han såg ut att vara än värre däran än sist, härjad rent av. Hon hade genom åren lärt sig att urskilja varje skiftning i hans anletsdrag. Och just nu, det såg hon, skulle han vara förmögen att behärska sig när så krävdes. Men inte mycket mer. Det högg till i maggropen. Hon hade lovat honom att få träffa barnen så fort deras vinterkappor var färdiga. Och nu var de färdiga.

"Ni har varit gift förut, fru Strindberg?" Hon ryckte till, återkallad till verkligheten.

"Det stämmer.

"Med en …"

"Kapten Wrangel", fyllde hon i.

"Och det äktenskapet upplöstes …"

"1876."

Hon skämdes, mot sin vilja. Två gånger skild. Hur många kvinnor kunde stoltsera med ett sådant facit?

"1876 … Sålunda året innan gällande äktenskap inleddes." Ja, han lät faktiskt föraktfull. "Kasta sten i glashus", mumlade hon för sig själv.

"Och ni, herr Strindberg?" Kyrkoherden hade vänt sig till August.

August harklade sig, två gånger.

"Detta är mitt första äktenskap."

Hon studsade till bara av att höra hans röst. Och på en sekund sköljde allt över henne – till och med medlidandet. Kunde hon alltså fortfarande tycka synd om honom? Ja, det kunde hon uppenbarligen, hur märkligt detta än var. Älskade hon honom fortfarande? Nej, nej, det kunde hon inte göra. Han hade till slut tagit död på hennes kärlek. Men det hade tagit lång tid, och krävt omåttligt stora ansträngningar från hans sida.

"Vill ni så förklara varför ni som makar nu lever åtskilda." Kyrkoherden tittade förstås på August.

August drog en hand genom det okammade håret.

"Stridigheter i lynnet", svarade han, och han lät så trött. "Samt

45

olika tänkesätt och åskådning i religiösa frågor, liksom i livets övriga viktiga frågor. Detta har sedan flera år samverkat till att skapa en alltmer outhärdlig situation. Det är numera omöjligt för mig att sammanleva med min hustru."

Nej, inget han yttrade borde längre förvåna eller påverka henne. Det var väl skammen, så här, inför alla de obekanta kalla ögonen i denna sal. Det var väl den som påverkade henne så.

"Och ni, fru Strindberg? Vad har ni att anföra?"

Ja, vad hade hon att anföra? Ingenting, enligt deras överenskommelse: "Inga anklagelser och inget försvar." Ändå kunde hon inte låta bli, nu när han sagt som han sagt:

"Min make besitter en överdriven misstänksamhet mot mig, som ibland har …"

"Jag betraktar inte min hustru som tillräknelig just nu!" August avbröt henne, plötsligt med fast och ljudlig stämma. "Och det är inte första gången. Hennes sätt att på Stockholmsbåtarna ohämmat umgås med kreti och pleti, drickande öl och allehanda starka drycker, är i högsta grad ovärdigt en mor, till råga på allt i barnens närvaro."

"Jag ber att få protestera …", hann hon säga innan kyrkoherden avbröt henne denna gång:

"Fru Strindberg! Det är aldrig ens fel när två träter!"

Och så blev hon plötsligt medveten om att hon höll på att få samtliga närvarande emot sig. Samtliga tio män i den ekande prästgården. Hon tittade sig hastigt omkring. Och insåg med ens att hon förivrat sig. Varför skulle hon börja träta med honom? De var ju överens: de skulle skilja sig, och hon skulle få vårdnaden om barnen. Han hade skrivit och bekräftat detta i sitt senaste brev. Till och med underhållet hade de varit överens om, eller August hade i alla fall inte satt sig på tvärs. "Säger du mig bara vad du begär, så har jag bara att instämma."

Det var alltså en formsak, detta de nu tvingades gå igenom. En plågsam rad av teknikaliteter. Och det enda rimliga var att söka göra processen så kort som möjligt.

"Kyrkoherden har rätt", sa hon. "Jag vill gärna ödmjuka mig ifall jag därmed kan göra något rätt. Och jag vill också gärna erkänna att även jag ibland svarat herr Strindberg häftigt. Jag tror mig dock inte ha överstigit de gränser inom vilka det tillkommer en bildad person att hålla sig."

"Nåväl", muttrade kyrkoherden, tydligen nöjd, och tittade på de övriga närvarande. Hennes ord verkade ha lugnat den församlade manligheten. "Är ni alltså villig till försoning?"

Hon var tyst ett ögonblick. "Jag är", sa hon, "och har alltid varit villig till försoning." Ja, det var det märkliga. "Men eftersom min make uttrycker så bestämd motvilja mot mig, och framhärdar i sin avsikt att skiljas, har jag inget att anföra mot att äktenskapet upplöses. Jag har bara ett absolut krav, om så sker: att barnens vård och uppfostran anförtros mig. Detta är ett orubbligt krav."

"Hm …", sa kyrkoherden. "Hur är er ekonomi, fru Strindberg?"

Vad menade han? Var det inte bara en varning som skulle utdelas?

"Begränsad."

"Ni kommer alltså att bli beroende av underhåll från er make?"

"Ja. Men jag söker arbete."

"Ni var aktris en gång."

Hon stelnade till. "Ja …"

"Är det därför ni vill skilja er från er make, för att äktenskapet har begränsat era möjligheter att vara aktris?"

Med all den behärskning hon var mäktig svarade hon:

"Det är inte jag som har begärt att äktenskapet ska upplösas. Och nej, jag har inte längre någon längtan att återgå till teatern. Jag har blivit för gammal för att spela unga roller, och är för ungdomlig i röst och rörelser för att spela gamla. I detta skede av mitt liv har jag bara en enda önskan: att få ägna mig åt mina barn och ge dem en så god uppväxt som bara är möjligt."

Kyrkoherden sträckte på sig. Det var uppenbart att han snart skulle låta sig nöja.

"Jaha ja", sa han, "då återstår det väl endast för mig att än en gång erinra er om de löften ni gav varandra vid äktenskapets ingående. En skilsmässa strider inte endast mot äktenskapets gudomliga stiftelse och ändamål, den kan även åsamka barnen skada. Jag vill härmed avsluta med att be makarna att ge varandra handen, för att visa försonlighet."

Hon tittade bort mot August. Han stirrade stint framför sig, alldeles orörlig. Byxorna var skrynkliga, kavajen lappad på ärmarna. Håret stod på ända, det hår han alltid bemödat sig om att frisera till perfektion. Ja, hon tyckte synd om honom. Han hade det svårt, liksom hon, förmodligen värre. Han levde ensam – han som sagt att familjen blivit en del av hans blodomlopp. Och nu var han helt allena, avskuren från sin organism. Hon kunde inte annat än känna med honom. Hon gick fram till honom, sträckte fram sin hand, och så sa hon, tyst: "August."

Han vände huvudet mot henne. Ingen annan del av hans kropp rörde sig, inte heller ansiktet. Han stirrade på henne. I blicken fanns endast hat.

Hon sänkte sin hand, och med gråten i halsen rusade hon ut från den fruktansvärda tillställningen.

Den tillställning som kanske kunde tolkas som den slutliga bekräftelsen på att det hade varit fel av henne att våga.

*

Snön låg tjock vid Lemshaga den morgonen slädekipaget anlände. Siri stod mitt på gårdsplanen, barhuvad i den iskalla morgonluften. Hon försökte hålla sig lugn genom att vara mycket aktiv, som så många gånger tidigare när hon varit rädd.

"Eva, har vi någon mer pläd där inne?"

"Nej frun, det var den sista."

"Karin, se till att lägga fällen även över fötterna. Karin vet väl att man kan förfrysa fötterna i en kall vagn?"

"Ja, mamma, ja", svarade flickan. "Mamma vet väl att vi har åkt släde förut?"

"Visst, Karin, förlåt. Putte och Greta! Håll i vagnen när ni åker! Glöm inte det!"

Greta skrattade. Hon tyckte väl att det skulle bli spännande att äntligen besöka pappa. Pappa som skrivit att julgranen höll på att vissna och konfekten att torka.

Putte var den ende som satt tyst. Siri gick fram till honom, stoppade om honom en sista gång, och så sa hon: "Vi ses i morgon, Putte. Redan i morgon." Den lille pojken sa fortfarande ingenting. Hon suckade. Så lyfte hon upp väskan på vagnen och ställde den framför Karin.

"Glöm nu inte att ge pappa hans julklappar", sa hon. Julklappar, fast det redan var januari. Och så stod hon och tittade på dem, helt stilla, liksom för att försöka inpränta bilden av deras ansikten i minnet. Kanske en halv minut, kanske bara tjugo sekunder. Skjutsbonden vände sig till sist om, undrande. Och då nickade hon, för vad skulle hon annars göra.

Han drog i tömmarna och de två hästarna började långsamt trava framåt.

När vagnen till slut försvunnit ur sikte och ljudet från bjällrorna runt hästarnas halsar inte längre hördes alls gick Siri in på den lilla kammaren, stängde dörren bakom sig, och började gråta, alldeles skärrad.

II

1875

På morgonen lördagen den 31 juli stod de där framför henne, nästan precis som de hade lämnat henne. Två vuxna män och en liten flicka, uppradade på andra sidan det smala vattnet. Som om de hela tiden befunnit sig där, och bara väntat. Och hon visste att det enda som behövs för att man ska värdesätta det man har, är att man mister det.

Det som nog förvånade henne mest var den lyckokänsla hon förnam när hon fick syn på den lilla flickan.

Carl hade hållit Kickan i famnen. Och ställt ner henne på marken, så fort båten nådde kajen. När besättningen förtöjt och fören låg fast mot land, puffade han lite lätt på den lillas rygg, för att hon skulle gå de få stegen fram till sin mamma. Hon kom försiktigt, på små fötter, iklädd sina allra finaste skor.

Siri sprang nerför landgången och mötte sin dotter. Hon satte sig på huk och tog henne i sin famn. Och så äntligen, efter någon sekund, kände hon hur Kickans armar slöt sig runt hennes hals. Och då kom tårarna. Varför gjorde hon allt i livet så fruktansvärt komplicerat, när det ju var så enkelt!

Till slut reste hon sig, och med flickans hand i sin gick hon fram till de två männen.

"Carl min, som jag har längtat …", mumlade hon.

"Jag också", sa han.

De höll om varandra, länge.

Så, medan Carl gick för att hämta hennes bagage, vände hon sig slutligen till den käre vännen. Han tittade på henne med sina seende, vemodiga ögon.

"Jag var tvungen att komma hem två veckor tidigare", sa hon, urskuldande. Som om det krävdes en förklaring.

"Vi är så glada", svarade han.

Och hon stack ner handen i kappfickan och drog fram brevet.

"Men duvan återvänder med ett olivblad."

Hon hade träffat Ina i slutet av sin resa, på Villinge ö. Det hade varit de bästa dagarna av alla. De enda, i själva verket, som varit glada.

August tog emot det nätta lilla kuvertet. Han vände på det. Så tittade han upp på henne med något nervöst i blicken.

"Öppna det", sa hon.

Han öppnade kuvertet, långsamt och omsorgsfullt, och halade fram det enda arket papper. Ögonen flackade snabbt över de få raderna. Till slut vek han ihop brevet. Han tycktes tveka.

"Är det så att fröken Forstén fortfarande är förlovad med Algot Lange?"

"Ja och nej…", svarade hon. För så var det ju.

"Ja och nej? Har hon gett något löfte?"

"Nej…"

Han var tyst ett ögonblick. Han föreföll omskakad.

"Tror ni att hon vill gifta sig med honom?"

"Jag tror inte det …"

Men det ängsliga draget fanns kvar runt hans mun.

"Jag vet inte om hon kommer att genomföra det", förtydligade hon därför. Så att han äntligen skulle se glad ut. För hon ville ju inget hellre än att August skulle bli lycklig.

"Vet hon vad kärlek är?"

Vilken oväntad fråga.

"Ja … det tror jag nog …", svarade hon, något omtumlad.

"Hm", sa han.

"Och ni då", lade hon till i sin förvirring. "Vad menar ni med kärlek?"

"En känsla som övergår alla andra." Det kom blixtsnabbt. "En naturkraft som ingenting kan motstå. Något sådant som åskan, tidvattensvågen, ett vattenfall, stormen. Det högsta, det mest meningsfulla, det närmaste gudomlighet människan får uppleva i sitt liv."

Hon såg på honom, förstummad.

"Sådär! Kom så går vi hem och får oss något till livs." Carl höll Siris båda koffertar i händerna. Bredvid honom stod Kickan.

Den kvällen hade Carl ordnat med bjudning på Norrtullsgatan. Tjugo vänner samlade. God mat, vin, till och med en liten orkester.

Och Siri Wrangel var i sitt esse. För första gången på så länge.

12

"Vi måste lösa ert dilemma", sa August nästa dag, i bersån utanför deras hus.

Hon tittade oförstående på honom.

"Dilemmat med era drömmar", förtydligade han.

Nej, nu fick han inte börja igen! Absolut inte. Han hade ju fått henne alldeles på fall sista gången.

"Det kan vi inte", sa hon bestämt. "En hustru till en officer kan inte vara aktris. Nu glömmer vi det där. Berätta nu för mig vad ni har gjort tillsammans medan jag var borta."

"Kanske inte lösa det exakt så som ni drömt", insisterade han. "Men vi kan kanske kringgå det som står i vägen."

"Å gode, söte August ..."

Men han lät sig inte avledas. "Genom att ni uttrycker er, fast på ett annat sätt. Ett *bättre* sätt!" tillade han.

Hon vände sig mot trädgårdsdörren i hopp om att Carl snart skulle komma ut. Men dörren var inte ens öppen.

"Ni förstår", sa han, "även jag stod en gång på scenen."

"August, snälla ..."

"Men hör mig till punkt! Ni vet ju inte vad jag ska säga. Även jag trodde att det var så jag ville uttrycka mig. Jag tänkte att mina ord skulle nå ut över hela världen, att scenen skulle bli som en predikstol, och jag vara den store förkunnaren. När jag tänkte på mig själv i denna predikstol funderade jag på hur självaste Jesus Kristus skulle ha klätt sig, fört sig, talat, om han var i min situation. Jag föreställde mig att i min scenframställning skulle rymmas allt det jag ville ge världen."

Jaha, så även han skulle håna henne ...

"Plötsligt en dag gick mina drömmar i uppfyllelse. Och när det stora ögonblicket var inne blev min uppgift att gå fram på estraden som en drucken barberare kommande från en maskerad, med en röd tuppfjäder i en narrmössa och bjällror på rockärmarna. Min enda replik bestod i att uppmana några andra uslingar att sticka kniven i en ädel man. Och just då kastar sig en kvinna emellan och räddar honom. Det hela slutade med att kvinnan överöste mig med glåpord. Jag krossades av henne, som jag förstås beundrade. Och medan publikens applåder rungade, för henne, fick jag smyga ut i kulissen förnedrad, skamsen, utbuad."

"Men det var ju en illusion …"

"Så kan tyckas!" utbrast han. "Men så kändes det inte. Jag blev bedömd som den usling jag föreställde. Jag antog i min publiks ögon personligheten hos den karaktär jag spelade. Jag förminskades till ett skal, ett käril."

"Bäste August" – hon hade höjt rösten – "ni behöver inte baktala skådespelarkonsten. Jag har redan gett upp tankarna på att förverkliga dessa drömmar!"

"Men hör mig till punkt", insisterade han återigen. "Ni *vet* inte vad jag ska berätta!"

"Nej …", sa hon. Och han tolkade det förstås som ett svar på den andra meningen. Vilket det kanske var.

"Så jag slutade", fortsatte han. "Jag gav upp min omöjliga dröm, och i det ögonblicket bröt jag samman."

"Tack …"

"Men det var så jag fann lösningen! Lyssna!"

Hon kunde inte hjälpa att hon log.

"Efter en fruktansvärd natt av vånda, en natt då jag ärligt funderade på att ta mitt liv, steg sanningen upp för mig som en Fågel Fenix. Ni förstår, medan jag låg där på min kammare, alldeles utpumpad av nattens förtvivlan och knappt vid medvetande efter att inte ha fått ett ögonblicks sömn, föll mina ögon på ett exemplar av *Fältskärns berättelser*, som jag hade stående i en hylla. Jag vet inte varför, men min blick drogs sedan oupphörligt dit. Till slut steg jag upp och tog ner boken. Jag slog upp den och började läsa. Gud vet varifrån jag fick koncentrationen. Kanske var det för att distrahera mig själv och söka tränga bort de fruktansvärda känslorna av förnedring. Men läste gjorde jag. Och nästan omärkligt, efter bara några sidor, började jag känna att texten var min egen, att det var mig den handlade om. Och medan jag låg där på soffan började jag spinna min egen intrig. Min hjärna kom igång, och min lust – min livslust, i själva verket. Det var så det började."

"Det låter ju underbart för er", sa hon.

"Det var det. Det var som en förlorad käresta som ersatts av en ny. Och livet kom åter."

"Men jag är inte författare."

"Tror ni att skillnaden mellan skådespelarens och författarens arbetsuppgifter är så stora? Ingalunda! För mig var teatern förskolan. Om ni tänker på saken är det ju nästan samma sak att skriva som att agera. Men författaren har herraväldet över situationen, till skillnad från skådespelaren. Tror ni att det går att skriva om människor utan att leva sig in i deras själsliv och intentioner? Tror ni att det går att lägga repliker i människors munnar utan att känna dessa människor, utan att känna deras känslor? Jag är som en skådespelare, det är bara det att jag väljer vad som ska sägas. Detta, Friherrinnan, är sanningen. Eld som eld!"

Hon betraktade hans ansikte. Det ansikte som under berättandet om scenmisslyckandet varit blekt, sammandraget, spänt, var nu rosigt, entusiastiskt, fyllt av självförtroende.

"Men jag är inte författare", sa hon än en gång. "Det är inte dit jag längtar, det är inte inom det gebitet jag begåvats med talang."

"Hur vet ni?" insisterade han.

"Jag har ingenting att skriva om", sa hon därför. "Jag har inte levat något …"

"Inte levat? Att leva är att gå med öppet öga, att iaktta med skärpa, att reflektera, att känna djupt, att lida! Att bära allas lidande inom sig, och uttrycka det. För allas räkning. Skriv allt det ni inte säger när ni sitter över er stickstrumpa. Skriv allt det ni längtar efter att säga – att skrika! – när ni är upprettad, när ni har blivit illa behandlad. Då, när ni är redo att explodera, men måste tiga. Vreden är den starkaste av själens alla rörelser. Uttryck den! Uttryck det ni kände när ni i er ungdom tvingades innanför klostermurarna i Paris. Uppfinn fiender om ni inte hittar några. Uppfinn dem! Tänk på en oförrätt, bli ond, ta med er era skådespelarfunderingar inom klostermurarna. Låt abbedissan i klosterskolan neka er det ni mest av allt längtar efter. Författandet är sanning, men ni får forma denna sanning precis som ni vill. Detta, Friherrinnan, detta är frihet!"

Hon tittade på honom, hela hans kropp var i rörelse. Han talade snabbt, intensivt, så som hon aldrig sett honom tala förut.

"Det här är viktigt för er…", sa hon.

Han hejdade sig. "Det är viktigt för *er*!" svarade han eftertryckligt. "För detta, Friherrinnan, detta kan *ingen* hindra er från att göra!"

Hon slöt ögonen. Nu hörde hon Kickans ljusa röst, långt inifrån huset. Så Daddas som talade till barnet, lugnt och mjukt.

"Berätta", sa hon tyst. "Berätta hur det känns inuti er när ni skriver."

"Nåväl … Man talar ofta om lycka, eller hur?"

Hon nickade.

"Och lycka, ja, vad är det? Det kan kanske vara att befinna sig vid havet och betrakta solnedgången. Eller att vara förälskad i någon som man hoppas, men ännu inte vet, besvarar ens känslor. Eller att … ja, ni vet själv."

"Ögonblicken har nog inte varit så många i mitt liv."

"Nej, det är just det som är saken. Lyckan är förgänglig. Man längtar efter den, som det högsta tillvaron har att bjuda. Men när den kommer försvinner den lika snabbt. Och så står man där, eländig som förut, fast kanske ännu värre, eftersom man hoppats för en stund. Det går inte att hålla fast vid känslan ens när man sitter vid havet och betraktar solnedgången. Känslan försvinner snart, den blir gammal och van."

"Ja, så är det nog."

"Men det finns något annat. Något man kanske skulle kunna kalla för lycka, fast det är på ett annat sätt. För man märker inte att man är lycklig, man minns inte ens efteråt vad man upplevt. Man bara försvinner in i det. Och det tar aldrig slut. Man blir aldrig tillvand. Denna sorts lycka svalnar aldrig."

"Jag förstår inte, August."

"Men har ni någon gång suttit i ett körsbärsträd och tittat på alla körsbär som hägrar långt ut på grenarna?"

"Ja, ja det har jag nog. Eller något liknande."

"Och ni blir helt besatt av att plocka vartenda körsbär, även det stora röda som finns längst ut på grenen."

Hon nickade.

"Och ni är så besatt av det att ingenting annat finns i hela världen. Bara dessa körsbär."

"Ja …"

"Och medan ni plockar körsbären rinner tiden iväg, och det lilla obehagliga ni kände i magen på morgonen tänker ni inte på, och den förolämpning som ni fick utstå dagen innan är som bortblåst. Och det är bara ni och körsbären, bara ni och körsbären. Och ni kan hålla på hela den dagen, och kanske natten också, om månen lyser på de härliga bären. Eller hur?"

"Är det vad ni kallar lycka?"

"Som jag sa – något annat, men något liknande."

Hon tänkte efter. "Men på det sättet försvinner hela dagen", sa hon. "Och det är som om den aldrig funnits."

"Men resultaten finns, alla körsbären."

"Ja ... men de försvinner också."

"Inte om körsbären är er bok."

Nu skrattade hon.

"Nej, förvisso ..."

"Man kan givetvis inte leva så jämt. Men om man lever så lite varje dag blir dagen uthärdligare. Det är som en medicin, mot nästan allt. Allt det onda försvinner, och allt det bekymmersamma, och allt man tänker på. För alla tankar försvinner ju, och går in i pappret. Det är bara körsbären som finns. Och sedan, sedan när man kommer tillbaka till vardagen, så har man fått vila och allt känns lättare." Han log mot henne. "En liten dos medicin varje dag så blir doktorn glad."

Hon kunde inte låta bli att bedåras av honom när han talade så. Han var som en frälst som inget hellre ville än att få dela med sig av sin upptäckt.

"Så ni tycker att jag ska bli författare", sa hon och log.

"Jag kan hjälpa er." På fullt allvar. "Ni måste komma inför offentligheten så fort som möjligt. Så jag tycker att vi börjar med en följetong i en tidning. På så sätt går det fort, och ni slipper omedelbar kritik. Jag ska röja alla stenar ur vägen för er."

Han var så förtjusande entusiastisk. Så förtjusande entusiastisk att han nästan lyckades övertyga henne.

13

Hon åt den sista tuggan, sköljde ner den med en klunk vin. Så såg hon på Carl. Hennes makes ansikte lystes upp av lågan från stearinljuset. Ett så varmt och vänligt ansikte.

De satt vid matsalsbordet, de hade precis avslutat kvällsmålet. Det var tre dagar efter hennes återkomst. Han tog hennes hand.

"Ska vi inte ta och bjuda ut August någonstans?" sa han. "För att *riktigt* fira att du är tillbaka? Ska vi inte göra en utflykt tillsammans?"

"Jovisst, älskade!" utbrast Siri. "Det låter som ett underbart förslag."

Carl klappade hennes arm medan han med sin lediga hand lekte med några smulor som blivit kvar på bordsduken. Den röda bordsduken som August gett dem i present i början av sommaren.

"Jag kom på en sak", sa han nu, som om tanken just slagit honom. "På söndag visas *En kapris* på Societetsteatern i Södertälje. Kanske skulle du och jag och August och Fiffi göra en utflykt med ångbåt och teaterbesök? Vore inte det trevligt?"

Och Fiffi. De två orden hade liksom slunkit med, som om de genom ren försumlighet från hans sida undgått att nämnas några sekunder tidigare.

Hon drog till sig armen, så omärkligt hon kunde.

"Det låter hemskt trevligt, Carl." Hon försökte få rösten att låta stadig.

"Avgjort!" sa han och dunkade handen i bordet. "Jag går upp på Kungliga Biblioteket i morgon och bjuder honom!"

Hon samlade ihop de kvarblivna smulorna. Tog sedan de båda tallrikarna och glasen, och staplade dem på varandra, för att förekomma Hilda.

"Gör det. Det låter trevligt."

Fiffi, det var hennes kusin, från Mariefred. Just fyllda nitton, och vacker som en dag.

Nej, man kan nog inte med pur vilja lösa livets alla dilemman.

Någon blåste på hennes korthus. Igen. Och om det var hon själv eller Carl, ja, det var inte längre möjligt att avgöra.

Psss ... Psss ... Ångan som pyste ur skorstenen gav ifrån sig ett oljud som ändå knappast störde den sommarkänsla som denna morgon bjöd på. Åtminstone inte för det stora flertalet som befann sig ombord, de flesta finklädda, såsom människor oftast var när de skulle besöka badstaden Södertälje. Manskapet hade just kastat loss från Skeppsbron.

På en bänk utmed långsidan, närmare aktern än fören, satt en tjugofemårig kvinna med långt, blont lockigt hår, iklädd en vit sommarklänning, som trots turnyren föll behagligt längs hennes slanka kropp. I handen höll hon ett parasoll, eftersom man inte säkert kunde veta hur mycket solen i Södertälje skulle steka just denna sommardag.

Bredvid henne satt en jämnårig man, ett år äldre i själva verket, iklädd vit sommarkostym och med en spatserkäpp i handen. Hans stora hår var som vanligt välkammat.

En liten orkester spelade på akterdäck. Den var inhyrd av ångbåtsbolaget. Det skulle ju vara festsstämning när man reste från Stockholm till Södertälje, det var det som var själva meningen.

"Har Friherrinnan börjat skriva än?"

"Nej ..." Siri kastade ett snabbt öga mot akterdäck. "Nej, det har inte blivit så mycket ännu."

August följde hennes blick.

"Nej, jag förstår ...", sa han dröjande, medan han fortsatte att titta bort mot akterdäck. Det hördes ett svagt ljud av fnitter därifrån. "Ni umgås ofta med er kusin Sofi, har jag förstått?"

Siri ryckte till, omärkligt. "Ja", svarade hon. "Det har blivit en del."

"Det är ju trevligt …", mumlade August. Nu hördes fnittret från akterdäcket alldeles tydligt. Trots orkestern.

"Hon kan konsten att muntra upp min melankoliske man", lade Siri till.

August rynkade pannan.

"Så stor melankoli har jag inte kunnat skönja …"

Siri vred lite på sitt parasoll.

"Han är en fin man, min make", mumlade hon. "Han döljer sin smärta för utomstående. Och är det någon som borde kunna lindra den, är det jag."

"Men Friherrinnan har väl inte samvetskval!?"

Hon svarade inte.

"Men det är väl alldeles opåkallat, så kärleksfull som ni är mot honom."

Nu hördes fnittret igen. Fast denna gång var det kombinerat med ett bullrande mansskratt.

Plötsligt flyttade sig mannen i den vita kostymen något lite bort från kvinnan med parasollet. Ja, det var inte mer än någon, eller kanske några, millimeter, men ändå tydligt så.

Under resten av ångbåtsfärden satt de tysta bredvid varandra. Och om det hade funnits någon rim och reson i detta hade man med bestämdhet sagt att mannen var arg.

I den stora Badparken med sin kurinrättning, som sträckte sig ända från Stadsparken till Torekällskogen, tog uppklädda par sin söndagspromenad i stilla mak medan barn i sjömanskostymer sprang runt i gräset, ackompanjerade av brunnsorkestern som spelade alldeles intill Societetshuset. Södertälje hade nyligen förvandlats till en av de mest populära kurorterna i landet. Där var nu alldeles som på kontinenten, men helt nära. Så det var kanske inte konstigt att ett nygift par skulle vilja tillbringa romantiska stunder just här. Och inte heller att makarna skulle välja att åka hit när de ville återuppleva den första tiden tillsammans.

Men nu var det inte hustrun som gick med sin make på grus-gången, ivrigt samspråkande, under ibland muntert fnitter. Det var hustruns kusin som höll maken sällskap. En ung dam med ljusbrunt hår, fint utmejslade anletsdrag och ett angenämt sätt.

Först femtio meter bakom gick hustrun. Och bredvid henne en man som stirrade stint framför sig, till synes fokuserad på ett träd långt borta.

De var på väg till Societetsteatern, till en amatörföreställning av *En kapris* – en nästan fyrtio år gammal pjäs av fransmannen Alfred de Musset.

Skådespelet hade bara precis hunnit börja när August reste sig. Han trängde sig förbi dem, med ryggen mot dem, som om han hade så bråttom att komma ut att artighetsfraser endast skulle förlänga pinan. Dörren till salongen stängdes snabbt och lyckligtvis ljudlöst när han försvann.

Och så uppstod precis den situation som Carl sökt undvika när han bjöd med August på utflykten. De satt som tre spända fjädrar där i teatersalongen – Siri, Carl och kusin Fiffi – medan minuterna kröp fram.

Och det enda som fick Siri att till slut lyckas försvinna bort i tankarna, ja, det var fantasin om att det var hon själv som var Mathilde de Chavigny, högt där uppe på tiljorna.

"Ni får ursäkta, men Musset går mig på nerverna."

De hade hittat honom på restaurangen, med två tomma absintglas framför sig på bordet.

"Jaså … men så märkligt att du inte nämnde detta tidigare." Carl var uppenbart förargad. "Då hade vi givetvis inte tvingat med dig."

"En helt undermålig pjäsförfattare", lade August till, som om han inte hade hört Carl.

"Så trevligt att vi alla är samlade här." Siri avbröt dem. "Jag har hört att maten är utsökt." Hon vände sig till August: "Har ni hunnit studera menyn?"

"Ja, jag har fallit för smörgåsbordet." Utan att titta på dem lyfte han absintglaset och höll det upp och ner ovanför munnen, så att de sista dropparna föll ner på hans läppar. Var han alltså berusad?

"Åh, det låter gott!" utbrast hon. Men August var fortfarande upptagen av att studera sitt glas.

Nu stod kyparen framför dem, med matsedeln i handen. Han räckte den till Carl, som i kraft av sin längd och sin uniform tycktes ha utmärkt sig som gruppens ledare. Utan att konsultera de andra läste han snabbt igenom listan av maträtter.

"Jag tror att vi tar laxrygg med korintsås", sa han medan han slog ihop menyn.

Kyparen nickade och gjorde sig redo att gå.

"Jag beställer smörgåsbord, för mig och damen!" Det kom rappt och självklart från August. Kyparen stannade upp. Han tittade förvirrat på sällskapet. Ingen sa ett ord, så den ömkansvärde mannen hade ingen möjlighet att avgöra vilket lag som skulle tilldömas segern. Till sist kastade han en blick på Siri, som nickade, liksom för att bekräfta det senaste budet. Kyparen bugade lätt och gick därifrån.

Innan någon hade hunnit säga något reste sig August och gick bort mot smörgåsbordet. Siri väntade några sekunder. Hon sträckte fram en hand och smekte lätt Carls arm. Sedan reste även hon sig och följde August.

Laxryggen med korintsås åvåts ljudlöst av Fiffi och Carl. Siri och August angrep sin måltid med mer ansträngning – och därmed en mer förklarlig ordlöshet. Hummern fick duga som distraktion. Till slut gjorde Siri ändå sitt bästa för att lätta upp stämningen. Hon kastade ett öga på Augusts tallrik:

"Har August lärt sig att möta humrar på slagfältet?" Hon skrattade lite och lyckades få det att inte låta alltför ansträngt. "Eller är det alltid hummern som går segrande ur striden?" August log lite. Carl, däremot, log inte alls. Han fortsatte bara att stirra ner i sin tallrik. Medan Fiffi kastade nervösa blickar på de andra gästerna i salen.

I absolut tystnad förstärks allt – alla känslor, alla sinnesintryck. Och om tystnaden vid detta middagsbord var kompakt, var den det knappast i övrigt. Männen vid nästa bord hade ljudligt diskuterat kvaliteterna hos någon båt de sett i kanalen. Och i rummet intill hade man hamrat på ett piano i över en halvtimme. Plötsligt stämde pianosällskapet upp till falsksång.

"Men kan ni inte stänga dörren?!" Orden från Carl är ilskna och högljudda. De är riktade till den stackars kyparen, som står vid bordet till vänster och tar upp en beställning.

Den luttrade servitören ursäktar sig, och går fram och stänger dörrarna mellan salongerna.

En minut senare rycks de åter upp. En herre i det skrålande sällskapet står och vinglar mellan dörrbladen medan han för ett ögonblick utmanande tittar på den propra skaran där utanför. Så går han åter in i den bortre salongen och förenar sig med den falsksjungande skocken. Dörrarna lämnas vidöppna.

Siri kastar en blick på Carl. Han sitter stelt, med ryggen mot de öppna salongsdörrarna. Nu märker hon att August har lagt ifrån sig sina bestick. Han tar sin servett och torkar sig omsorgsfullt runt munnen. Sedan reser han sig från sin stol, går rakt över golvet och fram till de öppna dörrarna. Han slänger igen dem, ljudligt. Därefter vilar han med hela sin kroppshydda mot båda dörrbladen.

Med ett brak flyger de upp och August skjuts som en projektil rakt över golvet. Inom ett ögonblick har en stor karl från rummet intill med bestämda steg klivit ut på golvet, tagit tag i Augusts armar och sedan med förvånansvärd lätthet släpat in honom i det andra rummet, in i lejonkulan.

Det tar bara ett ögonblick för Siri att reagera. Hon rusar upp från sin plats och in i den andra salongen. Utan att tveka kliver hon rakt mot det femtonhövdade monstret som sänkt sig över hennes vän:

"Men skäms ni inte!" Hennes röst är hög och klar. "Femton karlar mot en ensam!" Det femtonhövdade monstret stannar upp ett ögonblick. Men det är som om tröghetens lag omöjliggör en ny riktning. Då utbrister hon: "Mina herrar, har ni ingen hederskänsla?"

Plötsligt är det som om monstret upplöses och blir till femton skamsna pojkar. De släpper taget om August. Siri går rakt in i ringen, hjälper honom upp på benen och leder honom ut från rummet, medan de överförfriskade männen delar på sig så att den resoluta kvinnan ska kunna komma förbi. När hon och August kommit utanför salongsdörrarna stänger hon dem omsorgsfullt bakom sig. Sedan leder hon honom tillbaka till deras bord.

Det blir nu alldeles tyst i rummet intill. Vid Carls och Siris och Augusts och Fiffis bord, däremot, är uppsluppenheten desto större. Carl dunkar August i ryggen:

"Det var mig en modig karl!" utropar han, samtidigt som han sträcker ut en hand mot sin hustru. "Och du, Siri, vilken amason!"

Till och med Fiffi ler uppskattande mot sin kusin.

"Vad säger ni?" utropar Carl. "En flaska punsch? För vår vänskap!"

Den natten, efter stängningsdags, städar den samvetsgranne kyparen av bordet efter de fyra Stockholmsgästerna. Där står tre tomma punschflaskor och en hög hummerskal som lämningar efter en kväll i uppsluppenhetens tecken.

De sov över på hotellet, Siri och Carl i ett rum, Fiffi och August givetvis i var sitt enkelrum. Och på morgonen tar de alla en promenad på kanalbanken, i glatt samspråk. Augusts dysterhet är som bortblåst:

"Åh, kvinnan!" utropar han glatt medan han gör en liten dansvirvel.

"Är du kär nu igen, August!" hojtar Carl. Men August är fullt upptagen av sin uppsluppna cabaret:

"Kvinna, du mäktiga och oindividualiserade, ur vars astralmateria jag skapar vidunderliga ting." Han gör en form med sina händer. "Du, min homunkel, min eter, min livsluft, mitt genius."

Siri iakttar roat Augusts uppträdande.

"Ja, jag tror bestämt August är kär… Men han är ju så stollig när han är kär!" Nu springer hon fram till August och gör en piruett tillsammans med honom. Något som genast får honom att börja sjunga. Och så står de snart där på kanalbanken och sjunger i stämmor allihop. Fast inte Bellman, för August avskyr Bellman.

Plötsligt känner hon en varm, stor och trygg arm över sina axlar.

"Minns du, Siri? Det var där …" Carl står intill henne och pekar på en björk. "För tre år sedan, nästan precis."

Hon tittar upp i hans ansikte och nickar.

Hans arm ligger fortfarande ömt runt hennes axlar när han viskar i hennes öra: "Min vita rosenknopp …"

Just då, just, just då, tittar August bort mot dem. Och hans ögon strålar.

Så har de än en gång stigit ner från vulkanens rand.

Fast det betyder förstås inte att det har slutat brinna under deras fötter.

"Du är så kysk." Så brukade Carl säga till henne, vänligt. Alldeles för vänligt. Och sedan brukade han klappa henne på huvudet, som man klappar ett litet barn. Vilket bara ökade hennes skuldkänslor än mer. Ändå tycktes han inte anklaga henne eller ens längre begära någon förklaring till hennes ovilja.

Och hade hon någon? Annat än skräcken för att få fler barn?

Nej, ingen hon kunde komma på. Åtminstone ingen godtagbar.

Så hur kunde hon förebrå honom? Hur kunde hon missunna honom en oskyldig flört med en ung, vacker kvinna? Även om den unga kvinnan var hennes egen kusin?

14

August gick åter som barn i huset. Ja, allt tycktes ha återgått till det gamla, precis som det var innan hennes resa till Finland. Hunden Mutte fick nu de längsta promenader han någonsin fått – August kunde komma en söndagsmorgon, eller tidigt en vardagskväll, och omsorgsfullt kopplade han och Carl sedan den lilla varelsen. Inte på grund av att August var hundvän – tvärtom! – utan snarare på grund av den tid hundsamvaron gav honom med kamraten.

En annan person som nu fick njuta av Augusts sällskap var Kickan. För han älskade ju barn. "Farbror Augis", brukade flickan kalla honom.

Till och med mamma Betty, till vilken de nu tog för vana att ta med August på söndagsmiddag, tyckte att författaren var en ovanligt underhållande och intressant person.

För Siri fortsatte han att agera mentor. Han gav henne lektioner i svenska stil- och verskonsten, och han lät henne berätta små lustiga episoder ur sitt liv, varefter han lärde henne hur de skulle sättas på pränt för att få avsedd verkan. "Snart blir Friherrinnan publicerad, ni ska få se", sa han uppmuntrande. "Alldeles snart. Och då kommer ni att få uppleva hur det känns när era kreativa ångor slår rot hos en andäktig läsekrets."

Han lät så säker, och så övertygande. Och hon blev faktiskt riktigt upprymd av att skriva.

Det enda som var märkligt med August var hans ständigt återkommande snubblanden och påtagliga oförmåga att ta vara på tillfällena i sitt eget liv, åtminstone vad gällde kärleken. När Inas far, assessor

Johan August Forstén, dök upp i Stockholm – och synbarligen gjorde det för att förhöra sig om Augusts ekonomi och framtidsutsikter – verkade mötet närmast ha retat upp den potentielle svärsonen.

"Assessorn gjorde mig en tidig visit i morse", berättade han indignerat för dem en kväll. "Han frågade hur det stod till! Vad rör det honom om jag så skulle få hjärnfeber? Så talade han om att jag skulle bada och sköta mig. Hur många bad per dag anser han vara behövligt? Och så gratulerade han sin dotter som vunnit sådana här vänner i Sverige! Vad menar han? Han var övertygad om att jag snart skulle få brev från henne, där hon skulle tacka mig för all min godhet. Är karln galen? Min godhet! Jag ansåg det vara min skyldighet att missförstå honom, så jag svarade att jag var övertygad om att fröken Forstén inte skulle glömma bort att korrespondera med Friherrinnan. Då såg gubben ut som om han inte alls trodde att jag missförstått honom. Sedan tog han en hastig överblick över mitt möblemang och gick. Vad ska detta betyda? Tänker han rädda sig från Lange genom att gå till mig?"

Nej, några svar hade de inte. Men de tyckte båda att August förhöll sig omotiverat pessimistisk. Siri försökte säga till honom att denna inställning obönhörligt skulle leda till nederlag. "Man måste ta vara på möjligheterna, August", manade hon. "Man måste fånga ögonblicken i flykten." Oftast log han då bara vemodigt mot henne. "Hon skulle bli grymt olycklig med mig", sa han vid ett tillfälle. "Hon skulle väl inte ledsna på mig, för jag är mycket omväxlande. Men ingen kan bli lycklig med mig."

Fast frågan var hur Siri *verkligen* skulle ha reagerat om August försvann ut ur deras liv och in i Inas. Hon tillät sig inte ens att tänka tanken.

Siri och August arbetade nu tillsammans, nästan varje dag. Och de samtalade, om livet. Han lyssnade bättre än någon människa hon någonsin träffat. Han talade vackrare än någon människa hon någonsin mött. Och ingen man hon hittills känt blottlade mer av sin själ. Ibland kändes han som en kvinna. En kvinna och en pojke och en man på samma gång.

Så de arbetade, och de pratade. Och när de inte gjorde det, spelade de alltsomoftast fyrhändigt på piano.

Och August sa: "Tänk så snäll Carl är som låter mig spela à quatre mains med er, och kyssa er hand."

15

1891

Det var en kväll då snön yrde runt Lemshaga, en kall och blåsig kväll, en kväll då kläderna frös på kroppen, och hårstråna, om man dristade sig utomhus, omedelbart förvandlades till små smala, vita istappar. Det var en kväll då barnen alltså höll sig inne, och Siri satt framför brasan, invirad i sina sjalar för att försöka motverka att väsandet i luftrören åter skulle röra sig ner mot lungorna. Hon var strängt upptagen med sina kassaboksberäkningar, som vanligt oförmögen att förstå hur hon skulle kunna försörja sin lilla familj under de närmaste veckorna. Så oförmögen att begripa detta var hon, att endast hennes "sublima lättsinne", det som kom sig av hennes förtröstan på Gud, kunde hålla henne uppe. Det var också en kväll efter en hemsk dag, då man än en gång hade tvingat henne att inför okända människor lägga ut texten om sitt och Augusts problematiska äktenskap. Denna gång hade hon varit förskonad från Augusts närvaro, eftersom han uteblivit. Men de skulle få många tillfällen att återses framför skranket under dessa månader, på den gemensamma plågsamma resan mot äktenskapets upplösning. Ty så föreskrev lagen i kungariket Sverige: inget förbund mellan makar fick upplösas utan långa offentliga prövningar, inte ens då makarna, som i detta fall, var rörande eniga om den önskade utgången. Det var en kväll som alltså hade det goda med sig att ännu en svåruthärdlig dag kunnat bockas av.

Så såg den ut, den kvällen då den oanmälda gästen anlände.

Genom blåsten, och snöyran som slår mot fönstren, kan de alla höra bjällerklangen. Strax därpå hörs medarnas skrapande mot snön, och skjutsbondens stämma när han får hästen att stanna.

I samma ögonblick kommer Eva inrusande i rummet.

"Frun!" säger hon förskräckt. "Det är en herre som kommer åkande till oss!"

Siri kommer omedelbart på benen. Hon är illröd i ansiktet. Det finns förstås bara en herre som skulle kunna tänkas komma till dem oanmäld vid den här sena timmen.

"Ta då reda på vem det är!" säger hon med spänd röst till Eva. Och i samma ögonblick springer hon själv ut på trappan, tätt följd av barnen.

Gästen bär en stor bävermössa, och den uppfällda skinnkragen gör att nästan inget av ansiktet, utom den glödande cigaretten, syns. Men Siri har sett vem det är. Och det är alls ingen herre.

"Marie!" skriker hon, och rusar i samma ögonblick ut i snön i bara tofflorna.

De förbluffade barnen står kvar på trappan och ser på. Har Marie kommit ända hit? Putte kommer förstås inte ihåg henne, men Greta gör det nog, och Karin gör det definitivt. Hon är den underbara danska tanten de träffade i Grez, fem år tidigare. Hon som tyckte så väldigt mycket om barn.

Men ingen hade talat om henne sedan dess.

När gästen till slut tagit sig ur släden och betalat skjutsbonden, när dörren stängts bakom dem och hon hunnit få av sig alla ytterkläder, stod hon där och bara strålade, mitt i deras dystra kök. Hon bar en grön klänning och det rödlockiga korta håret låg samlat kring hennes ansikte.

"Marie! Marie!" Karin stod nästan och hoppade. "Hur har det gått för trollet vid floden i Grez!?"

Marie skrattade ljudligt, ända från magen tycktes det.

"Oh du Karin, kan du stadig huske trolden? Du er da en pige med en fremragende hukommelse!"

Siri själv stod bara och skakade på huvudet.

"Marie, inte skulle du ha kommit ända hit …"

"Godt", avbröt Marie, *"men jeg vidste at du var helt alene og i sådanne sørgelige og vanskelige forhold behøver et menneske at have en ven hos sig!"*

Då log Siri. "Men jag kan inte säga annat än att jag är glad att se dig."

Och så hade de fått en gäst där i sin kalla, dystra byggnad ute på Värmdö. En gäst som tycktes lika malplacerad i denna miljö som de själva. Och som kanske just därför lyfte allas sinnesstämning.

Tre dagar senare skriver August ett angeläget brev till sin kusin Oscar:

> *I lördags anlände till Lemshaga, berättar en åkare som skjutsat, en ung dam "från Frankrike". Vem denna kvinna är kan jag ej få veta. Men du Oscar, kan gärna ge en telefon till kyrkoherden Kallberg i Värmdö prästgård (han har telefon) och säga så: "Jag är Oscar Strindberg som skulle bli förmyndare för August Strindbergs barn. Det lär ha kommit ett fruntimmer till Lemshaga. Låt mig få veta namnet."*

16

1875

Värmen fanns fortfarande kvar i luften, trots att det nästan var höst. De satt på Nacka värdshus. Carl och hans farbror, kapten Christian Anton Wrangel, hade just rest sig från bordet för att diskutera något privat ärende, rörande ekonomi förmodligen. Hon såg dem sakta vandra bort mot vattnet, som glittrade i solen. Trädgårdsbordet, där de nyligen suttit och avätit en lunch, var nu dukat med fyra kaffekoppar och ett stort kakfat. August satt mittemot henne och rökte. Han njöt uppenbarligen när han drog ner röken så djupt han bara kunde och sedan långsamt släppte den ur sig, medan han studerade hur det gråa molnet upplöstes, strax bortom hans läppar. De var ensamma med varandra.

Siri tittade bort mot vattenbrynet, där Carl och kaptenen befann sig i ivrigt samspråk. Carl rökte för ovanlighetens skull, en cigarr. Så han måste vara på ganska gott humör.

"Får jag berätta en sak för er, August?" Hennes blick vilade fortfarande på Carl.

August askade cigaretten. "Mer än gärna, Friherrinnan."

"Vet ni att Carl blev mycket förargad över min tidiga återkomst från Finland?"

Nu knackade August åter med pekfingret på cigaretten, trots att ingenting längre fanns att aska.

"Nej, Friherrinnan." Rösten lät strävare. "Det hade jag ingen aning om."

"Han hade väntat sig att få träffa min förtrollande kusin på söndagarna, förstår ni. Det har jag förstått först nu."

"Jaså ...?"

"Han åtrår henne."

Det blev alldeles, alldeles tyst.

Och det tog bara en sekund innan hon insåg sitt misstag.

"Får jag be Friherrinnan att framföra sina beskyllningar i den anklagades närvaro!" Hans röst väste mellan nästan slutna läppar.

Och han kunde förstås lika gärna ha slagit en knytnäve rakt i hennes mellangärde.

Hettan steg i hennes ansikte.

"Men det är verkligen för starkt!" utbrast hon. "Det är verkligen alldeles för starkt!"

"Ja, det är mycket starkt, Friherrinnan!"

Den käre vännen, förvandlad till brutal fiende.

Och hon önskade att hon kunde sjunka genom jorden.

Hon förstod, intuitivt, att han måste ha tolkat hennes förtroende som en invit. För ingenting annat skulle väl kunna förklara hans reaktion. Inte ens den allra största broderliga lojalitet gentemot Carl skulle ha motiverat en sådan rekyl om hennes brott, i hans ögon, bara hade bestått av ett systerligt förtroende.

"Jag tror bestämt att ni misstolkar mig", mumlade hon. Något annat kunde hon inte säga utan att bli indiskret.

"Det är mycket möjligt." Han släckte cigaretten, hårt. Så reste han sig, tog sin hatt, och bugade lätt.

"Jag har en bekant i närheten som jag lovat besöka."

När han gick ifrån bordet föreföll hans ryggtavla sammankrympt. Och utan att hon kunde förklara det tyckte hon att den såg ut som en knytnäve.

Det var först senare, långt senare, som hon insåg att det nog ändå inte var hennes förmodade invit som gjort honom så upprörd. Och heller inte hennes bristande lojalitet gentemot Carl. Vad som gjort August så indignerad denna soliga sensommardag i Nacka var samma sak som fått honom att vända sig bort från henne på båten ut till Södertälje:

Hans älskade konstellation var på väg att upplösas. Och i denna uppkomna obalans förlorade August Strindberg fattningen.

De såg inte till honom sedan, inte på flera veckor. Fast Carl hade hört rykten om att man sett August berusad, tillsammans med ett sällskap likaledes överförfriskade män, utanför ett horhus på Djurgården.

Och Carl sa att August nog, precis som de, just fått veta att Ina Forstén och Algot Lange tagit ut lysning.

17

De fann honom på Dalarö, på det lilla värdshusrum där han nu vistats i flera dagar, efter att hals över huvud ha avbrutit sin flykt till Frankrike.

Han var smutsig och orakad.

"Man pekade finger åt mig när jag kom hit. Man satt i fönstren då jag gick ut. Barnen skrek. Uppasserskorna stod bakom gardinerna och observerade mig. Man har vakat över mig hela natten och hållit ljus."

"Men käre August!" utbrast Siri och tog honom i sin famn.

Hon kände hur hans muskler spändes mot hennes armar.

"Jag måste vara ensam med min Gud", mumlade han mot hennes kropp. "Ni har varit mina avgudar. Man får inte ha sådana!"

Den berättelse de till slut fick ur honom var så osammanhängande att den nästan inte gick att begripa. Det föreföll som om han hade gått upp till fartygets kommandobrygga mitt i natten och krävt att kaptenen skulle sätta i land honom. "Annars", viskade han, "kunde jag inte ansvara för mina handlingar." Men ankomsten till Dalarö hade knappast dämpat hans förtvivlan.

"Jag rusade in i skogen … Jag kastade mig i vattnet … Jag ville dö!"

"Du måste glömma den där kvinnan!" utbrast Carl. "Släppa henne ur tankarna, annars går det illa."

Nu tog Siri hans huvud i sina händer och tittade rakt in i hans klarblå ögon.

"August, käre August. Ni måste bo hos oss. Ni måste bo hos oss, för vår skull, och för er egen."

Hans blick flackade.

"Er fru mor och er fröken moster … Och min manliga stolthet …"

"Jag ger katten i vad folk säger!" utbrast hon. "Och tycker ni att det är manligt att låta sig förolyckas utan att knysta!?"

Han kom tillbaka till Stockholm. Men han flyttade inte hem till dem, han flyttade upp till sitt lilla vindsrum på Kaptensgatan igen. Och började skriva så att pennan glödde. August plockade sina körsbär från arla morgon till sena kvällen. Det paradoxala var att i all denna turbulens återfick de något slags balans, hon och Carl och August. På hans eventuella misstankar om hennes avsikter syntes inte längre några tecken. Det var knappt ens så att hon själv tänkte på Fiffi. Hon såg inte till henne och Carl nämnde henne inte.

I stället koncentrerade de sig nu gemensamt på Augusts hälsa.

Han behövde analysera, sa han, han behövde vetenskapligt dissekera kärleken.

Så de fick bli hans publik.

Han hade, berättade han, kommit underfund med att det fanns tre sorters kärlek.

"Bara tre?" log Carl.

"Ja. Den första är den från en moder till ett barn. Den tolererar allt, gör allt, ser allt, förlåter allt. Det är denna kärlek som gör att vi långsamt kan förvandlas från små odugliga puppor till vuxna individer, som trots alla skavanker och ofullkomligheter hjälpligt kan stå på två ben. Personligen", muttrade han, "har jag av någon anledning förblivit ofullgången, oförmögen att växa utan att bäras upp av ett träd."

"Du förlorade din mor alltför tidigt, gamle vän", sa Carl.

Nu satte August upp två fingrar i luften.

"Den andra *kallas* endast kärlek! *Lidelse* är dess riktiga namn. Och även detta är ett för vackert ord för denna drift. Den är som intagandet av föda: egoistisk, mättande och därefter fullkomligt ointressant. Den slängs bort tills hungern åter pockar."

"Så ni föraktar den?" undrade Siri försiktigt.

"Jag föraktar den som jag föraktar mig själv", svarade han.

Och med det outgrundliga svaret lät hon sig tills vidare nöja.

Så kom han då till den tredje kärleken.

"Det är Caritas, den högsta. Den har sitt ursprung i kärleken till Gud. Den lider allt, överlever allt, hoppas, tror, även när allt sviktar. Den är en kärlek starkare än döden. Och ouppnåeligare än livet. Den är en blomma sedd igenom trädgårdsgallret, som fröjdar vandraren ett ögonblick, sänder blott sin doft med vinden, en sekund, och så är allt förbi."

"Förbi?" undrade Carl. "Varför förbi?"

"Därför att endast så kan kärleken uppnå fullkomning."

"Strunt!" sa Siri.

"Det är för att ni är så god", svarade August.

"Vad har godhet med saken att göra?" protesterade hon. "Det är inte bara en alltför missmodig syn på kärleken, det är en räddhågsen sådan. Ni är rädd, August!"

"Men Siri", sa Carl. "Var nu inte så …"

"Nej, nej", sa August. "Låt Friherrinnan tala."

"Jag har inget mer att tillägga", sa Siri. "Jag tror att kärleken söker sig sina vägar. Och jag missunnar er inte era. Inte på något vis. Men ni beskriver en kärlek som inte vågar."

"Ni menar att mina känslor är falska?"

"Nej, inte falska. De är bara i stället för något annat. Jag tror aldrig ni vågade vinna Ina."

"Må så vara", sa han tyst.

Och nu reste han sig.

"Jag måste nog gå", sa han.

"Har jag sårat er?" frågade hon.

"Alls inte, Friherrinnan."

Han rättade till västen och drog handen genom håret.

"Jag må vara feg", sa han nu, "men jag är i gott sällskap. Alla människor är fega, på ett eller annat sätt. De som synes våga räds nog oftast något annat, något som det synbara modet räddar dem ifrån."

Och så log han, men mest okynnigt. "För övrigt har jag aldrig rätt förstått vad den stora kärleken till en vacker kvinnosjäl har med det icke fina fortplantningsbestyret att göra. Om ni ursäktar att jag uttrycker mig så plumpt."

"Nja, jag vet inte om jag ursäktar, gamle gosse", skrattade Carl.

Sedan försvann August ut. Och de var ensamma kvar, med varandra.

18

Stockholm hade precis smugit sig fram i ljuset. Luften hade börjat andas nytt liv, och människorna hade börjat drömma om de korta veckor då värmen skulle göra sin årliga visit vid dessa nordliga breddgrader. Deras huvudstad hade nyligen förvandlats. Nya stora planteringar i kontinental stil hade anlagts av stadsträdgårdsmästare Medin. På Carl XIII:s torg utbredde sig omkring kungens staty en präktig gräsmatta, och inom ett par månader skulle tulipaner, hyacinter och azaleor slå ut i full blom. Det var nästan som Versailles, kunde enstaka beresta stockholmare konstatera.

Våren kom tidigt det året. Isen hade brutits upp på Strömmen, och på Strömparterren kunde man se att kommersen redan ökat på hovkonditorns schweizeri.

Det låg inte längre någon snö på Norrtullsgatan, den dagen hon anlände.

Klockan var nästan tre och ljuden från staden började åter öka, såsom de alltid gör på eftermiddagen. Även på deras gata kunde man märka att trafiken vuxit något under den senaste timmen. Vagnshjulen lät hårt på de nu bara kullerstenarna.

"Ptrr, ptrr!" Hästen stannade motvilligt framför det vackra huset med de stora askarna. Kusken steg av för att hjälpa kvinnan med koffertarna. Samtidigt samlade hon själv ihop klänningen under sig, så att den inte skulle smutsas när hon steg av och ner på den ännu något slaskiga gatan. Hon hade två resväskor med sig, två stora. Det var inte fåfänga, åtminstone inte enbart, som dikterat bagagets storlek. Hon skulle stanna länge. Två månader. Det var Siri som hade bjudit henne. Hon hade gjort det på Carls enträgna begäran.

"Men se Fiffi!" Siri slog ut med armarna när kusinen kom emot henne i tamburen. En kall vind drog in genom dörren, som lämnats öppen för att droskföraren skulle kunna ta in koffertarna. Fiffi log mot henne. Och innan Siri ens hunnit fundera på om kusinen verkligen var glad över att få träffa henne hörde hon snabba steg. Kvicka, energiska och väldigt entusiastiska. Carl kom framspringande bakom henne, och förbi. Utan ett ord tog han den unga kvinnans nätta hand i sin stora, och så kysste han den med mjuka läppar. Långsamt, omsorgsfullt. Och minst en sekund för länge.

Hon såg på när hennes makes mun lämnade den unga kvinnans hand, och när han tittade på den fuktiga fläck den lämnat efter sig.

Och kanske var det inte bara självuppoffring. Kanske hade hon faktiskt, på något plan, sett fram emot Fiffis besök denna vår. Hur orimligt detta än kan låta.

"Ska vi ta oss ett glas före middagen?" Hon sa det för att avbryta dem.

"Visst!" sa Carl medan han övergick till att hjälpa Fiffi av med kappan. "Visst. Kan inte du gå och plocka fram punschen, min rosenknopp?"

Och hon hade gått in i salongen, hon hade plockat fram glasen ur skåpet, ställt fram dem på bordet, tre kristallglas, och sedan hade hon ropat till Hilda att komma med flaskan.

Så när Carl och Fiffi kom in, fyra minuter senare – kanske tre? – stod allt framdukat.

De hade satt sig så utspritt det bara gick. Siri och Fiffi i var sin ände av soffan. Carl i stolen mittemot dem. Medan de två kvinnorna satt som uppträngda i var sitt hörn, med klänningarna hopsamlade tätt intill kroppen, bredde mannen ut sig, långt utanför stolens ramar. Han lutade sig framåt och intog allt det utrymme som låg mellan dem. Han gjorde det i kraft av sin position i rummet, han gjorde det i kraft av sin roll som man, men framför allt gjorde han det i kraft av sitt förhöjda sinnestillstånd.

"Sådärja", utbrast han sedan han hällt upp i alla tre glasen. "Skål på er!"

Och de hade skålat, och Siri hade lett mot Fiffi. Och Fiffi hade lett tillbaka.

Sedan hade Carl övergått till att berätta för kusinen om en komisk episod på gardet föregående vecka. En sergeant som hade missförstått en order, vilket lett till dråpliga förvecklingar. En vaktparad som gett sig ut i snömodden utan trumpinnar. En löjtnant som gormat så högt att han tappat rösten. Carl skrattade ofta, bullrande, upprymt. Någon gång kastade han en blick på Siri, för att få bekräftelse på att kapten så-och-så, eller major så-och-så, brukade bete sig precis så som han beskrivit. Siri nickade tjänstvilligt.

"Hur är det med din syster?" Hon gjorde ett försök att kila sig in i samvaron.

"Menar du Mathilda?"

"Ja, vi har inte haft tillfälle att se henne sedan dottern föddes."

"Vi hörde att fröken Mathilda hade en svår förlossning", inflikade Carl.

"Jovisst, men nog har hon återhämtat sig. Och lilla Ina är så ljuvligt söt!"

Båda makarna Wrangel skrattade nu hjärtligt, för vad annat kan man göra när man hör om ett näpet barn.

"Och hur är det med författaren?" Det var Fiffi som undrade.

"Ja ..." Carl tycktes för ett ögonblick lite distré. Han kastade en blick mot Siri.

"Det är bra", svarade hon, "han har återhämtat sig efter en stor kärlekssorg, och skriver nu så att pennan glöder."

"Så bra", sa Fiffi. "Kärlekssorger är till för att övervinnas. Träffar ni honom fortfarande?"

"Givetvis!" svarade Siri genast. "Han väntas hit i kväll. Du får tillfälle att träffa honom till kvällsvarden. Min mor kommer också, och ytterligare några vänner."

"Så trevligt, det ser jag fram emot." Hon lät genuint glad. Men Carl satt nu och studerade sina naglar. Han kastade en blick mot punschflaskan. Sedan lyfte han den och fyllde sitt glas.

"Gubben lilla", sa Siri. "Ska du inte ta och fylla på Fiffis glas också?"

De visste att det var han så fort han kom in i tamburen, för han hade ett speciellt, omsorgsfullt, sätt att ta av sig kläderna. Och så hostade han ju alltid innan han skulle bege sig in till sällskap, som för att rensa strupen inför kommande konversationer.

Hon älskade att höra den där hostningen. Varje gång, och alldeles särskilt denna gång.

"God dag." August hade stannat tvärt innanför dörrarna. Så käck han var i sin nya bonjour, den som hon hade hjälpt honom välja veckan innan.

Nu bugade han. Siri kunde inte låta bli att le. Buga brukade han numera aldrig göra.

"Fröken Sofi", sa han.

Fiffi reste sig och gick fram till August. Han kysste hennes hand. De växlade några knappt hörbara ord medan han fortfarande höll hennes hand i sin. Och så gick de fram mot soffan, tillsammans, sida vid sida. Siri nöp sig själv i armen. Nej, nu fick hon skärpa sig!

"Så trevligt att se er här redan." Hon log mot honom.

"Tack, Friherrinnan. Ja, jag fick inte så mycket gjort i dag, så jag tänkte att då är det lika bra att söka lite trevnad i stället."

Nu skedde en ny omfördelning av kroppar i rummet. August satte sig i den andra stolen, den på höger sida om Carl. Och båda männen flyttade sina stolar något åt vänster, så att de skulle befinna sig på lika avstånd från kvinnorna. Siri gick fram till skåpet och tog fram ett punschglas till, som hon ställde framför August. Han fyllde det själv.

Och sedan satt de där alla fyra och berättade dråpliga historier för varandra. Det skrattades högt och ljudligt, precis som den där gången efter slagsmålet i Södertälje.

Och allt skulle ha varit oerhört trevligt om det inte vore för att två av de fyra närvarande satt som på nålar. De två som rimligtvis borde känna sig mest hemma.

"Jag har hört att ni spelar riktigt vackert piano." August hade vänt sig till Fiffi.

"Jaså?" Hon log mot honom. "Det är väl något överdrivet. Men visst, lite spelar jag."

"Skulle ni ha lust att spela lite fyrhändigt med mig?" Siri kunde inte minnas att hon någonsin tidigare hört August agera så oblygt med någon av deras gäster.

Fiffi kastade en snabb blick på dem. Siri nickade förstås, medan Carl åter tycktes sitta i egna tankar.

De två besökarna reste sig och gick fram till den breda pianostolen. Den där Siri och August brukade sitta. När det var de två som spelade fyrhändigt tillsammans.

Utan att diskutera det satte sig Fiffi till vänster – hon skulle spela baspartierna – medan August satte sig till höger. Vad som skulle spelas avhandlades inte heller. Noterna till Mozarts variationer i G-dur för fyrhändigt piano stod redan framme på flygeln.

Snart flöt de vackra tonerna ut i rummet. Kanske var de inte spelade med lika säker hand som då Siri satt på stolen med August, men minst lika engagerat. De fyra händerna följde varandra, som om Fiffis länge lärt sig att tyda Augusts. Som om han länge förstått att lita på hennes. När Fiffi någon gång spelade fel lät hon undslippa sig sitt porlande skratt, och kastade en snabb blick på August. Hans fel, däremot, uttryckte sig endast genom en spänd nackmuskel. Han spelade aldrig om, han låtsades aldrig om ett misstag. Han gjorde det bästa av situationen. Siri älskade honom för det. Hon älskade hans okränkbarhet, hans integritet, hans absoluta drivkraft att finna sin egen väg.

Plötsligt tycktes Fiffi röra sig någon millimeter närmare August, så att hennes högra bröst lätt berörde hans vänstra arm. Han flyttade sig inte. Han lät bröstet rytmiskt röra sig mot hans överarm.

Siri trodde att hon skulle svimma. Och ändå satt hon där, på stolen, i sin salong, och tittade på de två människorna som idkade kärlek med hjälp av hennes flygel. Ett par meter ifrån henne satt hennes make, vit i ansiktet.

*

De övriga gästerna kom någon timme senare. Det var en liten skara: Siris mor och moster Kill. Carls far och farbror. Och så Constance och Waldemar, som sedan ett par månader haft sin hemvist i Stockholm, och tillsammans med vilka de tillbringat så många trevliga kvällar i Augusts sällskap.

Siri tog emot dem i tamburen. De andra var nämligen upptagna. I den ursprungliga kvartetten hade det tjugo minuter tidigare skett en rockad: Carl satt nu med Fiffi i det bortre hörnet av salongen. August satt för sig själv, tyst, och stirrade in i väggen.

Så det föll på Siris lott att välkomna gästerna.

Inte ens de mest trubbiga tentakler kunde undgå att uppfatta spänningen i rummet. Och efter endast någon minut tog Betty sin dotter åt sidan.

"Hur är det fatt, Siri lilla?"

"Det är bra, mamma!" svarade hon, alldeles för fort.

Betty tvekade.

"Ligger det någon sanning i ryktena?"

"Vilka rykten?" Återigen för fort.

"Om Fiffi …" Betty kastade en blick bort mot hörnet.

"Fiffi?"

"Och Carl …"

"Nej vet du vad, mamma! Jag förstår inte att folk kan prata så dumt!"

Betty betraktade henne ett ögonblick. Så gav hon sin dotter ett snett leende, och gick sedan tillbaka till sällskapet i soffan.

Och Siri kände det som om hon blivit övergiven av den sista människan på jorden som brytt sig om henne.

19

De hade gått på den stora vårbalen tillsammans. Hon, Carl, Fiffi och August.

Långt senare den natten klädde Carl på sig varmt, med galoscher och ullrock och pälsmössa. Sedan kopplade han Mutte. Tillsammans gick husse och hund ut i den kyliga vårkvällen, och styrde kosan mot Brunnsviken.

Siri blev ensam kvar i salongen. Fiffi hade gått in på sitt rum en kort stund tidigare. August hade lämnat balen efter bara några timmar och gått till sin vindskupa.

Hon satte sig vid flygeln, och började spela Chopins preludium i e-moll. Om och om igen. Nästan likadant varje gång.

Till slut kom han hem. Hon hörde honom omsorgsfullt ta av sig rocken ute i hallen. Så kom Mutte springande fram till henne, med svansen ivrigt viftande. Hon strök den ludna pälsen ovanpå hans huvud. Han tryckte sig mot hennes ben. Hon kliade honom bakom öronen, och hon väntade.

Nu kom han in. Han gick fram till henne med båda händerna utsträckta framför sig. Hon tog dem. Så reste hon sig från pianostolen och stod framför honom. Han tittade på henne med något så besynnerligt i blicken. Och så sa han:

"Gillan, bli ej ond på mig, men låt mig gå in till Fiffi i kväll. Jag är så rysligt kär."

20

1891

"Fortare! Fortare!"

Mannen i pälsmössan skrek på kusken.

"Fortare, för bövelen!"

Skjutsbonden Svensson vände sig om mot den upphetsade passageraren och meddelade denne, med lugn röst, att hästen var ett gammalt sto och att det inte gick att ta sig fram snabbare i snön än vad de redan gjorde.

August muttrade något ohörbart och övergick till att stirra ut mot isen och den lilla Dalholmen mitt i sundet. Hellre än att koka i sin frustration föredrog han, såsom han lärt sig, att flyta bort i tankarna. Det var fyra kilometer från Brevik till Fogelbro, så han skulle behöva tillbringa nästan en halvtimme bakom det gamla stoet. Om man därtill lägger den timme det tagit för skjutsbonden Svensson att infinna sig hade August vid det här laget fått koka ganska länge. Men väl var kanske det. Det skulle ge honom mer tid att förbereda sin oannonserade föredragning för godsägare Silfverhielm.

Det fanns inget corps-de-logi på Fogelbro, bara två stora flyglar. Och eftersom August tidigare aldrig gjort visit hos den av tinget tillsatte vårdaren av hans barn (ett åliggande som hittills tyckts mer symboliskt än verkligt) visste han inte vilken av de två portarna han skulle banka på. Han fick sålunda välja på måfå.

Han hade hunnit arbeta upp irritationen på nytt, och skulle just

88

till att korsa gårdsplanen, när en kvinna i yngre medelåldern iförd vitt förkläde och en liten hätta på huvudet öppnade porten han just bankat på.

"Jag söker godsägaren!" sa han rappt.

Kvinnan tvekade, uppenbart osäker på vem gästen var och om hon skulle tillmötesgå hans begäran. Efter några sekunders betänketid släpptes han ändå in, men bara tillräckligt långt för att hon skulle kunna stänga porten.

"Från vem kan jag hälsa?"

"August Strindberg!"

"Väntar han er?"

Hon fick inget svar, och besökarens sätt att inte svara gjorde det fullständigt klart för kvinnan i det vita förklädet att han höll på att tappa tålamodet med henne.

"Ett ögonblick", mumlade hon.

Gustaf Ehrenfried Silfverhielm var en ståtlig man i sina bästa år. Han steg in i hallen där den upprörde och ännu påklädde August stod, med precis det lugn och den värdighet som kunde förväntas av en man i hans ställning. Och till skillnad från sitt hembiträde visade godsägaren ingen misstänksamhet. Kanske därför att han kände igen författaren från kyrkorådsmötet i prästgården några veckor tidigare. Silfverhielm hade givetvis tagit sitt uppdrag som barnens vårdare på allvar, även om han ännu inte haft tillfälle att besöka dem.

"Kom in, herr Strindberg", sa han, utan att först förhöra sig om gästens ärende. "Kan Augusta ta herr Strindbergs rock och hatt?"

De steg in i en salong med målade tapeter, och ett parkettgolv med utsökt intarsia. I ena delen av salen stod en stor flygel, och längst bort i högra hörnet en schäslong och några stolar. Det var ditåt godsägaren styrde stegen.

"Var så god och sitt."

Herr Silfverhielm satte sig på den ena stolen och lät August sätta sig på schäslongen, lägre än han själv, om än bekvämare.

"Hur kan jag stå till tjänst? Jag antar att det gäller era barn."

"Det gäller i högsta grad mina barn!" August darrade på rösten.

"Jag förstår. Jag är ledsen att jag ännu inte har haft möjlighet att besöka dem. Men de verkar ju vara väl omhändertagna. Av både er och er hustru", skyndade han sig att tillägga.

August stirrade på honom.

"Eller har jag missförstått saken?" tillade godsägaren.

"I allra högsta grad!" exploderade plötsligt gästen. "I min önskan att undvika process och skandal, och nå ett snabbt slut på eländet, valde jag att lägga ner vapnen och retirera. Det var det dummaste jag någonsin gjort!"

"Jag förstår", sa godsägaren, som förstås inte förstod någonting, men ändå bestämde sig för att försöka lugna ner besökaren något. "Önskar ni kanske en kopp te eller …?"

"Jag begriper inte hur jag kunde låta mig överraskas!" avbröt August. "Det var till slut barnens barnsköterska som avslöjade det för mig."

"Avslöjade vad?"

"För några dagar sedan anlände till Lemshaga gård en individ av dansk härkomst, fast i själva verket boende i Frankrike."

"Jaha …"

"Hennes namn är Marie David."

"Marie David, jaha."

"Fröken David är en brottsling."

"En brottsling? Men det låter ju fruktansvärt. Hur kommer det sig att er hustru har släppt in henne i sitt hem i så fall?"

"Därför att hon är medbrottsling."

Nu blev godsägaren tyst. Han tittade förbryllat på gästen.

"Men inget om någon brottslighet framkom ju vid vare sig sammanträdet hos kyrkorådet eller vid tingsförhandlingarna."

"Av pur välvilja från min sida", utbrast August. "Jag trodde att jag skyddade mina barn. Detta visade sig vara ett fruktansvärt misstag!"

"Jag förstår …" Fast godsägaren såg fortfarande inte ut som om han förstod ett dugg. "Vari består då fröken – eller är det fru? – Davids brott?"

"Fröken David är i sin födelsestad känd för sådan verksamhet som vidrörs i svenska strafflagens artonde kapitel, paragraf tio." Nu såg det paradoxalt nog ut som om besökaren log. "Och som beläggs med straffarbete i upp till två år."

Silfverhielm kliade sig i huvudet. "Jag är rädd att jag inte kan Sveriges rikes lag helt på mina fem fingrar. Vill ni att jag ska slå upp det?"

"Bugerskap, godsägare Silfverhielm. Förbrytelse mot naturen."

Godsägaren stirrade på mannen framför sig.

"Herr Strindberg", mumlade han. "Jag är rädd att detta är en fråga som jag kanske inte är rätt man att hantera. Jag föreslår att ni söker upp kyrkoherde Kallberg i detta ärende."

21

Förlåt!!!!!

Söndag morgon!

Jag vill, jag vill vara galen!

Nu har jag talat om allt! Vem för? För våren, för solen, för ekarna, för sälgblommorna, för blåsipporna, och klockorna sjöng det och lärkan sade: "gör det!" Vad har jag talat om? – Jag älskar er!!!! Och jag går fram på gatorna så stolt som en kung och jag ser medlidsamt på pöbeln – varför faller ni inte på era smutsiga ansikten för mig! Vet ni inte att hon älskar mig? Vem? Prinsessan, min prinsessa, den skönaste kvinnan i Sverige, hon som har de blåaste ögonen, de minsta fötterna, det gullgulaste håret, den vackraste pannan, de finaste händerna – ni är icke värdiga att höra det!

Hon med det ädlaste hjärtat, det stoltaste sinnet, de noblaste känslorna, de vackraste tankarna! Min, min älskade – och hon älskar mig usling. Om hon inte snart överger mig blir jag högfärdsgalen!

Det var som om bläcket i pennan knappt hann med, när han med skrivdonet försökte hålla jämna steg med sina pilsnabba tankar.

O vad jag avskyr, hatar, föraktar min vän Carl! Hur djupt har han inte förolämpat mig. Han vågar undandra min älskade sin

beundran! Han ser inte henne för en sköka! Jag blir galen! Och er
man tillåter sig förolämpa er med att be om lov! Ni drottningen,
med den solljusa pannan, som jag älskar så högt, som jag lidit
så gruvligt för! O när skall jag få säga er detta! När skall jag
få kasta av järnmasken, och säga er med skälvande läppar och
ljungande blickar att jag älskar Dig!

Han var jublande glad. Men visst var han också klartänkt. Visst var
han också målmedveten. Visst skrev han för att övertyga. Med alla
medel som stod honom till buds.

Ni som äger snillet! Ni gör det och ser ni därför söker man inbilla
er att ni är dum och enfaldig, ty man fruktar er. Ve världen
och karlarna och kvinnorna om ni reste er hjässa och tog gisseln
om hand. Res dig unga lejoninna, skaka din guldgula man och
skicka ljungeldar ur dina härliga ögon så att fånarna darrar, slit
dig lös ur detta avskyvärda menageri!

Kom! Fyll ert höga mål! Ni får bli skådespelerska – jag skall
göra er en egen teater – jag skall spela mot er och skriva och –
älska er!!

Och när han hade slutat skriva vek han ihop brevet och lade det i sin
skrivbordslåda.

Sedan gick han ut på krogen.

*

"Men är det då inte så att ni behöver mig endast för att stå ut med
varandra?" hade han frågat henne, tyst, tidigare den morgonen.

Hon hade skakat på huvudet.

"Aldrig …"

"Är jag då icke endast en förströelse för er?" Hans röst darrade lite.

Hon hade tittat in i hans ögon, med klar blick och fullständigt lugn:

"Men vet ni då inte vad kärlek är?"

Och när han ändå inte riktigt förstod, då sa hon:

"Jag älskar två män. Innerligt. Och det är möjligt."

Och så hade hon ändå hållit en fot kvar på kanten.

22

Carl såg skamsen ut, nej – än värre – melankolisk. Något stod ej rätt till med hans humör.

Efter det att kusin Fiffi på morgonen snabbt avlägsnat sig från deras hus, utan att äta morgonmål, utan att tala med någon annan i huset, vandrade baronen efter sin hustru som en vilsen hund.

"Siri …", började han, gång på gång. Och så tystnade han. För vad kunde han säga? Hon hade ju bara uppfyllt hans önskan.

Siri svarade inte. Men hon avvisade honom heller inte. Hon lät honom hållas i sin ledsna efterhängsenhet. Lämnade hon rummet, dröjde det inte mer än en minut innan han åter befann sig i hennes närhet.

"Men Carl, vad är det?" sa hon till slut. Inte argt. Möjligen något flackt.

"Min rosenknopp …", mumlade han. Hon gav honom ett svalt leende. Och sedan lämnade hon åter rummet för att ägna sig åt någon syssla.

Visste han? Förstod han att hon hade någon annan i tankarna? Var han kanske till och med svartsjuk? Eller kom sig nedstämdheten av dåligt samvete, rent av kanske av en vetskap om att en bedragen äkta hälft aldrig återvänder till fullo?

Dagen framskred oerhört långsamt. Hon ägnade sig åt sina göromål, omsluten i något slags dimma. Han vankade runt som en osalig ande. Kickan var hos Dadda.

Till slut, när mörkret inträtt och kvällsmålet var uppätet och ingenting annat återstod än samvaro, grep han tag i hennes axlar.

"Gillan, snälla! Tala till mig!"

"Vad vill du tala om, Carl?"

"Är du inte arg?!"

Hon skakade långsamt på huvudet.

"Men varför?! Jag har ju burit mig så illa åt mot dig!"

"Du ville det så starkt. Och jag förmådde inte neka dig något du ville så starkt."

"Ååh!" Han släppte taget om henne. Han ruskade på hela sin väldiga kropp. Frustrerad, rådvill, oförmögen att ta konsekvenserna av vare sig sina känslor eller sitt handlande. Oförmögen att avstå den ena för att han åtrådde den andra.

Hon strök hans kind. Hon tyckte faktiskt synd om honom. Av många skäl. Inte minst det att hon möjligtvis hade låtit honom gå hennes ärenden.

Den natten sträckte han sina armar mot henne. Och hon kom till honom.

Kanske i något slags vemod.

Eller så var det för att även hon behövde döva sina skuldkänslor.

Framåt morgonen kom ett bud till porten på Kaptensgatan 18. Han tog trapporna i stora kliv. Till sist knackade han på en dörr allra högst upp, på vinden.

Dörren öppnades. Där inne stod en bakrusig man med ett brev i handen. Detta räckte han till den unge budbäraren tillsammans med en slant. Sedan stängde mannen dörren bakom sig.

23

Det är en kall morgon på Östermalm. Solen har precis gått upp över husfasaderna på Kaptensgatan och gaslyktan på hörnet släcks. Borta vid Artilleriplan är det redan liv och rörelse. Sjåare drar vagnar med fisk upp från hamnen till bodarna på Östermalm; officerare från Svea artilleriregemente strosar mot Artillerigården; från kronobageriet levereras bröd till manskapet. Budpojken skakar av sig kylan så gott han kan. Tidiga morgnar är det värsta han vet. Han korsar Löjtnantsgatan och blir sånär omkullsprungen av några skolpojkar som jagar varandra, medan ränslarna ligger uppradade i gruset på planen intill. "Akta er!" ropar han irriterat.

Precis när han sneddar ner över planen hör han hur klockan i Hedvig Eleonora kyrka slår sju slag. Han skyndar på stegen. Mannen i vindskupan hade sagt honom att brevet måste levereras senast halv åtta.

Han tar sig snabbt förbi hamnen, där roslagsskutorna och ångbåtarna står uppradade och arbetarna är i full färd med att lossa. I Berzelii park står bänkarna ännu tomma, men inne på Berns glasveranda sopas det för fullt inför dagens kommers. Eftersom han börjat frysa om fingrarna tar budpojken brevet och stoppar det i fickan. Han drar ner rockärmarna över händerna så gott det går.

Det tar honom mindre än tio minuter att ta sig till Drottninggatan. Och nu har gatulivet ökat påtagligt. Den smala trottoaren är fylld av stockholmare på väg till arbetet, så han tar sig fram mitt på den knatterstensbelagda gatan. Han får kryssa mellan hyrkuskvagnar och hästarnas efterlämnade spillningar, mellan konstaplar till fots och officerare till häst, mellan blomsterflickor och tiggare och högreståndsdamer. Eftersom han inte ser sig för krockar han nästan med en latrinhämtare som kommer ut från en gård på Rörstrandsgatan. Trots att locket ligger på är stanken påtaglig. Han skrynklar ihop näsan, och tittar upp mot kyrktornet i Adolf Fredriks kyrka. Tjugo över sju! Han har redan börjat bli andfådd, trots att den värsta biten av Kungsbacken ännu återstår, men han ökar ändå på stegen. Snart ser han Observatoriekullen framför sig, och då är det inte långt kvar till Norrtullsgatan.

Den sista lilla biten får han skjuts med ett mjölkbud, som låter honom sitta bakpå vagnen. De skakar fram mellan lindarna och de plankomgärdade gårdarna på den långa gatan. En likvagn som i maklig takt förflyttar sig mot Nya Kyrkogården passeras, likaså postiljonen.

Precis när klockan slår halv åtta hojtar han till: "Här är det!" Mjölkbudet stannar hästen. Pojken hoppar av vagnen och hinner nätt och jämnt slänga iväg ett tack innan ekipaget rullar vidare.

Han står framför grinden till ett stort hus, omgivet av höga askar. När han försiktigt öppnar ser han en välskött trädgård, fylld av fruktträd. Längst bort på grusgången finns några trappsteg upp till en bastant trädörr. Han går fram, uppför trappstegen, och ringer på dörrklockan.

En kvinna öppnar. Budpojken sticker handen i fickan och räcker fram brevet. Kvinnan ler mot honom och ger honom en slant. Han bockar och dörren stängs.

Från den dagen förändras Siris liv, obönhörligt.

24

En gång, för många år sedan, hade hon och Constance försökt att beskriva livet för varandra, så som man gör när man är ung. Och Constance hade sagt att det nog var som ett flodlandskap, ett sådant där delta som består av många, många fåror – slingrande och raka, breda och smala – fåror som korsar varandra och sedan viker av åt alla möjliga håll. Och så hade de lovat varandra att prova dem alla.

Några år senare, när de redan var vuxna, kom de sig för att räkna sina flodfåror. Och de kom fram till att de nog hittills hela tiden egentligen hade stannat i en enda. För även om de då och då hade hamnat vid små vägskäl i livet, så hade deras val nog egentligen aldrig tagit dem i någon helt ny färdriktning. "Och väl är väl det", hade Constance då sagt. "För hur skulle vi annars våga vandra vidare med något slags förutsägbarhet? Hur skulle vi annars kunna hitta ett rum i vilket vi var hemma?"

Då hade Siri inte svarat.

Hennes liv vände, på mindre än ett dygn. Och med de rader som August Strindberg så skickligt hade avfattat på sin vindsvåning, en söndag i mitten av mars, hade han öppnat slussen till den flodfåra som så länge varit igenpluggad att den riskerat att sprängas sönder.

Men hon lät den öppnas endast försiktigt, vilket var klokt. För våghalsiga nya färdriktningar måste anträdas med varsamhet.

25

De har stämt träff på Nationalmuseum. De möts ovanför den övre trappan, under det höga taket. Hon bär en vit klänning med ett svart sammetsliv. Han har klätt upp sig i kostym och stärkt skjorta. När hon kommit upp från trappan, och mött honom, går han ner på knä framför henne, och kysser hennes hand. Hon ber honom resa sig. Nu går de gemensamt, arm i arm och i tystnad, genom museets salar. De är blyga, tafatta, såsom nyintroducerade. För något nytt har uppdagats.

Till slut sätter de sig framför en skulptur av holländaren Adriaen de Vries, *Psyke buren av amoriner*.

"Kan ni berättelsen om Amor och Psyke?" frågar han henne. Nej, svarar hon. Och ber honom berätta.

"En gång i tiden fanns det en kung med tre döttrar", säger han, och stryker trevande hennes hand. "Den vackraste av dem var den yngsta, Psyke. Hon var så skön att kärleksgudinnan Venus drabbades av sjuklig avund. Venus bad därför sin son Amor att förleda den vackra Psyke att bli förälskad i den ondaste varelsen på jorden – genom att sticka henne med en av sina pilar. Amor lydde sin mor. Men när han sedan får se kungadottern blir han så betagen att han råkar sticka sig själv med pilen. Kungen och drottningen får nu av ett orakel veta att de måste lämna sin dotter högst upp på ett berg, för att hon där ska hittas av sin make. De lyder, och Psyke tas till berget, där hon lämnas ensam. Men plötsligt sveper västanvinden henne med sig och för henne till ett gyllene palats i en vacker dal. På natten kommer hennes tilltänkte make till henne, och de älskar med varandra, i mörkret.

Han säger henne att hon aldrig får tända lampan och aldrig se in i hans ansikte."

"Men det gör hon."

"Ja, det gör hon."

"Och det är Amor."

Han ler mot henne. "Friherrinnan har förstått ..."

"Siri."

"Siri ..." Han smakar på det. "Det är svårt. Jag tänker på er som en friherrinna."

"Då vill jag att ni tänker om", svarar hon. "Jag tänker på er som min själabroder."

Han är tyst.

"Jag älskar er", säger han. "Och min kärlek liknar blixten."

"Hur länge har ni ...?" undrar hon.

"Ända sedan jag träffade er", svarar han.

"Men det är inte möjligt! Ina ..."

Han skakar på huvudet.

"Jag älskar er", säger han än en gång.

"Jag älskar er", svarar hon. "Och jag älskar Carl."

"Ni måste lämna er make!" utbrister han. "Ni måste överge ert hem, det hem där det begås äktenskapsbrott. Ni vet att jag har rätt!"

Hon svarar honom inte.

"För ert livs skull, ert enda, dyrbara, heliga livs skull. Siri, var lika modig som ni är vacker, riskera dödssprånget även med risk att förgås. Jag älskar er som solen älskar daggen, och jag kommer inte att ge mig förrän jag har gjort er till den lyckligaste kvinnan i Sverige. Tillsammans", han knyter näven, "tillsammans ska vi besegra detta land!"

Hon ler mot honom, för att han är bedårande i sin envishet, för att han är den han är, och förmodligen för att han lovar att göra henne till den hon vill vara.

"Ni måste träffa mig ensam", säger han nu. "Var ni vill – eller – hos mig om torsdag, en halvtimme endast."

*

Hon kommer till hans vindskupa, den torsdagen, på eftermiddagen.

Hon knackar lätt på dörren. En sekund senare står han framför henne, glädjestrålande. Håret på ända, som om han för en gångs skull haft annat att tänka på.

Han sträcker ut sin hand. Hon tar den. Han drar henne in, till sitt hem.

Så hjälper han henne av med jackan, sedan med den pärlbroderade hatten. Han betraktar henne, förstummad. Hon tittar in i hans ansikte, hon rör vid det toviga håret. Och värmen stiger upp i hennes bröst. Hon är inte rädd, hon vet att hon har känt honom i hela sitt liv.

Han för henne till soffan. Ställer ett litet bord framför henne, och en flaska vin. Så tar han fram två glas och en kruka med blommande rosor. Till slut tänder han två ljus.

"Som ett altare", säger han.

Hon ler, förstår inte riktigt vad han menar, och ändå gör hon nog det.

Så tar han fram ett dyrbart band av Hans Sachs, en bok med förgyllda spännen, som han lånat från biblioteket enkom för detta tillfälle. Den lägger han under hennes fötter, som en fotpall.

Sedan tar han en ros från krukan och fäster den i hennes hår, försiktigt, så att taggarna inte ska göra henne illa.

Till sist häller han upp vin i de två glasen. Han höjer sitt glas:

"För er, min gudomliga. Och för vår kärlekslycka."

Hon höjer sitt glas: "Till dig, August."

Och då säger han: "Till dig, Siri. Dig ... Siri."

Hon tittar mot böckerna som ligger utspridda på golvet. Hon ser kudden i mitten.

"Där låg du utsträckt som i gröngräset när jag steg in!" skrattar hon. "Så lustigt att leka höbärgning mitt i vintern!"

"Vill du göra mig sällskap?" undrar han.

Hon tittar på honom, ordlös. Så nickar hon.

Han tar henne vid handen, och leder henne ut i gröngräset.

Han sätter henne på kudden och själv sätter han sig på golvet bredvid. Så tar han hennes hand och betraktar henne.

"Du gråter!" utbrister hon. "Hur är det fatt?"

"Det kan jag inte säga."

"Du kan alltså gråta", säger hon. "Det har jag aldrig sett dig göra, inte ens i dina mest förtvivlade stunder."

"Men nu gråter jag inte av förtvivlan."

Hon tittar på honom, med sådan värme att hans tårar flödar. Då stryker hon honom över ena kinden.

"August, som låtsas vara hård som järn …"

Sedan kysser hon hans läppar, lätt.

Han sitter alldeles stilla.

"Kan man kyssa en madonna?" viskar han.

Hon svarar inte, hon kysser honom igen, denna gång på pannan. Då tar han tag i hennes midja. Den andra handen lägger han runt hennes lockiga hjässa. Så trycker han hennes läppar mot sina, och kysser henne passionerat, hårt, hetsigt. Hon svarar.

Och så älskar de med varandra, som änglar, fullt påklädda.

26

Hon trodde att han skulle dö när hon berättade för honom. Han blev alldeles blek. Sedan brast han i gråt.

"Det var bara sinnlighet, Siri! Jag älskar henne ju inte. Jag älskar dig!"

Hon slöt honom till sitt bröst, hon försökte trösta honom. Hon viskade lugnande ord till honom. Hon sa att hon älskade honom.

Fast hon egentligen visste att det redan var för sent.

I några dagar svävade de ovanför detta ingenmansland.

Sedan backade August – av alla människor! I deras laddade brygd infann sig nämligen en ny ingrediens: skammen, eller skräcken, det är svårt att säga vilket.

För August fattade oväntat pennan och skrev till Carl:

Älskade olycklige vän!
Jag måste tala, om någon räddning skall bli möjlig!
  Jag kände hur ren jag var i er närhet, och kunde aldrig känna att det var en synd att älska så. Jag älskade ju er båda! Jag kunde aldrig skilja er i mina tankar, jag såg er alltid tillsammans i mina drömmar. Varför lämnade du mig en plats emellan er?! Varför lät du mig ta hennes arm, som du aldrig skulle ha lämnat!
  Nog! Jag måste offras för att rädda Henne och Dig! Oh min Gud det är ett bittert offer, men jag förtjänar det.
  Nej, jag skall utplånas. Bort för alltid!

Ty sådan var nu Caritas: I det ögonblick handen sträckts genom träd-gårdsgallret, i det ögonblick blomman erövrats, och doften berusat vandraren, är det endast en tidsfråga innan allt upplöses i intet.

Eller inte.

För om August bävade inför språnget, gjorde Siri inte längre det.

27

"Låt mig få träffa honom! Låt mig få träffa honom, och vara ensam med honom, snälla Carl!"

Hon låg på sitt sjukrum, med gardinerna fördragna.

Hennes make tittade på henne, hjälplöst.

Det hade börjat någon vecka tidigare, med ihållande magsmärtor. Sedan hade hon fått blödningar från underlivet. På torsdagskvällen svimmade hon. Läkaren hade funnit en livmoderböld. Siri hade ordinerats sträng vila, åtminstone tills blödningarna avtog.

> *d. 24 mars 1876*
> *Jag beder och bönfaller att du måtte komma hit på en stund,*
> *genast – kom om du är min vän.*
>
> *Carl*

Carl bad August att komma. För sådana var han och Siri mot varandra. Säreget generösa, eller orimligt chevalereska, beroende på hur man såg på saken.

Fast den här gången hade han ju haft goda skäl.

"Varför berättade du inte för mig!?" utbrast August när han störtade in på rummet.

"Det är som att se solen själv", viskade hon. "Solen, och alla stjärnorna, och all jordens ljuvlighet."

"Varför berättade du inte för mig?" sa han, än en gång.

"Men nu vet du", sa hon. "Och läkaren säger att han inte tror att det är farligt."

"Tror?"

Hon log. "Jag har inga planer på att överleva dig. Så vi får hoppas att du är vid hälsa."

Siris kropp var bräckligare än hennes själ. Och så skulle det vara under hela hennes liv.

Men denna gång kom sjukligheten lägligt.

Blödningarna avtog faktiskt, och inom ett par dagar var hon åter på benen, om än inte helt kurant. Men om denna kris var över så avlöstes den omedelbart av en annan.

Det är en sak att vara en gift kvinna, hemligt och outtalat förälskad i en annan man. Det är en annan sak att yppa detta för någon av männen, eller kanske till och med stjäla en förbjuden kyss bakom en stängd dörr.

Och det är något *helt* annat att som högborgerlig, för att inte tala om adlig, hustru till en officer, och mor till en liten dotter, i 1870-talets Stockholm offentligt ta språnget in i en annan mans famn.

"Den förbannade författaren!" skrek Betty. "Jag visste att han inte var att lita på!"

Siri hade inte kunnat låta bli att berätta för sin mor. Och den förfäran hon då mötte gav en fingervisning så god som någon om vad som komma skulle.

Betty von Essen lät förstås inte ett ögonblick gå förlorat. Hon skickade en not direkt till August. Hon bad honom att komma till henne – nej, hon beordrade honom.

Och eftersom August nu tillägnat sig den för honom helt okarakteristiska vanan att lyda, gick han hem till Siris mor, om än motvilligt.

Betty bodde med sin syster Kill i en våning på Drottninggatan 44, halvvägs mellan August och Siri, och fullt ståndsmässigt. Siris mor var ju en charmerande, om än något kärv, dam, för vilken samhällsställningen var allt. Inte nödvändigtvis därför att en sådan skänkte henne respekt, utan kanske i första hand för att den möjliggjorde ett sällskapsliv hon inte ansåg sig klara sig förutan. Då Bettys ekonomiska ställning dessutom inte var helt stabil – och hon sålunda inte kunde tillförsäkra sig en plats i den högre societeten enbart på grundval av sin förmögenhet – riskerade minsta skandal att rasera hennes sociala ställning.

Hennes dotters äktenskap med en baron hade, som August senare syrligt skulle påpeka, blivit hennes lyckokast. Hon hade "satsat allt på detta enda kort".

"Vet ni att Siri kan vara en mycket svårbegriplig ung kvinna?" Betty hade mött honom i tamburen, och lät inte någon tid gå till spillo.

"Inte svårbegriplig för mig, hennes nåd."

"Nåväl, sådant kan kanske vara svårt att bedöma i första …" Hon hejdade sig mitt i meningen. Därför att August hade hejdat sig, med hatten i hand, som om han gjort sig beredd att gå igen. Och eftersom Betty von Essen var en kvinna med väl inställda tentakler insåg hon omedelbart att denna batalj knappast skulle vinnas endast genom övertalning.

"Men kom in", sa hon i stället, med mjukt tonfall. "Ida har gjort i ordning smörgåsar åt oss."

Efter ett ögonblicks tvekan hängde August av sig ytterkläderna och steg in i salongen efter fru Betty. Hon var uppenbarligen ensam hemma med pigan. Eller så befann sig hennes syster i något annat rum.

"Var så god och sitt."

Smörgåsarna stod redan framdukade och hembiträdet kom strax in med te.

"Siri har sagt mig att hon är förtjust i er." Betty skred åter till verket, nu mer försiktigt.

"Vi älskar varandra."

Betty drog efter andan.

"Men det visste väl hennes nåd?"

Tårarna steg upp i Bettys ögon, hon satte upp ena handen över munnen.

"Ja, ursäkta, förlåt", sa hon.

"Det är ju inte en brottslig handling att älska någon."

"Nej, förvisso inte. Men ... att göra allvar ..." Hon torkade ögonen med en näsduk. Så räckte hon fram smörgåsfatet. Han tackade nej.

"Jag har funnits i Siris närhet hela hennes liv", försökte hon nu. "Hon är ju en egensinnig kvinna, med en stark vilja."

"Som ibland kanske kuvats lite väl mycket, till förfång för hennes utveckling", tillade August.

"Hur menar ni?" Betty lät stött.

"Ja, Siri är ju en kvinna som har levt för konsten, som har älskat teatern, och drömt om att få bli skådespelerska."

"Men det förstår ni väl", utbrast Betty, "att en flicka från en fin familj, till råga på allt hustru till en officer, inte kan ställa sig på scenen! Det är inte *comme il faut.*"

"Hennes nåd får ursäkta, men jag har aldrig förstått värdet i att neka en människa möjligheten att förverkliga sina högsta drömmar, bara för syns skull."

"Men hon är inte ensam! Hon skulle dra med sig andra i fallet! Sin make, sin dotter ..." Betty tystnade ett ögonblick.

"Carl var här tidigare i dag."

August svarade inte. Han sträckte sig efter en smörgås.

"Jag måste säga att han hanterar situationen på ett föredömligt sätt."

Nu hejdade sig August, mitt i tuggan. "Tycker ni? Det var ju ändå Carl som satte igång den situation vi nu befinner oss i."

"Ni menar fröken In de Betou?"

"Just det."

"Jag tog upp detta med honom, och han bedyrade vid allt heligt att han inte är – och aldrig har varit – kär i henne. Hon är ju hemskt ung, det stackars lilla älskliga barnet!"

"Lilla älskliga barnet!?" Nu brast till slut Augusts tålamod. "Ursäkta att jag säger det, hennes nåd, men emedan jag och er dotter har förhållit oss kyska, och över huvud taget först nyligen yppat något om våra känslor för varandra, så har Carl kurtiserat fröken Fiffi i nästan ett år. Förstår ni vad Siri har fått stå ut med? Dag ut och dag in!"

Det var omöjligt att utläsa Betty von Essens reaktion.

"Herr Strindberg", sa hon efter några sekunders tystnad, och hennes röst var nu fast och bestämd. "Jag vill vädja till er heder, till er vänskap, till ert förstånd, till er rättskänsla. Återför mitt stackars barn till hennes plikter som maka, mor och dotter. Hon befinner sig på branten till fördärvet, och måste backa, omedelbart. Annars står vi alla inför en katastrof. Endast ni kan åstadkomma detta, för hon tror er vara upphöjd och ädel. Och", tillade hon, "det tror även jag."

August snörpte på munnen men avstod från att göra det slags ironiska kommentar man i detta läge skulle kunna förvänta sig av honom.

"Vad vill ni då att jag ska göra?" frågade han.

"Träffa inte min dotter."

"Det är omöjligt."

"Nåväl, träffa henne, men bara hos mig."

För en gångs skull blev August mållös.

"Och snart, så snart som möjligt", lade hon till, "bör ni resa ifrån henne, utan att säga vart."

Två gånger detta år skulle Betty von Essen komma att avgöra sin dotters öde, båda gångerna i helt motsatt riktning mot vad hon avsett. Detta var den första.

28

Att allt skulle hända på Drottninggatan, det var ändå för märkligt. Förvisso var gatan lång, förvisso var den en förbindelselänk mellan deras trakter och stadens mitt, men ändå tycktes det besynnerligt att ödet hade utsett en gata till främsta skådeplats för deras drama.

Det var sin egen make hon mötte. Hon stötte på honom i hörnet av Gamla Kungsholmsbrogatan. Carl var på väg hem från gardet. Själv hade hon just lämnat Augusts systers våning, på Regeringsgatan.

De studsade till båda två. Inga förklaringar behövde lämnas, det var uppenbart vem Siri hade träffat.

"Carl", sa hon, stumt. Fortfarande på en meters avstånd, med armarna hängande utmed sidorna.

Han nickade. Frågade inget.

"Carl", sa hon, än en gång. "Vi måste skiljas."

Ett ögonblick tycktes han vackla till.

"Siri", mumlade han. "Siri, jag …" Och plötsligt såg han ut som en pojke, en 195 centimeter stor pojke, iförd vapenrock med dubbla knapprader i guld, och hög kask. En pojke som fått leka polis och rövare, eller fått rida på käpphäst.

"Jag är ledsen, Carl. Det är ofrånkomligt."

Hans ögon blev blanka. Så började han gråta. Hon drog hastigt med honom in i en port, för hans skull. En officer kunde inte gråta på öppen gata, det vore omöjligt.

Hon strök hans kind. Han lutade sitt stora huvud, med den höga kasken, mot hennes axel, och grät som ett barn.

"Ingen kommer längre att hindra dig från att träffa Fiffi", försökte hon medan hon rörde vid håret som stack fram under huvudbonaden. "Ingen kommer längre att dra sig undan från dig … i … i sam-livet. Ingen kommer …"

"Gillan, sluta!" bönade han. "Sluta!" Och så lyfte han sitt huvud från hennes axel. Han sträckte nu på sig i hela sin längd. Plötsligt såg han ut som en stolt officer igen.

"Det går inte!" sa han bestämt. "Tänk vilken skandal!"

"För dig eller för mig?"

"För oss båda. Men mest för dig."

"Jag är beredd att ta risken, Carl." Ja, hon var beredd att ta risken. Men utan hans medverkan skulle det bli förfärligt.

"Gillan, du har precis varit sängliggande och är inte frisk. Du är påverkad av August och hans teatergriller. Det är inte realistiskt. Du har en dotter, tänk på det!"

"Carl", sa hon, allvarligt och orubbligt. "Jag kommer att skilja mig, och jag vill att du bidrar till att detta sker så smärtfritt som möjligt för oss båda. Och för Kickan."

"Hos vem skulle hon bo?"

Det klack till i henne. Hon hade inte väntat sig frågan. Var det möjligt att hon inte ens tänkt tanken? Kunde det verkligen vara så att hon, i ruset av detta beslut, inte tänkt på hur det skulle bli med deras dotter?

"Vad skulle du önska, Carl?" sa hon. Och hon bävade för svaret.

"Att inte förlora också henne."

De stod stilla och tittade på varandra, som om leken först nu plötsligt övergått i allvar. Som om allt hon hittills tagit för givet, och betraktat som självklara ingredienser i sin tillvaro, plötsligt hade ett pris. Och priset skulle betalas.

"Då ska du få henne", mumlade Siri. Och hon visste att det inte bara var för hans skull hon sa det. Hur ruskig denna tanke än var, så visste hon det.

"Så länge du är ogift ska du få henne. Sedan får vi ompröva."

29

Carl gick med på skilsmässa, om hon sa sig vara vållande, om hon blev en förlupen hustru. Men inte till följd av någon otillbörlig relation. Inför offentligheten skulle hon ta detta dramatiska steg endast och allenast på grund av sin outsläckliga längtan till teatern. Detta hade hans advokat, Hård af Segerstad, rått honom att kräva.

Hon accepterade genast hans villkor.

Sålunda gick Carl i början av april månad upp till sin överste och förhörde sig om huruvida han, för den händelse hans hustru blev aktris, skulle kunna stanna kvar vid gardet. Svaret blev, som förväntat, nej. Och därmed hade en grund för skilsmässa frambringats: För att rädda sin ställning som svensk officer var Carl Gustaf Wrangel tvungen att avvisa hustruns önskan om att få bli aktris – eller att tillmötesgå hennes begäran om att annars få skiljas.

Därmed var det första hindret undanröjt. Men det återstod flera.

Betty var förkrossad. Och det enda Siri ansåg sig kunna göra för att mildra slaget var att försöka trygga sin mors ekonomi, så gott det gick. Mor och dotter hade dittills delat på ränteinkomsterna från arvet efter Siris far, ett arv som tillfallit Siri. Dessa ränteinkomster hade också svarat för den huvudsakliga försörjningen i det Wrangelska hushållet. Siri kontaktade nu banken och såg till att en omfördelning av både kapital och räntor skulle ske: arvet överläts från henne på hennes lilla dotter, treåriga Sigrid Wrangel, och skulle förvaltas av dennas far Carl. Sjuttiofem procent av avkastningen skulle emellertid, enligt det nya gåvobrevet, tillfalla Betty von Essen. Resterande tjugofem procent skulle delas lika mellan Siri och Carl Wrangel.

Skilsmässan skulle alltså komma att medföra ett betydande ekonomiskt avbräck för Siri. Hon måste ha hyst stora förhoppningar om kommande framgångar på teaterscenen. Eller så trodde hon på sin blivande make när denne bestämt hävdade att han snart skulle bli den störste författare Sverige skådat. Eller så tänkte hon inte alls, annat än på den smärta hon med sitt agerande åsamkat sina nära och kära, och på hur hon över huvud taget skulle kunna gottgöra dem.

För så resonerade Siri Wrangel. Och så förväntades hon nog resonera.

Ett sista steg återstod för att charaden om den förlupna hustrun skulle kunna bli fullbordad: en resa utomlands, bort från maken och barnet och hemmet. Carl skulle sedan – därtill rådd av sin advokat – lämna in en stämning mot sin hustru, som "av ondska och motvilja övergivit" honom, och Siri skulle i sin tur uppsöka det svenska konsulatet utomlands och där förklara att hon hade förlupit hemmet och hade för avsikt att begära skilsmässa.

Först beslutade man sig för Paris, där Siri ju en gång bott. Sedan tänkte man om: i Köpenhamn hade hon sin moster Augusta. Där skulle hon bli väl omhändertagen under den vecka, eller de veckor, processen kunde tänkas ta.

Allt var nu förberett för en skilsmässa i tidens och ståndets smak.

Det var då Siri lät August läsa brevet. Det brev hon hade hittat på sin makes skrivbord.

30

Det var nog inte konstigt att August handlade som han gjorde. Att denne man, som aldrig någonsin lät sig kränkas, stillatigande hade åsett hur hans älskade – och i förlängningen han själv – orättvist, om än frivilligt, låtit sig skymfas var förstås egenartat. Att han och Siri ensamma, och orättfärdigt, skulle ta på sig skulden för den uppkomna situationen, och att hon skulle offra sig för alla andra, var mer än en man som August kunde stå ut med.

Så han störtade hem till Betty von Essen, med långa strofer ur brevet inpräntade i minnet.

Jag älskar dig högt och rent, min Fiffi.
 Den lögnaktige författaren har satt griller i stackars Siris huvud, och inbillat henne att hon skall bli världsberömd aktris.
 Han förför henne bort från allt sans och vett, det kräket.
 Älskade min Fiffi, jag längtar mig fördärvad efter dig. Jag kysser din hals.

Detta var allt mor Betty behövde.

Och allt som behövdes för att Siris mödosamt konstruerade bygge skulle rasa.

Betty von Essen tog omedelbart kontakt med sin bror, Fiffis far, överstelöjtnant Carl In de Betou. Och berättade att hennes svärson förfört hans unga dotter.

Resultatet lät inte vänta på sig. Inom en dag befann sig morbror Carl på Norrtullsgatan. Högröd i ansiktet, och fullkomligt rosenrasande, läxade han upp sin yngre officerskollega och lät meddela denne att om han inte omedelbart avbröt förbindelsen med hans dotter skulle han tvinga Carl Wrangel att ta avsked, eller, än värre, utsätta kaptenen för offentlig förödmjukelse och rättsprocess.

Den perplexe Carl tog emot, stum och stel. Han försvarade sig inte, även om han inte medgav någonting. Det behövdes heller inte, eftersom överstelöjtnanten efter att ha framfört sitt ärende stormade ut ur huset, utan att vänta på replik. Budskapet var framfört.

Vad mor Betty eftersträvade med sin handling var förstås att förlägga all skuld för den uppkomna situationen på någon annan än sin egen dotter, och därmed långt bort från sig själv.

Men hon skulle givetvis inte låta sig nöja med detta. Vad Siris mor i förlängningen hoppades åstadkomma var att allt skulle återgå till det gamla och att den mesallians hennes dotter nu var på väg att ingå skulle undanröjas.

*

"Men förstår du då inte!" Siri skrek på August, för första gången någonsin. "Förstår du då inte vad du har gjort!?"

De stod mittemot varandra i den lilla vindskupan, Siri fortfarande iklädd ytterkläder, August nyss uppstigen från sängen. Han drog fingrarna genom håret.

"Siri, jag … jag kunde inte låta dem skymfa dig."

"Skymfa mig? Fattar du inte att du med detta riskerat allt? Carl *får* inte förlora ansiktet. Han *får* inte förlora sin tjänst. För då går allt om intet!"

"Varför? Hur påverkar hans situation oss?"

"Den gör det! Så är det bara! Jag känner dem! De ska hämnas. Mamma ska visa hur ren hon står och att ingen kan misstänka henne för att inte ha uppfostrat sin dotter gott nog. De struntar i Carls rykte, och därmed i mitt. Och de kan inte störta honom utan att också störta mig!"

Det syntes att August inte förstod varför. Men inför Siris ursinne och förtvivlan förblev han tyst.

"Och om han är störtad, hans tjänst fråntagen honom, och jag är störtad, min bana på teatern stängd, så har vi 570 kronor att leva på med vårt barn. För mamma har ju tillförsäkrat sig resten."

Nu kunde August ändå inte tiga längre.

"Är det värre för ditt rykte att han har förlupit dig än att du skulle ha förlupit honom?"

"Men jag lämnar ju honom för teatern! Inte för någon annan man. Och han släpper mig av kärlek till mig, inte till någon annan."

"Jaså …", muttrade August.

"August, det var fegt det du gjorde. Du var rädd att min mor skulle kalla dig en skurk för att du stulit mig från min man, och du hade inte modet att bära det. Det var fegt. Nu kanske vi får bära allt! Det var ju ändå en småsak jämfört med vad vi kanske har att vänta oss. Gud hjälpe oss!"

Han såg förkrossad ut, mannen som aldrig tålde en tillrättavisning. Han såg tillintetgjord ut, och liten. Som ett slaget barn. Och av någon anledning kunde man föreställa sig att det var precis så han en gång sett ut. För länge sedan, innan han blev vuxen, innan han kunde se till att aldrig någonsin mer försätta sig i en sådan situation.

"August, August …" Äntligen mjuknade Siris stämma. "Du ville mig väl, men det var oöverlagt, och det kan bli förödande. De stora förlorarna blir vi. August, om inte detta undanröjs kommer vi aldrig att få varandra."

"Förlåt …", mumlade han.

"Det finns", sa hon, "bara en sak vi kan försöka göra, för att rädda vad som räddas kan."

"Vad …?"

"Vi måste ta till lögnen än en gång, men denna gång än värre.

Ingen utom vi har ju sett brevet. Vi måste förneka att Carl någonsin skrivit det."

"Men det är ju fruktansvärt!" utbrast han.

"Du måste!" Hon var obeveklig. "Du måste gå till Carl, och ni måste visa er tillsammans, vänskapligt. Sedan måste du skriva till min mor och ta tillbaka allt du sagt henne om Carl och Fiffi. Jag skriver under tiden till morbror Carl."

"Men det är förfärligt! Ohyggligt! Det är som att smeta ner sig själv med avföring!"

"Ja", svarade hon, och om hon kände något medlidande med honom dolde hon det väl. "Det är förfärligt. Men det är nödvändigt. Och", tillade hon, "om du någonsin baktalar Carl, eller gör min dotter illa, så kan jag ej älska dig."

Hon menade väl "kan jag ej leva med dig". Men det var inte det hon sa.

Han ställde verkligen allt till rätta. Han, den briljante ordsmidaren, begagnade för en gångs skull i sitt liv sin verbala förmåga till att smäda sig själv. Han gjorde det bättre än någon annan hade kunnat göra det.

Och när han var klar hade allt återgått till hur det var. Det var som om ingenting hade hänt.

Utom möjligen något hos August. Något man ännu inte såg.

*

"Mamma, jag är inte skapad för ett stilla hem med frid och rosendoft. Jag behöver strid för att bli lycklig."

"Strid?" mumlade Betty. "Det finns något som heter ansvar."

Det var kvällen före Siris avresa, och hon hade gått hem till sin mor, i ett sista försök att få henne att förstå.

"Men har jag inte något ansvar för mig själv, mamma? För mitt eget liv?"

Betty svarade inte.

"Mamma ... Jag vet inte vad felet är, men den roll jag fick efter att jag gifte mig var en dödsdom."

"Gillan." Betty hade höjt rösten. "Du fann en god man, som har älskat dig över allt annat på jorden."

"Men det hjälper inte! Jag har försökt."

"Jo, Gillan! Det hjälper." Det fanns plötsligt något hånfullt i Bettys blick. "Man når en punkt i livet när man måste upphöra att bara tänka på sig själv! Den punkten nådde du för flera år sedan. Du kan strunta i mig, det är du välkommen att göra. Jag är gammal. Men det du gör mot Carl är själviskt. Och det du gör mot din dotter är fullständigt hänsynslöst!"

Siri var tyst. Hon mådde lite illa.

"Och det värsta är", tillade Betty, "att jag tror inte att du älskar någon annan än dig själv."

Orden ringde länge i rummet. De hängde kvar och slog fram och tillbaka mellan väggarna.

*

Siri lämnade Bettys våning vid sextiden, med oförrättat ärende. Men hon gick inte hemåt. I stället styrde hon stegen österut, mot Kaptensgatan.

August hade bett henne komma till kvällsvard, denna afton före avresan, så att de skulle hinna träffas några timmar innan hon skulle till Norrtullsgatan, för sista gången.

De åt, och sedan älskade de. Som två människor över en avgrund.

Och han fick för första gången se henne naken, för första gången vidöppen. Och om hon trodde, och om han trodde, att han sedan skulle förakta henne, hade de fel.

"Och denne man med en jättes kropp har aldrig gjort dig lycklig?"

frågade han, förbluffat, när han förstod hur det var.

Hon skakade på huvudet. Så lade hon sig intill honom, hennes nakna bröst mot hans arm, hennes huvud mot hans axel och kind.

"Om jag någonsin glömmer", viskade han då till henne, "så påminn mig om detta."

Sedan mumlade han, förmodligen till sig själv: "Ära den Gud som tvingar oss att vara lyckliga, mot vår vilja."

*

Han följde henne till Katrineholm. Sedan lämnade han henne, med ett brev i handen.

Och så, när hon åkt, satte han sig i stationshuset och skrev ännu ett, och sedan på tåget, ännu ett, och sedan i sin vindskupa, ännu ett.

Och till slut fick han svar.

"Barnet skall bli en evigt gnagande sorg för mig – men din kärlek skall ersätta allt." Så skrev hon.

31

Telegram N:o 302
Indlevereret i Stockholm den 17 maj 1876 10 T. 45 M. Form
Baronessan Wrangel Kbhavn
Nyadelsgade N:o 3
Hos Konsul Möller
Domen fallit efter Er önskan. Ni kan genast återvända.
Hård

Siri kom tillbaka från Köpenhamn den 19 maj, efter drygt två veckor.

Hon flyttade in hos Betty. För något annat hem hade hon inte. Och inte heller någon annan familj. Hon bodde i en kammare hos sin mor, åter som ett barn, utan det filter av oberoende som begåvas den som skaffar en gemål, ett barn och en egen boning. Hon var inte längre, åtminstone inte i realiteten, friherrinnan Wrangel – kaptenshustru, mor, värdinna. Hon var hemmaboende äldre dotter till änkefru von Essen.

Det var ett sorgligt arrangemang. Av så många skäl.

"Nu är jag hemma!" skrev hon till August så fort hon anlänt. "Bor hos mamma. Dörren mitt för trappan knackas på. Kommer du till mig?"

Visst kom han till henne. Och de sågs på hennes kammare, med två äldre damer viskande i rummet intill.

För inte kunde hon, en offentligen förlupen hustru, ensam vandra uppför trappan till en ungkarls vindskupa.

De försöker i stället stämma möte i en park. Och tycker att alla tittar på dem, gottar sig åt hennes vanheder. Vårsolen tycks lysa på hennes skam. Hon längtar efter vintermörkret.

Och människor som tidigare varit hennes, eller för den delen deras, vänner drar sig nu undan. En söndagskväll då de som så många gånger förr beger sig till Augusts syster på Regeringsgatan, bjudna på middag, möts de av pigan, som meddelar att herrn och frun inte är hemma, då de blivit bortbjudna på annat håll. Förödmjukelsen är fullständig. Och eftersom Siri inte står ut med att komma hem till mamma Betty i förtid smyger de sig upp till Augusts vind, där de intar en middag bestående av två karameller.

Inte ens Constance, hennes äldsta vän, vill längre träffa henne.

Riktigt alla betedde sig inte på detta sätt. Moster Kill gjorde det inte. Och till Bettys försvar ska sägas att hon trots förödmjukelsen valde att utåt försöka bita huvudet av skammen. Hon inte endast hyste sin förlupna dotter, hon gick promenader med henne, glatt konverserande, så att alla skulle se att hos familjen von Essen var det ingen som skämdes.

Men väl hemma i våningen vällde bitterheten fram hos mamman. Hon hade svårt att sova och låg ofta till sängs till långt in på eftermiddagarna. Att se sin mor lida, och detta på grund av henne, var något som gjorde Siris vardag outhärdlig.

Den enda som gav henne sann lindring var, ironiskt nog, Carl. "Jag ska skicka dig en liten tröstarinna", skrev han till henne, "som älskar sin mamma varmt och utan biavsikter, hur ofta du vill." Och så tillade han, med eller utan biavsikter: "Jag vet att även jag är välkommen. Vi ska gemensamt försöka att inge dig mod och tröst."

Om hon hade trott att hon utan vidare skulle kunna avstå sitt barn hade Siri haft fel. De två veckorna i Köpenhamn hade blivit till en enda lång plåga, där tankarna på Kickan var ett ständigt inslag. "Jag tror jag blir galen!" skrev hon till August. "Det griper i mitt huvud. Hör! Hör! Barnet ropar på mig!"

Och det värsta var nog att samvetskvalen kändes starkare än saknaden.

32

1891

"Tantis", som barnen kallade henne, hade hunnit bo i två veckor på Lemshaga. Hon sov i det lilla rummet, det som Siri dittills använt som kontor. Och plötsligt hade tillvaron blivit uthärdlig igen.

Marie David hade räddat dem, så enkelt var det. Och Siri kunde inte komma över häpnaden och glädjen över att någon på detta sätt kommit som en räddande ängel in i deras liv.

Fast något hade hon ju själv faktiskt gjort för att åstadkomma detta.

Siri hade skrivit till mostrarna i Köpenhamn redan den 6 januari, strax efter det första mötet hos kyrkorådet. Eftersom hon inte hade sett någon annan råd.

> *Kära moster Kill!*
>
> *Jag hoppas att allt står väl till med moster och moster Augusta.*
>
> *Hos oss är dessvärre situationen brydsam. Ursäkta att jag skriver till moster i detta ärende, men jag vet inte vad jag annars skall ta mig till. Från August har jag ännu inte fått ett öre, och jag börjar förtvivla om hur jag ska försörja mig och barnen.*
>
> *Jag undrar om moster möjligen har vetskap om fröken Davids senaste vistelseort? Hon är den enda jag på rak arm tror kan hjälpa oss. Hon tillhör de lyckliga som har medel att leva och göra som de vill, och är f.ö. en god och deltagande vän. När vi senast träffades – vilket ju var länge sedan, 1886 i Frankrike – så*

sa hon mig att om August någonsin skulle göra min situation så
ohållbar att jag måste lämna honom, så skulle hon hjälpa mig
med ett penninglån. Detta löfte har jag alltsedan dess hållit i
minnet, och känt som en trygghet, ett löfte som jag förmodligen
aldrig skulle behöva begagna mig av, men som icke desto mindre
gett mig en viss ro. Nu har dessvärre den situation jag endast i
mina värsta stunder befarat verkligen uppstått. Och jag ser ingen
annan råd än att utröna om den nu fem år gamla utfästelsen
fortfarande gäller. Jag innesluter med detta brev ett kuvert med
en not till fröken David. Om moster genom vänner i Köpen-
hamn, kanske kusin Edma, eller hennes väninna Sofie Holten,
kan finna Marie Davids nuvarande adress, och vidarebefordra
den lilla noten till henne, vore jag moster djupt tacksam.

Förlåt att jag besvärar moster med detta!

Jag hoppas nyåret i Köpenhamn varit trevligt, och att vi kan
se fram emot en varmare vår, både till kropp och själ.

Kära hälsningar, också till moster Augusta,

Er
Siri

Men Siri hade aldrig i sin vildaste fantasi kunnat föreställa sig att väninnan helt enkelt bara skulle dyka upp, som solen själv i deras dystra tillvaro.

Marie hade redan lånat Siri pengar till två månadshyror, som omedelbart överlämnats till patron Eklund. Och hon sa att hon skulle försöka ordna fram mer.

"För min skull", sa hon när hon såg Siris min. "Inte för din."

Problemet var att Maries förmögenhet var bunden, eftersom hon var ogift. Hon hade en förmyndare, en herr Zahle i Köpenhamn. Så hon skulle bli tvungen att be honom göra medel tillgängliga. "Du vet, det är alltid formaliteter."

Och när Siri på heder och samvete lovade att hon skulle betala tillbaka allt, så fort hon kunde, och allra senast när underhållet från August fastställts i domstolen, svarade Marie med ett leende:

"Siri, min vän. Det är mig ett nöje."

Maries ankomst hade lyft deras humör av så många skäl, inte bara de ekonomiska. Karin brukade säga att Tantis var som en värmande och lysande brasa. På kvällarna, medan Siri skötte sin kassabok eller ägnade sig åt andra göromål, satt Marie oftast med barnen. Hon brukade ta en nypa tobak ur den cylindriska bleckburken och lägga tobaken i det tunna cigarettpappret. Sedan brukade hon berätta någon historia ur livet. Tantis, som även hon levt i hela världen, var, som åtminstone Karin mindes, en förträfflig historieberätterska.

"Vet ni att jag en gång smugglade en krokodil till Danmark?"

"En krokodil!" utbrast Putte.

Och så rullade Tantis sin cigarett medan barnen andäktigt väntade på vad som skulle komma härnäst.

"Ja, det var förstås ingen levande krokodil, men en verklig uppstoppad en."

"Hade Tantis fångat den själv?" undrade Greta.

"Nej", skrattade Marie, "jag hade fått den av min bror Georg, i Paris. Så jag stoppade ner den i en väska för att ta hem den. Ja, det var ingen fullvuxen krokodil, men stor nog att fylla en jättelik koffert."

"Var den inte äcklig att ta i?" undrade Greta.

"Nej, jag tyckte den var fin. Vacker."

"Ååh", sa Putte, som förstod precis.

"Så", fortsatte Marie, "när jag kom till den danska gränsen ville tullmannen förstås veta vad det var i den stora kofferten. 'En krokodil', sa jag. *'En hvad!?'* utbrast han. 'En krokodil', sa jag igen. *'Vil De værs'go svare ordentlig! Vi har ikke tid til at stå her og vrøvle! Hvad er der i den æske!?'* Så jag svarade: 'En krokodil!'"

Nu började de tre barnen skratta.

"Var Tantis inte rädd?" undrade Karin.

"Nej, sådana där tjänstemän skrämmer inte Tantis."

"Så vad gjorde han?" frågade Greta.

"Han rev upp kofferten och stack ner handen. Sedan gallskrek han."

Barnen skrattade så att de kiknade.

"Kastade han Tantis i fängelse sedan?"

"Nejdå, det var väl inget fel att ta en uppstoppad krokodil till Danmark. Han lämnade bara tillbaka väskan och sa till mig att gå."

Marie tog upp den rullade cigaretten och tände den. Snart luktade det gott och sött i hela rummet. Bird's Eye hette märket. De iakttog den välmanikyrerade handen, som höll så elegant i cigaretten. Marie bar två ringar på höger ringfinger. Den ena, en ring med en innefattad turkossten, hade hon fått av den världsberömda franska skådespelerskan Sarah Bernhardt. Marie kände nämligen aktrisens son, som tagit med henne på visit hos sin mor. Efter besöket hade madame Bernhardt dragit ringen av sitt finger och räckt den till sin danska gäst. Det var på något sätt helt följdriktigt att Sarah Bernhardt fascinerats av den unga Marie, de hade ungefär samma mystiska förflutna.

När barnen frågade Siri varför Marie bodde i Paris svarade hon att Marie hade bestämt sig för att försöka bli författarinna, och det gjorde man bäst i Paris. Var Marie gift? Nej, hon hade varit förlovad, men blivit övergiven. Det fick man dock inte tala med henne om. Fast Marie var ung, det fanns ännu tid.

Den andra ringen hade en lika spännande historia, den. Det var en tjock slät guldring, med en stor briljant. Den hade burits av Maries mor Caroline, som i sin tur fått den av en journalist vid namn Georg Brandes – en dansk jude. Men Caroline och Georg hade aldrig varit gifta, och frågade man Marie om Brandes var hennes far fick man ett undvikande svar:

"Jag tror det", sa hon. "Fast man vet ju aldrig …"

Det enda man visste var att Maries far var jude. Huruvida det var Brandes eller mannen som skänkt Marie sitt efternamn, Anton Harald David, eller någon tredje judisk man, det visste nog ingen, utom möjligen Maries mor. Och hon var inte längre i livet.

Så fort Marie anlänt till Lemshaga hade hon ovanför sin säng hängt upp ett porträtt. Det föreställde en kvinna med allvarligt och magert ansikte, omgivet av ljusbrunt lockat hår. Porträttet föreställde Caroline David. Marie bar det med sig varthelst hon reste.

"Vi levde i Neapel, jag och mor och min käre lille bror Georg", berättade hon. "Mor fick lungsot. Jag och Georg var fortfarande små, men hon skötte oss ändå så gott hon kunde. När hon sedan blev sjukare övergick hon till katolicismen." Marie tittade på barnen. "Vet ni vad katolicismen är?"

"En religion", svarade Karin.

"Det är riktigt", svarade Tantis och drog ett bloss på cigaretten.

"Är Tantis katolik?"

"Nä du, Greta!" utbrast hon. "Upplyst ateist är vad jag är."

"Upplyst vad?"

"En sådan som är upplyst av kunskapen om att Gud inte finns. Fast", skyndade sig Marie att tillägga, "det finns de som tycker på annat sätt, och sådant måste man alltid respektera."

"När fick Tantis ringen?" undrade nu Greta.

Marie fingrade på stenen.

"Mor gav den till mig då, innan … ja, innan hon gick bort."

"Vad tråkigt!" sa Greta.

"Varför blev hon katolik för att hon skulle dö?" undrade Karin.

Marie drog ett djupt andetag. "Ja du, Karin, sådant är svårt att svara på."

Tantis var inte ens tjugosex år fyllda. Men det kändes som om hon levt i hundra.

*

Kyrkoherde Kallberg tittade förbluffat på August.

"Är ni säker?"

"Har ni träffat henne?!" utbrast den ovårdade mannen. "Har ni sett henne?"

Kyrkoherden skakade på huvudet.

"För om ni hade sett henne skulle ni inte undra! Jag kräver att detta groteska monster omedelbart avlägsnas ur familjens hus!"

"Monster …?"

"Hon äter kvinnor! Mina barn kommer att gå under!" Augusts röst hade gått upp i falsett.

Kyrkoherden betraktade honom misstroget.

"När sa ni att fröken David och er hustru senast sågs?" frågade han.

"1886", mumlade Strindberg. "Så vitt jag vet", skyndade han sig att tillägga.

"Men det är ju fem år sedan …", sa Kallberg och såg fortfarande lika misstrogen ut.

Hade det inte varit för att Marie reste igen efter knappt tre veckor hade förmodligen situationen blivit helt ohållbar. För August hade hunnit skriva till alla deras vänner med inlagor som dessa skulle skriva under. Han hade anmodat Eva Carlsson att genast söka ny anställning, eftersom han avsåg att lösa upp hemmet. Och en natt hade han skrikit och gormat utanför sitt hus ute på Brevik.

Innan han emellertid gick till kungs hade ortens prästerskap vidtagit åtgärden att utfärda en varning till Siri för att hon i barnens hem hyste "ett fruntimmer av dålig vandel".

Så på något sätt måste Kallberg ändå ha låtit sig påverkas av August.

Det var den 12 februari som Marie reste hem igen.

Och Siri hade ohyggliga samvetskval.

För det var ju inte första gången August hade inkräktat på väninnans liv. Situationen hade blivit närmast absurd tre, fyra år tidigare, när han inför deras Danmarksresa skickat ett brev till Siris mostrar med anmodan att de skulle anmäla Marie David och hennes väninna Sofie Holten till polisen. Mostrarna hade förstås blivit bestörta. I sin förvirring hade de bett sin svåger Lorens Frølich, kusin Edmas far, om råd. Frølich, som var en stor beundrare av August, hade i vredesmod slängt sin målarpensel i väggen. Och så hade han skrikit att August Strindberg aldrig mer skulle få sätta sin fot över hans tröskel. "Den galningen hatar kvinnor bortom allt vett och sans!"

Därefter hade Frølich tagit löfte av sin dotter att hon aldrig någonsin skulle träffa författaren, och umgås med Siri endast när denna var hemma hos sina mostrar.

"Bry dig inte mer om det", svarade Marie när Siri än en gång bad henne om ursäkt. "Det är ingen fara med mig. Jag är mer orolig för dig."

Men då tittade Siri på henne sorgset. Och så sa hon:

"Inget kommer att hända. Jag känner honom."

Så reste väninnan.

Och Siri blev ensam kvar.

Knappt två veckor senare, den 24 februari, kom ett paket. Det innehöll ett brev och fyra skära undertröjor i tjockt silke, "mot den ansträngande vinterkölden".

> *Min käraste vän,*
> *Idag har jag varit hos Zahle, vi var så hövliga mot varandra,*
> *som två diplomater från länder som har befunnit sig i krig, hela*
> *mötet varade bara i 5 minuter, och var helt affärsmässigt.*
> *Hilda Selvested har tills vidare lovat att låna ut pengarna, då*

hon hörde att det var för att klara dina ögonblickliga behov och omkostnaderna för min resa. Hon håller av dig utan att känna dig.

Käraste vän, jag hoppas så att du får styrka att hålla ut i de svåra tider som stundar, och att du förmår hoppas på att allt så småningom blir bättre. Den dagen kommer säkert då du kan leva bland vänner, och jag tror att du i framtiden, när du inte längre är fången, kommer att vinna mångas sympati och aktning.

Siri, tusen hjärtliga hälsningar från din trogna vän.

M.C.D.

Tröjorna från Marie skulle komma att lagas och stoppas och återanvändas om och om igen, ända tills de tre barnen Strindberg var vuxna. Och pengarna, hela 1 500 kronor som Marie lyckats få ut och skicka till Siri, innebar att Siri, åtminstone för något år framåt, kunde släppa tanken på hur de skulle överleva nästa dag.

Siri var väninnan oändligt tacksam. Nej, mer än så.

33

1876

Egentligen var tanken fullständigt befängd.

Hon var tjugosex år – alldeles för gammal för att anträda skådespe-larbanan. Till råga på allt var hon helt outbildad.

Det var förstås en vansinnig idé. Men vad hade hon för val? Det var nu eller aldrig. Nej, det var nu.

Siri försatt ingen tid. Redan några dagar efter återkomsten från Kö-penhamn började hon kontakta vännerna, vännernas vänner, alla som kunde tänkas ha beröring med scenen. Hon bad dem sondera terrängen för hennes räkning. Hon bad dem om introduktioner. Hon bad dem om rekommendationer.

Resultatet lät inte vänta på sig.

"Man anser tyvärr att du inte längre är i den ålder då man ingår i teaterskolan", förklarade Nanna Stridbeck, en vän till familjen med goda kontakter i teatervärlden. "Jag beklagar." Om hon nu verkligen beklagade.

En annan välgörare påpekade att man hade anledning frukta för den finska accenten, och rekommenderade Siri att inte ens försöka göra debut i Sverige.

Huruvida det var omtanke om Siri – eller kanske om Betty – som motiverade dessa goda råd var omöjligt att utröna. Likaså om de ned-slående beskeden helt och hållet byggde på realism och välvilja, eller om där också fanns inslag av missunnsamhet.

Men skulle hon ge upp? Nu?!

Så vad hade hon då som talade till hennes fördel? Egentligen endast två saker: hennes starka vilja och hennes vapendragare.

För om de flesta hon talade med om sina teaterambitioner inte hade mycket annat än deltagande att erbjuda, fanns det faktiskt en person som inte sa sig se några hinder *alls* på hennes väg, vare sig beträffande ålder, accent eller utbildning.

"O, jag lever nu igen, ty jag har någon att leva för!" Så hade August skrivit i brevet han lämnat henne på perrongen i Katrineholm. Och han hade fortsatt: "Det var detta jag behövde, jag kan inte leva endast för mig själv! Jag skall hämnas alla dina oförrätter, jag skall föra er kvinnors talan. Tro på mig!"

Och ja, hon trodde på honom. För vem skulle hon annars tro på?

August började förstås allra högst upp. Han sökte audiens hos hovmarskalken Erik af Edholm, chef för de kungliga teatrarna, för att hos denne höra sig för om Siris möjligheter att göra debut där.

Edholms ordagranna svar förmedlade han aldrig till Siri. Och det behövde han heller inte. Hans ansiktsuttryck sa allt. Dysterheten försvann emellertid redan efter ett par dagar. Nu meddelade August, åter stridslysten, att han skulle prata med Josephson, han juden som förestod Nya Teatern, Stockholms främsta privatteater.

"Där, ser du, saknar *alla* skådespelare formell utbildning."

Men outbildad och oerfaren är inte samma sak.

Det tog inte lång tid att komma till den uppenbara slutsatsen: Det fanns inte någon teaterchef i Sverige som var beredd att låta denna nyskilda adelsdam ställa sig på hans scen bara för att hon ville.

Att Siri vid sin sida hade en person lika beredd att trotsa alla världsliga hinder som hon själv gjorde inte saken mindre befängd.

Och Betty, som dittills sökt stå för vad hon uppfattade som verklighetsanpassningen i Siris liv, hade vid det här laget abdikerat. Hon tillbringade alltmer tid i sängen, hon hade åldrats minst tio år på bara några veckor.

Ändå blev det faktiskt Siris mor som till slut kom med det förlösande uppslaget. Man kan fråga sig varför, eftersom resultatet av hennes initiativ rimligtvis skulle kullkasta de sista förhoppningar hon kunde ha hyst om att dottern, "hennes enda kort", skulle kunna återföras till den äktenskapliga fällan.

*

"Katrineholm nästa!" Konduktören ropade från andra änden av vagnen. Siri ryckte till, och tittade på klockan. Hon var nästan elva! Hon hade suttit i egna tankar under de nästan tre timmar färden varat från Stockholm. Utanför fönstret dök nu en mörk stationsbyggnad upp, och en lång perrong. Så gnisslade hjulen och tågsättet stannade. Hon slet åt sig sin enda väska och sin kappa, och sprang av.

Den stora perrongen var nästan öde. Siri tittade sig omkring. Himlen var ännu inte helt mörk denna sommarnatt. Och till slut kunde hon skönja den besynnerliga vagnen, ute på vägen. Den såg ut precis som man hade sagt. Liten och nätt och uråldrig. Nu kom någon fram emot henne på perrongen. Han bockade:

"Friherrinnan Wrangel?" Hon nickade. Friherrinnan Wrangel, ja hon hette faktiskt fortfarande så. Men inte länge till.

"Johan Bengtsson, körkarl på Äs. Fröken von Post har skickat mig."

Hon log. "Jag vet. Jag fick upplysningar om hur er fantastiska vagn skulle se ut."

Körkarlen tog väskan och tillsammans gick de fram mot den märkliga farkosten.

"1700-tal, eller hur?" sa hon.

"1755", svarade körkarlen. "Från Fältmarskalkens tid."

"Fältmarskalken?"

"Fältmarskalk von Ungern-Sternberg, fröken von Posts morfars farfar."

"Jag förstår." Nej, det var inte mycket hon förstod, men det spelade ingen roll. Ingen roll alls.

Ekipaget skumpade fram på de knaggliga landsortsvägarna. Vagnen var invändigt klädd med grönt siden – säkert även det från 1755. Sätet var välsuttet, och hade förmodligen burit hem fältmarskalken från pommerska kriget. Siri myste där hon satt och tittade ut på det mörknande Sörmlandslandskapet. Hon vilade pannan mot glaset. Så, efter en stund, lade hon sin kappa som kudde mellan sitt huvud och den sidenbeklädda vagnen. Och till slut, framåt ettiden, somnade hon.

Hon vaknade med ett ryck. Vagnen stod stilla. Siri tittade på sin klocka. Hon var två. Nu öppnades den nätta vagnsdörren.

"Välkommen till Äs." Det var Bengtsson, och nu såg hon hans fårade ansikte tydligt.

Hon klev av sin underbara farkost och tittade sig omkring i det tidiga morgonljuset. Framför henne fanns en stor herrgårdsbyggnad, i två våningar under brutet tak med valmat övre fall. På var sida stod en flygel, och bredvid rann en å. För övrigt såg man endast ängar och träd. Hon befann sig långt ute på landet och det enda som hördes var suset i lövverken.

"Så underbart", utbrast hon. "Så underbart för en förhärdad Stockholmsbo."

Körkarlen tog hennes väska och tillsammans gick de uppför stentrappan som ledde till porten.

De möttes inne i entréhallen av en yrvaken jungfru i Siris ålder.

"Jag är ledsen", utbrast Siri. "Inte hade ni behövt stiga upp på natten så här för min skull."

"Det är ingen fara, Friherrinnan. Jag går strax och lägger mig igen."

Jungfrun tog väskan från körkarlen och ledsagade Siri uppför den slitna trappan till övervåningen. De kom in i en stor mörk sal, med ett ekbord i mitten. Där stod en måltid framdukad.

"Fröken von Post sa till kokerskan att ombesörja kvällsvard åt Friherrinnan. Friherrinnan har ju varit på resande fot i många timmar."

"Men å så gott!" sa Siri. "Kan jag ta med mig maten in på rummet?"

"Givetvis", svarade jungfrun förvånat. "Friherrinnan är fri att göra vad hon vill här."

Så Siri tog med sig tallriken, på vilken det låg kallskuret, lite grönsaker och en bit bröd. Och tillsammans med sin ledsagarinna gick hon genom ett stort förmak in i nästa rum, som visade sig vara en mörk salong med målade väggar. Hade det inte varit för fotogenlampan som jungfrun bar i sin vänstra hand skulle de inte ha kunnat se mycket av målningarna. Men nu såg hon, och det var inga uppbyggliga scener så här en sen natt: rovdjur som slet hjortar i stycken så att blodet flödade, och bestialiska hundar på jakt. Siri rös.

Nu öppnade jungfrun ännu en dörr och de befann sig strax i ett rum med en säng. Även det ganska spöklikt. Ledsagarinnan ställde ner väskan, sedan neg hon.

"Morgonmålet brukar intas vid åtta, fast i morgon har fröken von Post sagt till att lägga det en timme senare. Vill Friherrinnan att någon kommer och väcker?"

"Ja tack, det vore vänligt. Vid kvart över åtta."

Jungfrun neg än en gång. Och så lämnade hon rummet efter att först ha tänt ett stearinljus invid sängen.

Siri tittade sig omkring. Här skulle hon alltså bo i två veckor. Så spännande! Hon lade en bit kallskuret på en brödbit och tog några tuggor. Mer lyckades hon inte få i sig. Så hon ställde ifrån sig tallriken och började klä av sig.

När hon blåst ut stearinljuset och lagt sig under det tjocka täcket såg hon sig än en gång omkring. Morgonljuset strilade in mellan draperierna. I bortre änden av rummet stod en tamburmajor, på vilken hon hängt sina kläder. Bakom hennes bädd hängde en tavla med vapensköldar. Men så här i dunklet såg vapnen ut som grinande ansikten. Hon rös igen, sedan skrattade hon åt sig själv, högt. Det här var ju för underbart! Ändå korsade hon sig några gånger innan hon lade sig till rätta i den stora sängen. Så drog hon täcket ända upp till hakan. Och somnade.

"Välkommen till Äs." Den korpulenta gumman framför henne kunde omöjligen vara anställd på gården, därtill agerade hon alldeles för självsäkert. Och Kerstin von Post var hon inte.

"Tack!" svarade Siri och sträckte fram handen. "Siri Wrangel."

"Josefina Deland", svarade gumman.

"Åh! Fröken Deland." Siri fann sig omedelbart. Men som hon lagt på sig. "Så trevligt att få komma hit!"

De befann sig i trädgården, bredvid ett stort bord som just höll på att dukas. Siri och Josefina Deland var de enda som tycktes ha stigit upp, förutom tjänstefolket.

"Ja, är det inte fint här. Det är nästan så att vi har funderingar på att flytta tillbaka från Frankrike."

Siri sneglade på den mytomspunna gumman Deland, som hon inte sett på flera år. Och förundrades över att slagkraftiga kvinnor ändå kunde se så harmlösa ut. Rudolf Wall hade till och med skrivit en pjäs om fröken Deland: *Inga herrar! Inga herrar!* Allt för att hon velat instifta en pensionskassa för svenska lärarinnor, och som absolut krav ställt att inga herrar fick medverka i arbetet. Detta hade lett till ett skoningslöst förlöjligande i pressen – inte på grund av ambitionen att skapa en sådan pensionskassa, vill säga, för den kunde alla se förtjänsterna med, utan för fröken Delands stolliga krav på att endast kvinnor fick medverka i arbetet. När männen sedan ändå lade sig i, och pensionskassan grundades utan fröken Delands medverkan, flydde hon förnärmad till Paris. För att ansluta sig till Kerstin von Post, sin käraste väninna.

"Har ni hört från Edma något?" undrade fröken Deland. För damerna hade i Paris tidvis tagit hand om Siris lilla kusin när denna blev moderlös.

"Ja, hon har det utmärkt. Hon har ju börjat måla på allvar, som far sin."

"Det är gott. Kerstin har alltid sagt att hon har talang, lilla Edma."

"Talang och styrka och oberoende och skönhet …", svarade Siri. "Hon är modig."

"Förvisso … men …" Fröken Deland tittade allvarligt på Siri. "Men ni tycks mig också ganska modig, fru Wrangel."

Siri svalde. "Tack så väldigt mycket. Det var vänligt sagt."

"Siri. Siri!"

Hon snodde runt. Ut genom dörren, med utsträckta armar, kom godsets ägarinna. Kerstin von Post, det var mammas väninna. Det var henne mamma hade nämnt då när allt såg som mörkast ut – eller snarare hade hon nämnt Kerstins vänskap med två mycket viktiga personer.

Och där kom de, alldeles bakom Kerstin. En man och en kvinna i fyrtiofemårsåldern som hon genast kände igen. Plötsligt sköljde nervositeten över henne.

"Får jag presentera paret Almlöf – Siri Wrangel, aspirerande aktris."

Siri kom sig bara för med att sträcka fram handen.

Hon stod öga mot öga med föreståndarna för Dramatens elevskola, till råga på allt två av nationalscenens viktigaste skådespelare.

"Jag hoppas ni inte har för stora förväntningar", mumlade hon, och med ens var all sturskhet borta.

De satt runt det stora trädgårdsbordet tills klockan var långt efter tio. Paret Almlöf hade förstås inte kommit dit enkom för hennes skull – Betty Almlöf var kusinbarn till gumman Deland, och det var inte första gången de tillbringade tid på Äs. Detta var deras semester.

"Har ni bestämt er för om ni vill göra er debut i Paris eller i Stockholm?" Knut Almlöf hade vänt sig till henne.

Siri svalde. Paris eller Stockholm …

"Jag lyssnar hemskt gärna på era råd i den frågan", sa hon, eftersom hon inte kunde komma på något annat att säga.

"Det finns tomma platser vid teatern nu, i Stockholm. Så det är onekligen ett gyllene tillfälle." Sa Betty Almlöf, och tog ytterligare en tugga.

"Då vill jag ta det!" utbrast Siri. Och var hon fick den djärvheten ifrån visste hon inte.

*

De befann sig i den stora salen ovanför trappan, dit hon först anlänt på natten. Genom fönstren såg man allén och hela det magnifika sörmländska landskapet. Siri stod mitt på golvet, det medelålders paret satt på två stolar mittemot henne.

Hon tog ett djupt andetag.

> *Vårt land, vårt land, vårt fosterland,*
> *Ljud högt, o dyra ord!*
> *Ej lyfts en höjd mot himlens rand,*
> *Ej sänks en dal, ej sköljs en strand,*
> *Mer älskad än vår bygd i nord,*
> *Än våra fäders jord.*
> *Vårt land är fattigt, skall så bli*
> *För den, som guld begär,*
> *En främling far oss stolt förbi;*
> *Men detta landet älska vi,*
> *För oss med moar, fjäll och skär*
> *Ett guldland dock det är.*

Det hade varit Augusts förslag. Därför att han tyckte om Runeberg; och därför att dikten skulle framhäva det vackra i Siris finlandssvenska tal.

"Hm", sa Knut Almlöf fundersamt efter att hon avslutat hela *Vårt land*. Han var tyst ett ögonblick. "Hm …", sa han igen, nu ännu mer utdraget. "Har ni även förberett ett drama?"

"Ett …?"

"Ett drama."

Hon svalde.

"Ja, en scen ur *Ett grått hårstrå*", mumlade hon.

"Låt höra!"

Efteråt satt de båda mästarna tysta.

Och benen skulle när som helst vika sig under henne.

"Jag … ursäkta …", började hon.

"Hm", sa Knut Almlöf än en gång. Betty Almlöf sa fortfarande ingenting.

"Ursäkta, jag måste kanske sätta mig." Siri gick snabbt bort till en rokokostol som stod utmed väggen, och satte sig. Inom en sekund hade hon insett det förfärliga i hela sitt tilltag: sitt barnsliga fasthållande vid en barndomsfantasi, sin skilsmässa, sin vilja att överge allt – sitt barn! – för något så dumt. Alla hade haft rätt! Och hon hade haft fel. Och August hade bara stöttat henne för att locka henne bort från Carl. Allt snurrade för henne. Hon tittade ner i golvet, både i ett försök att återfå balansen och för att slippa se de två giganterna på andra sidan rummet. Som hamnat i hennes sällskap bara på grund av hennes goda kontakter! Så förfärligt, så fruktansvärt förödmjukande.

"Ni har helt uppenbart anlag, fru Wrangel."

Det var Betty Almlöf.

Siri tittade upp, förvirrad.

"Kanske inte av den snilleart som förr funnits hos en och annan som stigit fram och spelat mästerligt av naturen. Men helt klart har ni anlag."

"Misströsta inte, fru Wrangel", inflikade herr Almlöf. "Precis sådan var min egen början. Lovande, men inte snillerik."

Hon reste sig från stolen, trots att benen fortfarande var darriga. Det var oartigt att förbli sittande.

Men nu var mästarna tysta. Betty Almlöf iakttog henne fundersamt.

"Ni har, om jag förstått det rätt, inga teatermänniskor i er släkt?"

Siri skakade på huvudet.

"Nej … Och sådant kan ju vara på gott och ont."

Så var de tysta igen.

"Nå", sa Betty, "ni är ännu icke lastgammal, och det finns gott om tid att skapa en fin skådespelerska av er."

"Menar ni …?"

"Skaffa fram en liten fransk enaktare som heter *Ur askan i elden*. Träna in texten, så att ni kan den som ett rinnande vatten. Sedan ska vi hjälpa er att förbereda er för scenen."

"Åh, Herre Gud …", mumlade hon.

"Det är nog bra om ni debuterar så snart som möjligt", tillade fru Almlöf.

Det var otroligt men det var alldeles sant. De trodde att hon kanske skulle kunna. Och nu var det plötsligt helt och hållet upp till henne att förvalta den enda chans hon skulle få.

August skickade henne omedelbart den lilla pjäsen, och i två veckor tränade hon, själv och med de båda makarnas hjälp. Mer koncentrerad än hon någonsin varit i hela sitt liv.

De var ständigt till hands, ständigt beredda att leda henne. För sådant var tydligen deras liv. Hon hade förstått att de var barnlösa, och att detta var med vilje. De levde för sin konst, och för varandra.

"Vi gör allt tillsammans", berättade Betty Almlöf för henne en kväll i bersån. "Vi var i min fars teatersällskap tillsammans, vi flyttade till Mindre teatern tillsammans, sedan till Kungliga teatern, när den övergick dit. Och nu undervisar vi på elevskolan tillsammans."

"Så vill jag också leva", sa Siri. Och sedan sa hon inget mer. För hon kunde ju ännu inte avslöja att hon och August planerade en framtid tillsammans, där han skulle bli den svenska scenens störste författare, och hon hans musa och gestaltaren av hans verk.

Och en gång, i början av deras bekantskap, hade August bett henne att förklara varför hon längtade så till teatern. Och hon hade svarat honom, generat, att hon inte riktigt *kunde* förklara det. Men han hade insisterat. Och då hade hon svarat att det hade något att göra med livet. Att nå livet. Att leva.

34

Nu var allt fulländat.

Två månader återstod av sommaren. Hon skulle få tillbringa dem med sin dotter på landet, norr om Stockholm. På helgerna skulle August komma ut. Sedan, i början av september, skulle repetitionerna inför debuten ta vid. Redan i december skulle hon ha premiär. Som Camille i Louis Leroys *En teaterpjäs*, på Kungliga teaterns stora scen.

Kungliga teaterns stora scen!

Knut och Betty hade valt pjäsen, med omsorg. En ung kvinna uppvaktas av en markis som vill gifta sig med henne, mest för att pryda sina salonger. Hon avvisar honom till förmån för en fattig, men ädel, ung man. Rollen var som skräddarsydd för en före detta friherrinna, som till råga på allt försakat titel och ställning för sin konst.

Allt hade plötsligt gått enormt fort. Hon hade till och med hittat eget boende, på Grev Turegatan, hos väninnan Beate Schück. Hon skulle äntligen få stå på egna ben igen. Nej – *för första gången i sitt liv* skulle hon få stå på egna ben.

Och, ja, allt var fulländat.

Siri kom hem till Carl för att hämta Kickan en tidig morgon i början av juli. Sedan två veckor tillbaka var hon inte längre friherrinnan Wrangel utan kort och gott fru von Essen. Skilsmässan hade gått igenom på bara en dryg månad.

Han kysste henne på kinden.

"Välkommen, kära Siri."

Carl såg äldre ut, tyckte hon, trots att det bara var några veckor sedan de sist sågs.

"Tack."

Hon log mot honom. Och hon kände sig så tacksam för att deras vänskap bestod. För att allt inte hade förgiftats, som det så ofta gör. Kanske var det för att ingen av dem egentligen kände sig förfördelad. Kanske för att båda fortfarande kämpade med sina nya liv. Kanske för att båda i grunden var sympatiska själar.

Hon tog hans hand. "Har ni haft det bra?"

"Ja …", svarade han, men han drog på svaret. Alldeles för länge.

"Vad?"

"Jag tycker att Kickan verkar trött. Eller kanske lite ledsen."

Något högg i henne.

"Fast det är nog ingenting", skyndade han sig att tillägga.

"Kickan!" Hon ropade ut i salongen. Hon fick inget svar. Så hon gick in.

Nu kom Dadda in från ett annat rum, med Kickan vid handen.

Flickan log inte.

Siri satte sig på huk, strök henne över kinden. Hon fick inget gensvar.

"Så glad mamma är att se Kickan."

Kickan svarade inte.

"Ser Kickan fram emot att åka med mamma på sommarnöje?"

Äntligen nickade flickan.

Siri skrattade. "Och mamma ser så hemskt mycket fram emot att åka med Kickan på sommarnöje!"

Hon och Kickan lämnade Norrtullsgatan redan vid niotiden och tog en droska till Norra station, varifrån tågen gick direkt ut till Väsby. Siri hade hyrt rum på en gård, Sjöberg hette den. Kost och logi ingick. Mycket mer än så hade hon inte råd med nu när hennes ekonomi begränsats så påtagligt av skilsmässan. Förutom bondfamiljen, som bodde i ett större hus en bit bort, och övriga inackorderade – en majorska och hennes två döttrar – skulle det bara vara hon och Kickan, och så hunden Mutte förstås, i två hela månader. Och på helgerna skulle de träffa August, som skulle få en liten jungfrukammare i stugan, alldeles intill hennes rum.

De var framme i Väsby redan innan lunch och möttes utanför stationsbyggnaden av bonden, med häst och vagn. Det skulle ta någon timme innan de var framme vid stugan, berättade han, en tur på några kilometer.

"Vi ska ut på landet, Kickan", sa Siri och klappade den lillas händer. "Det tycker du ju så mycket om."

Flickan log lite.

Färden gick över ängar och genom björkskog. Och efter bara någon kilometer fanns inga hus längre att skåda. Bara grönt och den blå himlen.

Ja, det var fulländat.

Och hon rös när hon tänkte på hur nära det var att hon inte tagit steget.

"Jag är törstig", sa Kickan.

"Vi är snart framme", sa Siri och strök henne över håret.

"När vi kommer fram ska du dricka mjölk", sa bonden, "direkt ur ämbaret."

Han luktade inte så gott, deras körkarl, vilket Siri hoppades inte skulle få sin förklaring i en bristande tillgång på vatten på gården. Fast det skulle ju finnas en sjö intill, tänkte hon förnöjt.

Så vackert stugan låg, alldeles invid vattnet. Och med granskogen intill, och bakom stugknuten en äng full av ljung. Och så ljuvligt det blev. Att ströva på skogsstigar, med barnet och hunden invid sig. Att plocka bär och när korgen var full äta dem direkt ur handen, att ligga på en klippa i solen och läsa in repliker, med Kickan bredvid sig. Till och med majorskan och hennes döttrar kunde vara riktigt roliga.

Det var väl lugnet före stormen. Men hon var inte rädd.

Om bara inte den lilla hade varit så tyst.

August kom ut redan efter en vecka. Han hälsade artigt på majorskan och döttrarna, och gick sedan rakt fram till Siri och ställde sig på knä vid hennes fötter.

"Min jungfru", sa han medan han chevalereskt tog av sig hatten: "Er riddare är kommen!"

Ena dottern kunde inte låta bli att fnissa. Även majorskan gav ifrån sig något slags läte. Men Siri blev inte generad. Hon älskade när August var på gott humör. Ingen kunde ju som han vara på så oslagbart gott humör.

"Min riddare", svarade hon medan hon hjälpte honom upp. "Ert svärd har bakat färdigt. Det serveras med grädde och sylt."

"Åh mums, min jungfru." Han slickade sig runt munnen. Så fick han syn på Kickan som stod i dörröppningen till rummet. Han gick fram till henne och lyfte henne högt upp i luften.

"Farbror Augis är här!" utropade han.

Och Kickan skrattade, äntligen.

Han hade tagit med sig en hel bunt med papper. Och flera pennor. De skulle skriva tillsammans, det var hans bestämda mening. Korta stycken, tidningsartiklar, översättningar. De behövde pengarna. *Mäster Olof* hade ännu en gång refuserats, av både Kungliga teatern och Nya teatern. Att August över huvud taget höll ihop sig själv efter detta nederlag berodde endast på att han var van, fast besluten att inte ge sig, och övertygad om pjäsens storslagenhet. Men det rent praktiska resultatet av denna refusering, en fortsatt usel ekonomi, var de ju tvungna att hantera. Hans amanuenslön gav honom inte ens 200 kronor om året. August hade för att dryga ut kassan börjat skriva artiklar för diverse tidningar. Och redan nu hade han påbörjat ett reportage för Handelstidningen om höstens intressantaste skådespelardebuter.

Det var förstås bara en förevändning för att bana väg för Siri, "denna modiga och för sin konst entusiastiska kvinna, vilken med hela det finska lynnets energi – även kallad envishet – vågat trotsa ett motstånd som varit vida starkare än här lämpligen kan skildras".

Hennes vapendragare försatt givetvis inte något enda tillfälle att öka hennes chanser till framgång.

Även Siri skrev för brödfödan denna sommar. Ett kåseri som hon kallade "På sommarnöje i Upland" kom in i Dagens Nyheter i slutet av augusti. Förvisso hade August gått igenom texten, men berättelsen var hennes. Och så hade hon arbetat med den lilla boken *För våra barn*, från början en översättning av en tysk barnbok, som sedan mer och mer blev hennes egen skapelse. Den kom ut redan i augusti även den, på Seligmanns förlag. Under Augusts namn, inte hennes. Det var förlaget som insisterade. Och trots den fina kritik som boken sedan rönte kände sig Siri inte förbigången. Hon var inte så lagd. Det kunde tyckas märkligt, eftersom hennes ambitioner när det gällde teatern var omätliga. Men så är det nu en gång med ambitioner: ibland handlar de om att stå i rampljuset, att vara upphöjd, att vara tillbedd. Ibland handlar de helt enkelt om att förverkliga sig själv, att få göra det man älskar och njuter av. Och så var det för Siri.

Detta var svårt för August att förstå, för han var så helt beroende av uppskattning och erkännande. Och det var lika svårt för honom att förstå hennes brist på svartsjuka och hennes benägenhet att snabbt förlåta – inte minst Carl, efter vad denne utsatt henne för. "Det är inte normalt!" insisterade han.

"Jodå, August", sa hon. "Vad som är onormalt är att helt kapa banden med en människa som känner en utan och innan, som sett alla ens fel och brister, som man levt nära i åratal. En sådan vänskap ska man vårda."

Han förstod inte. Han såg ju att de tidigare makarnas relation nu endast var kamratlig och att Carl i själva verket längtade sig sjuk efter

Fiffi, som satt inlåst i Mariefred hos sina föräldrar. Men vad han inte kunde begripa var hur Siri, efter den förödmjukelse Carl utsatt henne för, kunde förlåta honom, ja faktiskt fortsätta umgås med honom. Sådan storsinthet var för honom ofattbar, för att inte säga dumdristig.

Dessa diskussioner till trots fanns det inget som kunde rubba deras välbefinnande denna sommar. De arbetade tillsammans – en försmak av hur resten av deras liv skulle komma att gestalta sig – de åt mycket, och badade, och lekte med Kickan. Och så älskade de. Sena nätter, efter att den lilla lagts att sova. Siri, som alltid hämmats av rädslan för grossess, vågade äntligen ge sig hän. August hade nämligen förklarat för henne att han led av en åkomma, en förträngning av urinröret, som gjorde att han inte kunde bli far. Detta fick henne att äntligen känna sig fri.

Vad August hade underlåtit att berätta var att en ung kvinna, en upppasserska vid namn Ida Charlotta Olsson, sex månader tidigare gett liv till en liten gosse. Ida hade varit Augusts älskarinna, fram till en månad före det första mötet med Siri på Drottninggatan.

Men det betydde förstås ingenting. Ida hade ju haft andra.

*

Det var de äldre kvinnorna, de som känt Kickan så länge och nu inte sett henne på flera veckor, som blev de första att verkligen ringa i larmklockan den sommaren.

Betty och moster Kill kom ut en eftermiddag i augusti. Siri följde med bonden och hämtade dem vid stationen. Flickan var förstås också med.

Betty steg upp i vagnen och lutade sig fram mot Kickan för att pussa henne på kinden. Flickan reagerade knappt. Då strök hon henne över håret. Fortfarande ingen respons. Till slut lade hon armen över flickans axlar, och satt så med henne hela vägen till Sjöberg.

Så fort de kom in genom dörren drog hon Siri åt sidan:

"Hon är så blek", viskade hon. "Och hennes tystnad är underlig."

Siri kände sig illa till mods. Kanske inte så mycket för att hon upplevde sig anklagad som för att Betty speglade den ångest som hon själv försökt tränga bort i flera veckor.

"Tycker mamma att vi ska ta henne till en läkare?" frågade hon tyst.

"Ja, när ni kommer till Stockholm. Något är fel. Jag har aldrig sett flickan så här."

Det var tuberkulos. Den hemska sjukdomen, som man aldrig visste när den skulle slå till. Som skonade de många och drabbade de få. Utan förklaring.

Den satt i den lillas hjärna – så orättvist, så ohyggligt. Man sa till föräldrarna att flickan nog skulle repa sig, hon var stark. Men det var en klen tröst för två föräldrar som inte kunde undgå känslan att det var genom deras barn som Gud nu skulle utmäta sitt straff.

35

Flickan tynade bort inför hennes ögon. Hennes enda barn. Den enda varelsen på jorden som verkligen behövt henne.

Det fanns dagar då det kom ett leende över den lillas läppar. Då gick Siri till sina repetitioner. I några timmar var hon någon helt annanstans, fysiskt och själsligt.

Men så kom hon hem till Carl igen. Och såg flickans ansikte, de slutna ögonen, den magra kroppen. Den magra, döende kroppen. Åh, Herre Gud ...

Fick livet verkligen behandla en på detta sätt? Siri hade under de senaste månaderna tagit för vana att bemöta släktingars och vänners kritiska kommentarer med orden: "Jag bryr mig inte om vad folk pratar, när jag vet att jag inget ont gjort." Hon hade sagt det nästan raljerande, inte alls defensivt, som om hon tog förebråelserna med en klackspark.

Men vad skulle hon säga nu? Nej, kanske hade Gud inte straffat henne för att hon trotsat världen – kanske var Gud inte så utstuderat elak. Men det var svårt att värja sig mot tanken att den lilla flickan, med sin sköra tillvaro, sin oförmåga att hävda sin rätt, sin tillit – den tillit Siri faktiskt kanske svikit – vänt sin smärta inåt, och lämnats vidöppen för den hemska sjukdomen. Och vad hjälpte ord mot den misstanken.

Carl satt mest hemma, även han. Hon hade aldrig sett honom så här. Aldrig. Den smärta han visat när han förstod att hon skulle lämna honom var en västanfläkt jämfört med detta. Hans värld rämnade. Han kunde sitta på en stol och bara titta, förstummad, i timmar. Sällan kom han fram till den lilla sängen, den lilla – ja – dödsbädden. Dödsbädden! För ett barn!

Det var Siri som satt vid Kickans huvudända, till en början halva dagar och nätter, med avbrott för repetitioner. Sedan i princip dygnet runt.

Och premiären på *En teaterpjäs* sköts fram till den 27 januari. Längre än så kunde teatern inte vänta.

Lilla Sigrid Wrangel, treochetthalvtårig dotter till Siri och Carl Wrangel, dog den 13 januari 1877. Hon dog en kall vintermorgon, med sina båda föräldrar vid sin sida. Hon begravdes sex dagar senare på kyrkogården i Solna, alldeles nära sitt barndomshem.

Den kvällen gick Siri hem till sin före detta make, den man med vilken hon delat sitt barn, och förlorat det. Hon satt hos honom, och hos varandra sökte de två förkrossade människorna fåfängt den tröst som inte stod att få.

Senare på natten gick hon hem, och möttes av Augusts rygg. Han hade lagt sig. Fast han sov inte. Och hur mycket hon än strök honom över ryggen vägrade han att vända sig om.

36

1891

"Men vad i *helvete* menas med detta!"

Om Eva Carlsson inte varit avlönad av mannen som stod framför henne och skrek hade hon sprungit all världens väg.

"Jag vet inte, herrn", svarade hon tyst. "Skulle jag inte ha berättat?"

"Jovisst, för fan, det är klart att ni ska berätta! Det är därför jag betalar er!"

August Strindberg var inte artig nog att försäkra hushållerskan att ilskan inte var riktad mot henne, utan mot innebörden i det budskap hon framfört. Och även om hon förstod att så var fallet gjorde det knappast situationen mer uthärdlig.

"Kanske jag ska meddela i brev nästa gång?" försökte hon.

"På raskaste sätt, varje gång! Och nu är ni här!"

Ja, nu var hon där, för att få sin månadslön.

"Jag förstår, herrn", sa hon. "Jag gör så gott jag kan."

Han svarade inte utan stack handen i fickan och tog fram sin plånbok. Så halade han fram de femton kronorna, och gav dem till henne.

"Sådär", muttrade han. "Då har Eva fått sin lön."

"Och de fyrahundra kronor herrn lånat av mig?"

"Dem ska jag nog klarera, oroa sig inte."

Då neg Eva Carlsson.

Det lät som att han smällde igen dörren bakom henne när hon gick.

Eva Carlsson var hans spion. Det var så det var. Det hade inte tagit Siri lång tid att komma till den slutsatsen, eftersom information inifrån hushållet tycktes nå August med en förunderlig hastighet. Han betalade inte för familjens hushållerska och barnsköterska av omsorg om dem, det borde hon förstås ha anat från början. Och det var väl kanske det hon gjort.

Men eftersom det ena barnet efter det andra, och till slut hon själv, några veckor tidigare hade insjuknat i mässlingen, hade hon inte sett någon annan råd än att fortsatt begagna sig av Evas hjälp. Dessutom ansåg hon inte att hon hade något att dölja för August. Visst var det obehagligt att så nära inpå livet ha en person som gick någon annans ärenden, men tills vidare hade nöden ingen lag.

Fast som situationen nu skulle utveckla sig hade Eva nog stannat lite för länge.

*

"Älskade ungar! Älskade, älskade ungar …"

Marie hade stått med öppna armar när barnen kom rusande mot henne på gårdsplanen.

Hon var tillbaka. En månad efter att hon lämnat dem. Och trots att Siri visste att allt det sjuka hos August nu åter skulle komma att blossa upp, sticka fram sitt otäcka huvud, hade hon inte avvisat väninnan. Hon hade tagit emot henne, trots att allt hon hade behövt göra för att uppnå sitt enda mål – att få behålla barnen – var att hålla ut, hålla honom lugn, i högst ett år till.

Ensamheten var väl värre.

Eller så hade hon äntligen bestämt sig för att aldrig mer anpassa sin vilja efter hans.

In i flygeln på Lemshaga, in i det lilla kontorsrummet, in i deras vardag, kom nu Tantis tillbaka, som en fläkt från en annan värld. Hon packade upp sin väska, packade upp porträttet på sin mor, häng-

153

de det ovanför sin säng. Och snart spred sig i deras hem åter doften av Bird's Eye-tobak.

Ändå gjorde August paradoxalt nog ingenting. Åtminstone inte till en början. Några dagar senare kom nämligen utslaget i tingsrätten, utan att han ingripit. Detta utslag dömde makarna att i enlighet med giftermålsbalken leva skilda i ett år till säng och säte – och tilldelade under hemskillnadsåret modern vårdnaden om de tre barnen. Vidare fastställdes att August skulle betala ett underhåll om 100 kronor i månaden.

Den enda förklaring man kan tänka sig till att han stillatigande tog emot denna dom var chock.

För sedan agerade han. Med råge.

"Vad gjorde ni?" undrade den unge mannen i det han betraktade Strindbergs vankande på det knarrande trägolvet.

"Jag skrev till kyrkorådet att de måste ta barnen ifrån henne, förstås! Vad tror ni? Ska mina barn uppfostras i ett bugermenage?!"

Så tvärstannade han.

"Den här gången tänker jag inte släppa vidundret David förrän hon kreperat. Hör mina ord!" Han hötte med pekfingret mot fönstret, som om Marie befann sig där utanför. "Jag har börjat samla intyg om dig. Den här gången ska jag krossa dig!"

"Men hade ni inte planer på att resa?"

"Nu? Ska jag resa nu? När mina barn riskerar att leva i misär?"

Birger Mörner skakade på huvudet – om det nu var av sympati eller klentrogenhet. Han hade vid ankomsten till Brevik funnit sin idol i ett förskräckligt tillstånd. Det var början av april månad och det hade hunnit gå en dryg vecka sedan rätten fattade sitt beslut om hemskillnad.

"Men kan ni ändra på domen?"

"Det skiter jag i!" skrek Strindberg. "De ska bort därifrån!"

Mörner beslutade sig för att försöka byta samtalsämne. Han tittade sig omkring i det ostädade rummet.

"Ni har hittat ett fint boende."

Det kunde ha varit ironiskt menat, med tanke på hur det såg ut i huset. Men Birger Mörner avsåg givetvis ingen ironi. Han hade kommit till Värmdö från Lund enkom för att söka hjälpa den uppenbart nedbrutne författaren, den man han hade kommit att kalla "den store". Nu tittade han bort mot köket och lade märke till apparaten som stod och puttrade på en bänk.

"Man har försökt förgifta min mat", muttrade Strindberg, som om han läst den unge mannens tankar. "Jag måste göra kemiska analyser av födan."

"Jaså …" Mörner betraktade Strindberg. "Men är det verkligen nödvändigt?"

"Ensam i ett hus med råttor till sällskap! Utan barnen! Förödmjukande förhör inför de förbannade prästerna och de fisförnäma domarna! Den här hösten och vintern har varit de pinsammaste i mitt pinsamma liv. Det är en skymf! Hela mitt liv är en stor förödmjukelse!"

"Men så kan ni inte säga", protesterade Mörner. "Ni är ju en av vårt lands största författare!"

Ett kort ögonblick stannade August upp, som om den unge mannen gett honom helt ny information. Så såg han plötsligt vädjande på Mörner. "Om ni anar hur jag har längtat efter er", viskade han, synbarligen för att ingen annan skulle höra. "Jag har inte talat med en bildad människa på ett halvår. Bara bönder och kreatur. Och de förbannade förläggarna och teatercheferna i Stockholm har gått i maskopi mot mig. Fredriksson hade lovat spela *Gillets hemlighet*, men svek. Han blev hotad."

"Hotad? Av vem?"

"Av andra, yngre författare. Som vill ha bort mig från scenen. Och av recensenterna."

Mörner tittade på August. Denne hade inte rakat sig på en vecka.

"Och nu vill min hustru döda mig!" August hade åter höjt rösten.

"Döda er?"

"Det är det hon gör. Hon försöker hämnas på mig genom att utsätta mig för den absolut största kränkning en man kan utsättas för. Ett bugermenage! Med den underlägsnes hat har hon sökt beröva mig min mandom på det mest utstuderade sätt. Med sin lilla brodersax har hon sökt beröva Simson hans lockar. Det är det slags avrättning som endast primitiva själar och emanciperade manshatare kan uppfinna."

Birger Mörner var tyst, eller snarare förstummad. Det hade ryktats att Strindberg ibland kunde lida av förföljelsemani. Men Mörner hade själv tidigare aldrig märkt något.

Plötsligt tycktes den agiterade författaren alldeles utpumpad. Han sjönk ihop i rummets enda fåtölj, bland skjortor och kalsonger. Nu hördes en annan apparat puttra, i en annan del av rummet, något, kunde man förmoda, som hade med Strindbergs vetenskapliga experiment att göra, vilket var det enda han just nu tycktes ägna sig åt i sin ensamhet.

"Om ni visste", mumlade mannen i fåtöljen, "vilket lidande en skilsmässa mellan makar är, så skulle ni aldrig … Själarna har vuxit samman så att utlösningen av personligheten blir den smärtsammaste operation som existerar. Det är ett slags död."

*

Siri kom in med sitt svar till kyrkorådet fyra dagar efter att August inlämnat sin begäran om att barnen måtte tas ifrån henne. Eftersom August som skäl till sin begäran anfört att hustrun "i barnens hem hyste ett fruntimmer av dålig vandel", samt att hon "vanvårdade barnen" och "misskötte deras uppfostran", uppmuntrade Siri nu skolrådet att komma hem till henne och undersöka huruvida några brister förelåg. När det gällde hennes väninna hade hon däremot ingen lösning att erbjuda:

> *Jag kan inte på grund av Herr Strindbergs osanna beskyllningar*
> *stöta ifrån mig en väninna och hjälparinna, synnerligast som jag*
> *av Herr Strindberg ej erhållit något sorts understöd.*

August hade försummat att första månaden betala ut det av domstolen utdömda underhållet. Och han skulle fortsätta att så göra. I nästan hela Siris liv.

37

1877

Vad gör man när livets absoluta höjdpunkt sammanfaller med dess mest fruktansvärda ögonblick? Och delvis sammanhänger.

Man öppnar och stänger rum. Det är ett sätt. Man koncentrerar sig helst av allt på en uppgift. Man domnar bort till en annan värld, plockar sina körsbär, som August så träffande beskrivit det. Och när detta inte är möjligt rusar man kaotiskt mellan sina små rum. Den som säger att det är omöjligt att känna glädje mitt i en stor sorg har fel.

Ibland, i vissa exceptionella situationer, händer det till och med att man lyckas gömma nästan en hel sorg, begrava den under glädjen. För att göra livet möjligt. Men ett sådant ingrepp raderas aldrig ur ens själ. Aldrig helt.

Åtta dagar efter sin dotters begravning stod Siri von Essen för första gången på en scen. Koncentrerad, helt fokuserad på uppgiften. Som om inget annat i hennes liv betydde något.

Hon gjorde succé. Fyra inropningar efter den första akten hon medverkade i. Sju efter ridåfall.

"Fru von Essen kom, sågs och segrade", skulle det två dagar senare stå i Dagens Nyheter. "Här finnes ostridigt flera av de bästa gåvor som dana en skådespelerska", skrev Aftonbladet.

Röken låg tung i luften. Annars var det mest frapperande i lokalen den höga ljudnivån. Människor hade flockats runt henne – journalister, teaterfolk, vänner. Det satt kanske tjugo personer vid bordet, med Siri i högsätet, och nya kom ständigt fram, sträckte sig över hennes axel för att gratulera, satte sig en stund.

Hon skrattade, högt och mycket. Hon drack champagne. Hon blev nog lite berusad.

Alla som betydde något i hennes liv var där. Alla utom mor Betty, som låg på sin mörka kammare, med gardinerna neddragna.

Efteråt promenerade Siri hem med August, till hyresrummet på Grev Turegatan. Hon pratade på, var fortfarande uppspelt.

Så hon märkte först inte att August teg. Och heller inte att han inte riktigt höll jämna steg med henne.

De hade hunnit fram till porten. Hon öppnade den. Hon var tvungen att vänta in honom. Och nu vände hon sig om. ”Vad är det, August?”

Han skakade på huvudet. ”Ingenting.”

De började gå uppför trappan.

”Du måste ha mer energi i spelet.”

Hon stannade upp, tittade överraskat på honom.

”Eftersom du frågar”, lade han till.

Hon tog ytterligare ett par trappsteg.

”Så du tyckte inte att det var så bra …?”

”Jovisst, du har förutsättningar. Men vissa saker måste du förbättra.”

Nu gick hon med något mindre spänst i steget. De var snart uppe vid hennes dörr, hon hade tagit fram nyckeln.

”Och framför allt får du aldrig släppa din värdighet.”

Hon vände sig tvärt. ”Vad menar du?!”

”Kom ihåg att det är din elegans och din värdighet som är din största tillgång. Du får inte bli vulgär.”

"Vulgär? Tycker du att jag var vulgär?"

Han svarade inte.

Men de kunde ju knappast stå där ute i farstun. Så hon låste upp och gick hastigt genom lägenheten, med August bakom sig.

"Vad menar du?" sa hon tyst. Hon hade stängt dörren till sitt rum.

"Att du inte får ägna dig åt koketteri."

"Åt vad?!"

"Du poserade, du koketterade, du skrattade fräckt, du kurtiserade! Det måste du omedelbart sluta med, om du vill nå framgång i den här världen."

"Men sådan var min roll."

"Men fattar du inte!" Han hade höjt rösten. "På restaurangen. Du var helt ohämmad!"

"På …"

Plötsligt förstod hon. Hon sjönk ner på sängen. En vecka efter sin dotters begravning, och det var som om hon hade glömt.

Men August slutade inte.

"Helt ohämmad i ditt uppträdande! Det var *generande* att se. Fullständigt outhärdligt generande! Ovärdigt. Otillbörligt." Nu vände han ansiktet mot fönstret. Och tystnade äntligen. Hon tittade upp mot honom, såg hans profil, hans fina näsa, den vackert utmejslade hakan, läpparna som faktiskt darrade av harm.

Det var då det till slut verkligen gick upp för henne. Nej, det var inte å Kickans vägnar han hade reagerat, inte alls. Inte på något sätt. Det var inte å Bettys eller Carls eller anständighetens vägnar.

"Du är svartsjuk, August."

Han fortsatte att stirra ut genom fönstret.

"Du är svartsjuk. Och det har du ingen anledning att vara."

"När du blir glad så koketterar du", väste han utan att vända sig om. Men nu hade han gråten i halsen.

"August", sa hon lugnt. "Jag älskar dig. Du är den enda jag har kvar."

Plötsligt rusade han in i hennes famn, han klamrade sig fast vid hennes kropp, han lade sitt huvud mot hennes bröst. Och han började gråta, hejdlöst. Hon lade ner hans huvud i sitt knä. Hon lade sin hand på den stora hårmanen.

"Varför vill du inte gifta dig med mig?" snyftade han. "Du sa ju att du ville det."

"Det är inte för att jag inte älskar dig, August."

"Hur ska jag veta?"

"Jag har precis skiljt mig."

"Hur ska jag veta att du inte lämnar mig?" viskade han.

"Jag lämnar dig inte." Hon tittade ut genom det svarta fönstret. "Du har gett mig livet."

Och så satt de, länge, länge. Som en pietà, en madonna med sitt vuxna barn i famnen.

Sedan, nästa dag, bad han henne om ursäkt. Gång på gång. "Förlåt, förlåt, kära förlåt …" Han satt på knä framför henne. "Jag vet inte vad som kom över mig. Förlåt, älskade Siri. Söta vän. Jag pinas mer av min ovänlighet än du kan göra. Så hemsk jag är!"

Och visst förlät hon honom.

*

Det var nästan helt mörkt när hon steg in över tröskeln. Där luktade unket. Trots att fönstret stod på glänt. Det tog henne några sekunder att lyckas urskilja något i det stora sovrummet.

"Mamma …" Siri var kvar vid dörren.

Nu tog hon några steg in i rummet.

"Mamma", sa hon igen, lite högre. Hon hade inte sett sin mor på veckor.

Nu vände sig Betty tvärt i sängen, som om hon ryckts upp från sömnen.

"Det är bara jag, mamma." Siri gick fram, satte sig på en stol.

Betty tittade på henne, ordlöst.

"Moster berättade att du blivit sjuk."

"Sjuk …?" Knappt hörbart. "Jag har inte långt kvar."

"Nej …" Siri sträckte fram en hand och tog Bettys. Så benig den var.

"Mamma har inte ätit så bra på sista tiden."

Betty vände bort huvudet. "Jag har ingen aptit", mumlade hon.

"Nej, jag förstår."

Siri satt tyst en stund, med sin mors hand i sin egen. Betty tillät beröringen, men hon gjorde ingen ansats att besvara ömhetsbetygelsen.

"Har du hört om min framgång, mamma?"

Betty nickade. "Hur är det med Carl?"

"Det är bra." Siri svalde. "Jag tror att morbror och moster börjar låta honom få träffa Fiffi."

Det var tyst.

"Det där kan du inte komma över, mamma, eller hur? Att jag … att vi lämnade varandra."

"Det är därför jag ångrar mig", mumlade det från väggen.

"Ångrar vad?"

"Att vi inte lät dig hålla på med teatern. Jag borde ha valt mina bataljer."

Siri log motvilligt. Därför att hennes mor kallade deras umgänge för "bataljer".

"Tack att du säger så, mamma."

"Ska ni gifta er, du och …?" Betty förmådde inte ens uttala hans namn.

"Jag vet inte. Inte nu i alla fall. Nu finns så mycket annat."

Det var tyst igen. Och plötsligt verkade det som om hennes mor sov. Det kom djupa andetag bortifrån väggen, som om Betty med ren viljekraft fått sig själv att domna bort.

"Förlåt mig, mamma", viskade Siri, så tyst att ingen rimligtvis kunde höra det.

Knappt två månader senare var Betty von Essen borta. Siri fanns inte vid hennes dödsbädd, August hade bett henne att inte gå dit. Hon skulle aldrig klara den andra debuten om hon inte avskärmade sig från sin mor, sa han.

Kanske visste han vad han talade om.

Men senare, efteråt, när allt lades samman och tiden fått vissa saker att mista sin betydelse och andra att svälla över alla bräddar, då hjälpte det inte.

Fast det var faktiskt Augusts förtjänst att hon klarade det. Det var August som analyserade den nya pjäsen åt henne, som hjälpte henne att välja kostymer, som repeterade repliker med henne, ja som nötte in hennes repliker genom att, om och om igen, läsa dem högt för henne. Vecka ut och vecka in.

*

Den andra debuten ägde rum den 13 april. Siri von Essen, den i det närmaste outbildade och nästintill oprövade debutanten, hade fått premiäraktrisen Elise Hwassers paradroll, huvudrollen i *Jane Eyre*.

Det blev inte samma succé denna gång. Visst fick hon flera inropningar, och visst kom det välvilliga kommentarer från pressen, men de blandades med en del kritik. Nya Dagligt Allehanda talade om "den alldeles malplacerade vekhet som utgjorde grundtonen i fru von Essens Jane Eyre". Och Aftonbladet påpekade bristerna i karaktärsteckningen. Ändå räckte det.

Sex veckor efter sin andra debut fick Siri besked om att hon skulle få ett års anställning vid Kongl. Maj:ts Hof-Kapell och Theatrar. Trots vissa svagheter vid den andra premiären ansågs hon ha bevisat sin förmåga. Hon skulle få en lön på 2 100 kronor detta år, samt tre kronor per föreställning. Det var en inkomst som vida översteg både Augusts och Carls. Trots den skymf som det alltså ansågs utgöra för en adelsdam att stå på scenen belönades Kongl. Maj:ts aktriser rikt.

Om man skulle göra ett balanskonto för Siris liv under detta år skulle det implodera. Mycket skulle komma till henne i efterskott, annat skulle aldrig komma att kunna integreras i hennes väsen på ett berikande sätt. Det gick inte att sammanfoga alla de skeenden som frambringats, eller ägt rum helt oberoende, av hennes våldsamma uppbrott från konvenans och förväntningar till en meningsfull helhet. Det var omöjligt att läsa denna hennes berättelse som en bok, och dra lärdom. I alla fall om man förväntade sig någon enkel sensmoral.

Det enda som återstod för henne var att plöja vidare i den fåra som hon själv stakat ut. Och att hoppas att allt snart skulle falla på plats och livet få en begriplig och uthärdlig kontur.

Men så enkelt skulle det förstås inte bli.

Det var i slutet av sommaren som Siri upptäckte att hon var gravid.

Och hur mycket hon än grät, och hur mycket hon än skrek på August för att han lurat henne, fick hon bara ett mumlande till svar:

"Jag lider av urinrörsförträngning", stammade han. "Det är en åkomma som minskar risken för befruktning utan att helt upphäva den."

38

Undertecknade får härmed på begäran intyga att fröken M. David, som uppehåller sig i barnen Strindbergs hem, är att anse som ett högst olämpligt sällskap åt unga flickor, då fröken David gjort sig känd för att vara hemfallen åt dryckenskap, vilket vi undertecknade kunna intyga, så mycket mer som vi själva varit i tillfälle bevittna hennes förargelseväckande beteende och råa excesser under den tid vi under vistelse i utlandet var bosatta på samma ort som fröken David.

August hade skickat ut förlagor som de bara behövde underteckna.

Ingen av vännerna undertecknade dem. De hade inte lust, eller de vågade inte, eller de kände sig obekväma inför uppgiften. Det hjälpte inte att Strindberg bönföll dem. "Annars är jag förlorad!" skrev han till Karl Nordström. Till slut skrev då Nordström ett privat brev till August, som tycktes bekräfta dennes beskrivning av Maries alkoholvanor: "Mlle David förtär sprit i allt större kvantiteter. Förut nöjde hon sig med att dricka konjak till frukostkaffet, absint före middagen samt åter konjak till aftonen. Nu dricker hon konjak hela dagen och går i ständigt halvrus."

Hur Nordström visste detta var svårt att säga. Han hade, i likhet med August, inte träffat Marie David sedan de alla bodde i Grez, fem år tidigare.

August Strindberg, som fram till nyligen, liksom sin hustru, betraktat skilsmässoprocessen som en utdragen plåga med given utgång, hade plötsligt fått ett nytt avgörande mål i livet: att rädda sina barn.

Men om detta visste förstås de som han avsåg att rädda ingenting.

Det hade hunnit bli vår, och solen började förse markerna runt Lemshaga med spirande grönska. Karin och Greta hade börjat leta dvärgbeckasiner på strandängarna, och tussilago. De trivdes på gården, i salig ovetskap om i hur hög grad deras öden stod på spel och skulle avgöras av grånade herrar i stora byggnader. Ändå levde de praktiskt taget utan jämnåriga kamrater. De gick inte längre i regelrätt skola – som de hade gjort föregående år, i Stockholm – utan Siri skötte själv deras skolgång. Och några vänner i bygden hade de heller inte fått. De hade endast varandra.

Å andra sidan var de vana. Det var så här det hade varit under alla år utomlands, då, när de ständigt var i rörelse. Och bristen på lekkamrater hade kompenserats på alla upptänkliga sätt. I Schweiz hade de tillsammans uppfunnit "småorna". Ett varierande antal "småor" var ritade på papper, resten var "luftbarn". Dessa fantasikamrater hade sedan blivit deras ständiga följeslagare.

"Småorna" grävdes nu fram igen, ute på Lemshaga. Och det var Siri som plockade fram dem, för att distrahera barnen men kanske mest för att distrahera sig själv. Hon sydde upp kläder åt de fiktiva varelserna, bistod med scenerier, skapade berättelser för "småorna" och barnen som kunde vara i dagar, ja veckor. Hon tillhandahöll till och med riktiga peruker, tillverkade av det löshår hon sparat sedan sin skådespelartid. Siri gick med hull och hår in i de berättelser hon och barnen skapade tillsammans. För om hon hade levt under ständig press de senaste åren så var denna period, på väg ut i friheten med livet som insats, den hittills absolut mest påfrestande. Och inget kunde hon visa för dem. Inget fick hon visa för dem.

Den enda hon kunde tala med om allt detta var Marie, hennes danska väninna från Grez.

En dryg mil därifrån befann sig hennes make. Och vad ingen i flygeln på Lemshaga visste var att han med jämna mellanrum tog sig dit. Oftast i skydd av nattens mörker.

August brukade ställa sig på en av de omgivande kullarna för att betrakta byggnaden där de bodde, på avstånd. Kanske för att leva ut alla de känslor som det röda huset väckte.

En kväll i april beställde han fram hästskjutsen i extra god tid.

"Jag behöver den stora vagnen", sa han till skjutsbonden.

Så skjutsbonden kom med den stora vagnen. Och han frågade inte vad som fanns i de packlårar som Strindberg denna gång släpat fram. Han brukade inte ställa så många frågor. Han hade lärt sig.

När de efter en och en halv timmes skumpande på landsortsvägar äntligen närmade sig Lemshaga bad August kusken att släppa av honom och lådorna ett par hundra meter från huset.

"Kom tillbaka om en timme", sa han.

Sedan släpade han själv upp de tunga lårarna för backen till närmaste kulle.

När himlen ovanför Lemshaga en stund senare fylls av exploderande fyrverkerier så sover de tre barnen Strindberg, trots oväsendet. Lamporna i den röda byggnaden är släckta, och förblir så under hela det magnifika skådespelet.

Men Siri och Marie ser, och Siri förbluffas över att någon i den ganska öde bygden tagit sig för att producera sådan storartad underhållning. Och för vem?

*

Några dagar senare lyckades Birger Mörner till slut få med sig den sargade författaren bort från Värmdö, bort från alla rättegångsprotokoll och inlagor. De reste till Lund. De skulle förstås inte vara borta länge. Bara tillräckligt länge för att författaren åter skulle få bli "sig själv".

Förändringar skedde även i det röda huset. Siri beslutade sig äntligen för att avskeda husspionen. Marie hade erbjudit sig att för familjens räkning anställa ett nytt hembiträde, sömmerskan och smedshustrun Alma Jonsson. Barnen blev förstås ledsna, Eva hade varit med dem alltid. Och de uppfattade henne som betydligt roligare än den plikttrogna och humorbefriade Alma, som alltid klädde och uppförde sig tillknäppt, hopsnört och höghalsat. Men Siri var lättad.

När August återkom till Brevik den 25 april möttes han sålunda av beskedet att han hade förlorat sin spanare. Han skriver omedelbart till den, som han uppfattar det, trogne anförvanten Karl Nordström:

Eva avskedad. Efterträdd av ett halvluder som jag själv spanar ut.

Därpå förklarar han för vännen ursprunget till Maries till synes oförklarliga antipati gentemot honom:

Davids hat till mig härleder sig från att hon ville förföra mig – men jag avvisade henne – och skämtade öppet med hennes tycke.

39

1877

Inbjudes
att med sin närvaro hedra vår vigselakt Söndagen den 30de De-
cember kl ½ 8 e.m. i vår bostad Norrmalmsgatan 17 till höger in
på gården nedre botten.

Siri von Essen   August Strindberg

Hon var i sjunde månaden. De hade väntat till sista ögonblicket – vad nu det innebar. Att dölja Siris tillstånd var ju faktiskt knappast möjligt, och hon skulle dessutom vistas i offentligheten långt in i januari, i rollen som Doktor Lynges fru i Ibsens *Samhällets stöttepelare*. Men om hon nu skulle skådespela med magen i vädret skulle hon åtminstone göra det som gift. Den ställning friherrinnan Siri Wrangel med näbbar och klor kämpat sig loss från skulle nu alltså än en gång bli hennes. Fast det fanns en viktig – en avgörande – skillnad: denna gång skulle äktenskapet inte komma att definiera henne. Aldrig mer skulle det bli så, det visste hon.

Förlovningen hade eklaterats den 6 december – vilket var det datum då Dramatenchefen uppmärksammades på det förestående giftermålet – och det lyste i Storkyrkan den 16, den 23 och den 30, på bröllopsdagen.

Det blev förstås en förträfflig tillställning, som alltid när Siri bjöd till fest. Brudparet hade låtit sig lagligen förenas i sitt blivande hem, en trerumslägenhet på nedre botten i gårdshuset, Norrmalmsgatan 17 – bruden gifte sig trots allt för andra gången och var till råga på allt höggravid. Men det som en gång hade väckt anstöt hade nu förvandlats till uppiggande frigjordhet, och det som en gång uppfattats som en horribel mesallians sågs nu alltmer som en förening mellan två skapande individer, välgörande befriade från konventioner.

Alla var där – Augusts systrar Nora och Anna, broder Oscar, kusin Oscar, till och med moster Kill (som snart skulle flytta ner till sin syster i Köpenhamn). Ina Forstén och Algot Lange, de i egentlig mening ansvariga för denna kärlekssagas tillblivelse, var förstås också där. Till och med brudens förre make.

Siri och August var ju, som sagt, ett okonventionellt par.

"Nytt liv", viskade hon morgonen efter bröllopet i hans öra. "Nytt liv, min älskade."

Hon stod på Kungliga Dramatiska Teaterns stora scen. Han hade just fått ut sin första novellsamling, på Albert Bonniers förlag. Och nu skulle de äntligen få leva under samma tak.

I sanning nytt liv.

Men fanns där plats för ett nyfött barn?

*

Värkarna började redan på kvällen den 22 januari, alldeles för tidigt. Och de ihållande smärtorna kom tätare och tätare framåt midnatt.

"Har du kontaktat henne?" flämtade Siri.

"Ja …" August tvekade. "Men vill du verkligen in dit på natten?"

"August, din dummer", stönade hon.

De hade berättat för moster Kill hur de skulle gå till väga: barnet skulle födas, och sedan tillfälligt utackorderas till fosterföräldrar. Senare, efter kanske ett år, skulle de antingen ta hem det till sig eller adoptera bort det.

Eftersom Siri inte kunde föreställa sig att förlora ännu ett barn, och än mindre att återgå till rollen som småbarnsmor, höll hon sina vägar öppna. Såsom man ofta gör inför en omöjlig ekvation.

August skickade efter en droska, trots att avståndet endast var ett par hundra meter. Och vid ettiden tog han sin hustru under armen och ledde henne ut i den kalla natten. Snön låg tjock på Norrmalmsgatan, stora flingor hade fallit hela kvällen. Spåren efter ekipagets hjul var djupa.

"Smålandsgatan", sa han till kusken, "Smålandsgatan 20." När körkarlen höjde på ögonbrynen lade han till: "Ni får dubbel betalning."

Kvinnan öppnade dörren iklädd en nattrock.

"Det är vi, Strindbergs", mumlade August.

Hon granskade honom ett par sekunder, liksom för att avgöra om han och den gravida kvinnan var de som de påstod sig vara. Eller kanske för att avgöra om hon verkligen skulle behöva släppa in dem mitt i natten.

Till slut öppnade hon ändå dörren för dem. De steg in i en mörk hall.

"Jag har ett rum bakom köket", sa hon och visade med huvudet. "Där får ni ligga."

Siri betraktade kvinnan. Hon var i trettiofemårsåldern, men saknade redan flera tänder och såg mager ut. Hon gav inte ett ovänligt intryck, men utstrålade knappast någon värme. Å andra sidan, vad kunde man förvänta sig från en människa som förlöste ovilliga mödrar dag efter dag, natt efter natt? Saklighet och yrkeskunnande, förhoppningsvis. Siri räckte fram handen till kvinnan, eftersom det var det enda sätt hon kunde komma på att skapa någon förtrolighet i denna obekanta och skrämmande situation.

"Siri Strindberg."

Kvinnan tog hennes hand. "Hilma Johansson. Ni är tidig." Inte ett leende.

Barnmorskan – för det hade de fått reda på att hon var – ledde dem in i det lilla rummet bakom köket. Där fanns en svag doft av kloroform och sprit.

"Ursäkta, jag måste byta lakan", sa hon. "Jag förlöste en kvinna här i eftermiddags."

Medan Siri satte sig ner på en pinnstol i det lilla rummet gick fru Johansson ut. August sträckte fram en hand och Siri tog den.

"Jag känner mig som en brottsling", mumlade hon. "En smutsig, vidrig förbrytare."

"Schhh …", sa han.

Några minuter senare fick hon äntligen lägga sig ner, för att bara några sekunder senare vrida sig i smärtor.

Det tog till tolvtiden nästa dag.

Så fort Hilma Johansson förlöst Siri sprang hon ut ur rummet med barnet. Hon kom tillbaka några minuter senare.

"Det är tidigt, mycket tidigt", sa hon. "Men jag ska göra mitt bästa. Nu ska ni gå hem."

"Får jag inte vila?" frågade Siri. Och så tillade hon, efter en sekunds tvekan: "Och se barnet."

Barnmorskan tittade på henne. "Ni kan få vila i en timme", sa hon. "Men ni ska inte se barnet. Jag tar hand om allt."

Den 24 januari 1878 gjordes i Jakobs och Johannes församlings födelse- och dopbok följande anteckning:

Ett flickebarn Kerstin, Smålandsgatan 20. Fader: okänd. Moder: okänd, 27 år gammal.

I samma församlings döds- och begravningsbok görs samma datum följande anteckning:

Flickebarnet Kerstin. Föräldrar: okända. Ålder: en dag. Döds-
orsak: allmän svaghet. Flickan nöddöpt av komminister C A
Leopold.

Och man kan fråga sig: Om nu barnet en dag kanske verkligen skulle
blivit deras – ja, även om barnet först skulle ha utackorderats, och till
slut till och med bortadopterats – varför skulle det då födas hemma
hos en tandlös kvinna som förtjänade sitt uppehälle genom att förlösa
ovilliga mödrar?

40

Det var som om barnet var en dunkel parentes, en knappt förnimbar dröm, ett minne av något som man var osäker på om det verkligen hänt.

Samvetskvalen och förebråelserna för vad som skedde i deras liv i slutet av januari 1878 skulle komma att påverka dem – men mycket senare. Då, när svartsjukan, otillfredsställelsen, missunnsamheten, hatet frätt bort det som en gång var deras kärlekssaga, då skulle minnet av denna händelse, som så mycket annat, leta sig fram ur sina dunkla vrår, och bli till något som låg som en förmultnad men ändå inte upplöst klump i deras gemensamma liv.

Men nu var det som om Kerstin aldrig funnits.

41

Det var självklart. De skulle leva jämlikt, som likvärdiga parter i en kärleks- och arbetsrelation. De skulle lyfta varandra, inte besegra varandra. De skulle ge näring åt varandra, och aldrig nå framgång på den andras bekostnad.

Dagen före bröllopet satte sig Siri ner vid sitt skrivbord och skrev. Om hur hon såg på kvinnans roll i äktenskapet. Om hur hon såg på mannens.

"Kvinnan har lika stor rätt som mannen så väl till egendom, arbete som arbetslöner", började hon. Och hon fortsatte:

Emedan kvinnan blivit av Gud skapad med en lika fullt utrustad ande.

Emedan varje människa bör i främsta hand vara människa och således även sättas i tillfälle att försörja sig själv och stå för sig själv.

Det är orätt att uppfostra kvinnan till mannens sällskap, hon bör liksom han i första hand vara medborgare – sedan maka och mor.

Hon förvisso ej har så stor kunskap som mannen – men i det fack där hon arbetar lika och gör samma nytta som han, vad angår det hennes fack om hon saknar kännedom i andra som ej hör dit?

Det var som om en våt filt av självförakt äntligen lyfts från hennes kropp och sinne.

August hade inte varit sämre på att ställa upp kriterier för ett lyckat äktenskap.

"Vi måste ha skilda sovrum!"

Hon hade tittat förvånat på honom.

"Varför?"

"Därför att då kommer vi att vara jämlika. Och då kommer vi att ha anledning att alltid önska varandra god natt, ständigt på nytt hälsa god morgon, och aldrig ta varandra för givet."

Hon log. "Men det är ju fantastiskt!"

"Ja, jag lovar att det blir bättre än om jag får studera din morgontoalett, och du mina kalsonger. Sådant är dömt att fördriva lust och spänning och respekt ur en relation."

Än en gång tittade hon förbluffat på honom.

"Men hur kan du veta, August? Du har ju aldrig levt med en kvinna."

"Intuition. Och jag vet att jag kan lita på den."

Hon hade omedelbart anammat denna hans princip, skilda sovrum, respekt för den stängda dörren. Och hon hade också tagit till sig andra av hans kloka (hur kunde han veta?) principer för hushållet: inget inneboende tjänstefolk, middagsmaten hämtas från en restaurang, och flickan som lagar morgon- och kvällsmål i deras kök avlägsnar sig från hemmet så fort denna syssla är fullgjord. De ska leva på tu man hand, som kamrater och älskare, banande sig väg mot skilda och gemensamma mål.

Sålunda fattade de ännu ett beslut: inga fler barn.

Och eftersom Siri inte längre litade på Augusts bristande fertilitet skulle de hädanefter, under älskog, alltid avbryta samlaget före utlösning.

Vad som vid första anblicken kunde tyckas motverka jämställdheten var äktenskapsförordet. Fast i själva verket var det ju tvärtom. Beslutet grundades förstås delvis på att August hade en del skulder, och att det var naturligt att de ville skydda Siris förmögenhet. Men än viktigare var att det inte bara var hon som kände ett behov av att bevisa att hon kunde stå på egna ben. August – som så ofta hade tvingats leva på andra – ställde nu samma krav på sig själv. För bådas skull.

August hade nämligen ett alldeles särskilt komplicerat förhållande till underlägen. Och tacksamhetsskuld försatte honom i ett hopplöst sådant.

För övrigt spåddes han ju själv en lysande framtid. Så det fanns faktiskt ingen anledning att tro att han skulle behöva leva på sin hustru.

Bland vänner och bekanta ansågs paret Strindberg snart vara en sällsynt lyckad konstellation. Det var tydligt att August inspirerades i sitt författarskap av samvaron med Siri, och att Siris scenkonst plötsligt fått en självklarhet och trygghet som inte stod i proportion till den lilla erfarenhet hon hunnit tillägna sig. Alltsomoftast satt de på kvällarna på var sin sida om matsalsbordet och läste för varandra ur korrektur och rollhäften.

Moster Kill, som kom på besök i april, kunde sedan rapportera till en väninna att August, trots hennes tidigare farhågor, visat sig passa Siri utmärkt väl. "Och jag tror att hon känner sig lugnare och tryggare nu – de tycks båda vara alldeles obeskrivligt lyckliga – Gud låte det alltid bliva så!"

42

Var det hämnd? Tanken låg nära till hands eftersom intyget till kyrkorådsmötet var skrivet dagen efter att barnsköterskan avskedats:

Undertecknad får härmed under edsförpliktelse intyga: att fru
Strindberg under sistlidna vinter och ända till min avflyttning
d. 24 dennes från hennes bostad i Lemshaga i Wärmdö socken
visat sig både oskicklig och ointresserad i handhavandet och
uppfostran av hennes och hennes mans, skriftställaren August
Strindbergs, i hennes bostad vistande barn, nämligen döttrarna
Karin, omkring 11 år, Greta, omkring 10 år, och sonen Hans,
omkring 7 år; att jag grundade detta mitt omdöme dels därpå,
att fru Strindberg, som understundom ger barnen lektioner,
låtit flera dagar förgå utan att lämna barnen undervisning,
dels därpå att fru Strindberg är mycket ojämn till humör och
uppförande, vilket troligen härledde sig bland annat därav, att
hon förtär mera öl och andra ännu sprithaltigare drycker, än
vad som kan anses förenligt med ett nyktert levnadssätt; dels
därpå att hon till sitt dagliga och jämväl nattliga sällskap har
ett i hennes hem boende fruntimmer av utländsk börd, vilken
tydligen förtär ännu mer starka drycker än fru Strindberg och
understundom visat sig därav överlastad, samt dels därpå att
fru Strindberg någon dag i slutet av sistlidna januari förklarat

sig ämna överlämna nämnda barn i ovan förmälda fruntim-
mers vård.

Stockholm den 25 april 1891
Eva Carlsson

Var det möjligt att Eva skrivit detta? Var det ens tänkbart? Eva själv skulle senare, långt senare, brevledes förneka det, eller åtminstone göra avbön, med orden:

Bästa fru Strindbärg
nu under detta år har Jag lärt att känna härn ock nu först har
Jag kunnat inse att Jag har varit mycket orättvis Emot frun. Nu
förfölger härn mig på alt Vis han har Skickat ut Stigoner för att
Steonera mig här på Dalarö.

Eva kunde inte stava, och det visste Siri.

Men det visste inte ledamöterna av kyrko- och skolrådet, som nu sammanträdde för att ta ställning till barnen Strindbergs framtid.

*

"Ni vet väl, herr Strindberg, att det krävs alldeles särskilda skäl för att upphäva ett domslut." Kyrkoherde Kallberg intog inte samma välvilliga attityd som sist. Kanske hade han gjort en ögonblicksbedömning av mannen framför sig, och funnit att denne näppeligen såg ut som någon han själv skulle anförtro sina barn åt. Eller så kanske han helt enkelt hade tröttnat. Men nu hade den besynnerlige författaren alltså bombarderat honom med papper, så att han till slut inte såg någon annan råd än att kalla de trilskande makarna till ett nytt sammanträde.

"Jag förstår, kyrkoherden, men jag vill hävda att synnerliga skäl föreligger. Alldeles utomordentligt angelägna skäl!" August kliade sin orakade kind.

Kyrkoherden betraktade honom med skeptisk min. "Nåväl", suckade han till slut. "Eftersom fru Strindberg uteblivit har vi endast era inlagor, hennes skrivelse från den 8 april samt hennes motinlaga från i förrgår att tillgå. Dessa har vi gått igenom. Har ni något att tillägga?"

August lutade sig ner, lyfte upp en portfölj och halade fram en tjock bunt papper. Så gick han fram till herrarna vid det långa bordet, och med en duns lade han bunten framför dem.

"Men herr Strindberg! Vad är detta?"

"Det är en redogörelse för den katastrofala situation mina tre barn nu befinner sig i, samt intyg som styrker detta, från oberoende och oförvitliga vittnen."

"Herr Strindberg …", muttrade kyrkoherden än en gång. Han bläddrade oentusiastiskt i bunten. "Kan ni kanske redogöra kortfattat för era nya argument?"

August var beredd.

"Bilaga nummer ett rör fru Strindbergs fallenhet för dryckenskap och därpå grundade oskicklighet att vårda barnen", rabblade han. "Bilaga nummer två rör fröken Davids dryckenskap. Bilaga tre rör fröken Davids rykte såsom benägen till sådant otillbörligt förhållande som vidrörs i svenska strafflagens artonde kapitel, paragraf tio, och är belagt med två års straffarbete. Bilaga fyra är en förklaring till min underlåtenhet att lämna underhåll."

Kallberg piggnade plötsligt till:

"Fru Strindberg uppger att ni inte betalat underhåll på mer än fyra månader. Stämmer det?"

August vred på sig. Det var typiskt att kyrkoherden skulle ta upp den sista punkten först.

"Anledningarna till detta", sa han trotsigt, "är många och *mycket* goda. För det första har fru Strindberg själv uppgett inför tinget att hon i nödfall klarar sig helt utan underhåll, då hon har släktingar i Finland som kan sörja för henne. För det andra har hon inte anhållit om några pengar under hela denna tid, och hennes förra hushållerska har uppgivit att fru Strindberg äger ett kreditiv på 1 500 kronor. För det tredje vägrar fru Strindberg att låta mina barn besöka mig i mitt eget hem. För det fjärde kan man, på grund av hennes erkända slarv och slöseri, inte räkna med att ett eventuellt bidrag skulle komma barnen till godo. För det femte har fru Strindberg helt försummat att genom eget arbete bidra till sitt underhåll, och därmed …"

"Men herr Strindberg", avbröt kyrkoherden, "är det inte just på grund av er uraktlåtenhet att betala underhåll, vilket ni ådömts att göra, som fru Strindberg tvingats ta hjälp av utomstående, bland annat ovan nämnda fröken David?"

Nu exploderade August. "Ska en libertin försörja min hustru!? Fröken David utför så vitt jag kan se inget arbete i trakten. Hennes närvaro här fyller ingen som helst funktion. Utom att frambringa mina barns moraliska undergång! Det är ju …"

"Lugna er!" Kyrkoherden hade höjt rösten även han.

August tystnade. "Förlåt", mumlade han.

Kallberg kastade en blick på de andra herrarna.

"Nåväl", muttrade han. "Då tar vi upp era anklagelser mot fröken David. Igen. Er hustrus väninna blev ju manad att lämna Lemshaga. Hon har alltså återkommit?"

"Ja!" svarade August. Nästan triumferande.

"Jag förstår … Och era anklagelser kvarstår?"

"I allra högsta grad!"

"Ni inser, herr Strindberg, att era beskyllningar är allvarliga? Speciellt de som faller under strafflagen. Vad har ni för belägg?"

"Jag har vittnesmål, kyrkoherden."

"Jaså?"

"Ja, om ni tittar på det intyg som, under edsförpliktelse, skrivits av fru Strindbergs tidigare hushållerska, Eva Carlsson – en oförvitlig kvinna som följt familjen i nästan ett decennium – så tillbringar fru Strindberg nätterna i fröken Davids sällskap."

Kyrkoherden började åter bläddra bland pappren. August gick försiktigt fram till bordet.

"Om kyrkoherden ursäktar", sa han, nu underdånigt. Så tog han varligt bunten från Kallberg och drog ut tre blad. Han lade dem framför kyrkoherden. Högst upp låg Eva Carlssons vittnesmål, som Kallberg nu ögnade igenom och sedan lämnade till de övriga ledamöterna att läsa.

"Vad är dessa andra två?"

"De är vittnesmål från två hederliga personer som vistats i fröken Davids närhet, Karl Nordström och Klas Fåhreus."

"Bekanta till er?"

"Och till fru Strindberg. Ska jag läsa upp dem?"

"Tack, det kan jag göra själv …" Kyrkoherden harklade sig. Han tog upp det ena bladet och rättade till sin pincené. Så började han läsa högt ur Nordströms brev till August:

> Jag har hittills endast vidrört frågan om D:s benägenhet för starka drycker. Men i denna sak måste jag även ta i betraktande en annan omständighet: de högst komprometterande rykten, som oupphörligt under min samtida vistelse i Grez voro i omlopp om vederbörandes misstänkta förhållande till andra kvinnor. Det är sant, att om man i ena fallet har ögonvittnen, så saknar man sådana i detta senare. Men den svagaste misstanke blott om att något sådant kunde vara sanning synes mig vara ett fullgiltigt skäl för dig att hindra dina barns samlevnad med David. Och här finns dock ett plus: uppgiften att David för annan person erkänt sig skyldig för vad som misstänktes.

Kallberg tittade upp, han plirade på August över kanten på sin pincené.

"'För annan person erkänt'? För vem?" Han tittade åter ner i pappret. "För det var uppenbarligen inte för Nordström själv."

August sträckte på sig. "Det var för mig!"

"För er …" Det blev tyst i rummet. Kyrkoherden stirrade på August. "Har jag förstått saken rätt? Ni ber alltså en vän skriva ett intyg på att han ifrån er fått uppgiften om att fröken David inför er erkänt straffbar handling …"

August sträckte på sig ytterligare.

"Ni är medveten om, herr Strindberg, att sådana anklagelser, ifall obestyrkta, kan bli föremål för stämning för falsk angivelse, och eventuellt ärekränkning."

August harklade sig. "Jag är inte rädd."

Det var avsett att låta bestämt. Men Augusts röst hade olämpligt nog gått upp i falsett.

"Vad skulle påföljden bli?" tillade han så efter några sekunder.

"För fröken David? Den har ni ju själv uppgett."

"Nej, jag menar … ifall en ärekränkningsprocess skulle följa."

Kyrkoherde Kallberg betraktade honom kyligt.

"Det beror sig på, herr Strindberg. Kan ni styrka er angivelse har ni givetvis inget att frukta. Å andra sidan … Kapitel sexton, paragraf fyra säger att 'skedde angivelse varå åtal ej följt', och detta skett 'utan argt uppsåt, vare straffet böter'."

"Inte fängelse alltså?" Blixtsnabbt.

Kyrkoherden lutade sig omsorgsfullt fram mot den tilltalade.

"Mindre troligt, herr Strindberg."

August såg lättad ut.

"Men", tillade Kallberg, fortfarande framåtlutad, "paragraf sju i samma kapitel gör gällande att om anklagelsen är helt uppdiktad kan fängelse i högst sex månader följa."

"Åh …", undslapp det August.

"Vad vill ni, herr Strindberg? Vad vill ni åstadkomma?"

Det var tyst ett ögonblick. Så blev August plötsligt åter stursk.

"Jag anmodar rådet att omedelbart skilja barnen från deras mor!"

Han stod mitt på det stora salsgolvet och glodde trotsigt på sina domare.

"Och vem ska ta hand om barnen? Ni?" Det gick inte att ta miste på sarkasmen i kyrkoherdens röst.

August var tyst ett ögonblick.

"Min syster, Elisabeth Strindberg, har arbetat som lärarinna och guvernant!"

"*Har* arbetat?"

"Ja, hon arbetar ej för närvarande. Därför har hon tid för barn. Mitt förslag är att de skickas till henne."

Kyrkoherden blundade ett ögonblick.

"Men förstår ni inte!" utbrast August. "Mina barn riskerar fördärvet. Då måste ju jag, deras far, göra allt som står i min makt för att rädda dem! Det gäller ju liv och död. Jag måste vara beredd att ta risken. Även om jag själv skulle drabbas, oförskyllt. Vilken far skulle inte göra det!?"

Kyrkoherden slog med sin penna några gånger mot Strindbergs digra lunta, medan han betraktade den uppbragte mannen.

"Som sagt", sa han till slut, "det krävs synnerliga skäl för att riva upp en dom. Då fru Strindberg valt att icke närvara vid detta sammanträde anser jag inte att några beslut kan tas just nu. Jag föreslår att beslut i ärendet uppskjuts till den 22 maj."

Kyrkoherde Kallberg slog med sin hammare i bordet så att det, som vanligt, dånade i salen.

*

Varför hade Siri uteblivit? Av allt att döma därför att hon nu hade skaffat sig ett juridiskt ombud, en vice häradshövding Hollenius. Och denne hade avrått henne å det bestämdaste.

"Det är bättre att fru Strindberg inför sådana befängda anklagelser förhåller sig strikt och formell. Lämna in en ny inlaga."

Och det hade hon alltså gjort.

Men beslutet att utebli hade nog ändå varit ett misstag.

För två veckor senare, den 22 maj, kom ett brev från kyrko- och skolrådet i Värmdö, adresserat till fru Siri Strindberg på Lemshaga. I detta stod att rådet kommit till slutsatsen inte endast att Siri Strindberg i sitt och barnens hem hyste en okänd kvinna, "som enligt för kyrkorådet företett intyg icke vore för barnen nyttig, utan tvärtom högst menlig"; heller inte endast att kyrko- och skolrådet på grundval av detta tillstyrkte att ifrågavarande kvinna "genom vederbörande myndighets försorg bleve skild från allt umgänge med fru Strindberg, för så vitt hon borde hava barnen i sin vård"; utan dessutom att maken, August Strindberg, uppmanats att snarast finna en fullgiltig förmyndare för sina tre barn.

August vände sig omedelbart till häradsrätten, som till förmyndare för barnen Strindberg utsåg hans bror, Oscar Strindberg.

August hade vunnit den andra ronden.

Och Siris värsta skräckscenario såg plötsligt ut att kunna bli verklighet.

43

1878

*En högväxt skickelse med rika ljusa lockar, eterisk figur, lika ele-
gant som smakfull toalett. Hon rör sig med säkerheten av den
som från födelsen varit omgiven av goda manér, och likafullt
med naturlig blygsamhet. Över huvud taget är naturlighet hu-
vuddraget i hennes spel.*

Så skrev man om den nya aktrisen på Dramatens scen.

Och här, på papper, fanns beviset för att en människa kan förändra
sitt liv i grunden, om hon måste.

I det ögonblick Siri gjorde entré på scenen gick hon in i en annan
värld, inte helt olik den värld August bevistade när han skrev. Den an-
spänning hon under de föregående timmarna byggt upp förvandlades
till ett rus av närvaro, en kärlek till medspelarna, till publiken där ute
i den mörka salongen, och, inte minst, till henne själv. Att förvandlas
till den person hon gestaltade var som att lyfta från jordens yta och
sväva i ett fjäderlätt tillstånd. Väl ute på estraden var Siri aldrig nervös.

Och när hon steg av, ett par timmar senare, fanns det kvar i henne,
länge.

Ibland när hon kom hem på natten var hon tvungen att väcka
August, bara för att få dela upplevelsen med honom. Och han, som
sällan gick och lade sig efter tio, lät sig väckas, bara för att hon då var
så outsägligt vacker.

*

Hans sängkammare ligger mörk ännu klockan halv elva på morgonen. Eftersom det är söndag tränger nästan inga ljud igenom glasrutorna och de stängda luckorna. Hon sover under hans blå täcke och de vita lakanen. Åsynen av den behagfullt utsträckta kroppen, och armen som ligger slängd över hans kudde (som om hon fortfarande har hans hår mellan sina fingrar), är svindlande. Han har tänt den röda veilleusen för att slippa störa henne med dagsljuset, och nu sitter han naken på en stol bredvid den stora valnötssängen och tittar på henne. Han andas, djupa andetag. In och ut, in och ut, synkroniserande sin andning med hennes.

Nu sträcker hon på sig! Han reser sig hastigt från stolen, och innan hon hunnit öppna sina blå ögon går han fram till henne och viskar i hennes öra att hon ska vända sig bort så att han ska hinna klä sig. Hon ler, utan att öppna ögonen, och så sticker hon huvudet i kuddarna. Han går och hämtar nattrocken.

"Nu", säger han. "Nu kan du titta." Och hon tittar äntligen, och ger honom ett leende som är så vackert att det gör ont i honom.

"Åh Siri", mumlar han.

Och hon nickar tyst bortifrån kuddarna.

Han samlar sig raskt:

"Flickan kommer om några minuter. Jag går och säger till om frukost."

Han lämnar rummet och går ut i salongen, där han till sin förfäran och fröjd ser att hans och hennes kläder ligger slängda över hela rummet. Sin vita halsduk hittar han på en tavelram, där den satt sig som en vit fjäril!

Han rafsar raskt ihop klädespersedlarna, men hinner inte färdigt innan dörrklockan ringer. Han springer ut i tamburen och öppnar.

"Ett ögonblick", säger han till flickan och låter henne stå kvar ute i farstun medan han öppnar en byrålåda och tar fram några mynt, som han räcker henne.

"Här, gå ner till Tre Remmare och beställ en frukost, men briljant ska den vara! Med porter och bourgogne! Källarmästaren vet nog, förresten. Hälsa från mig bara!"

Och hon springer iväg, och han går tillbaka ut i salongen och städar upp, så att det ska vara fint när hans hustru kommer ut från hans sovkammare.

August dukar själv, krusar servetterna, torkar vinglasen. Och när flickan kommer med frukosten lägger han upp på deras nya assietter.

Sedan går han tillbaka till sovrumsdörren och knackar.

"Nu", säger han försiktigt, "nu kan du komma."

Och när hon kommer ut i köket, iklädd sin stickade morgonrock, står han stolt och visar upp det dukade bordet.

"August", utbrister hon, och kan inte låta bli att skratta. "Ostron till frukost!"

"Vänta du bara", säger han skälmskt. "Snart kommer stekt orre, med lingon och västeråsgurka. Vi ska äta hela dagen!"

Flickan får ledigt tidigt den söndagsmorgonen, August tar över alla hennes sysslor. Han serverar, han häller upp vinet, han dukar av efter varje liten rätt. Och sedan, när allt är uppätet, diskar han.

Och endast kyrkklockorna som ringer i Hedvig Eleonora vittnar om att det finns ett liv där utanför, utanför deras fyra väggar på Norrmalmsgatan 17.

44

"Du gjorde *vad*?!"

"Jag gick i borgen för Ernst Lundgren." Han såg skamsen ut.

"Hur mycket?"

"Ettusentvåhundra kronor."

Hon glodde på honom. "Men August, då är vi ju förlorade!"

"Äsch!"

"Hur så 'äsch'?! Guillemot & Weylandt har gått omkull. Du belånade mina aktier och de är nu värdelösa. Och så har du alltså gått i borgen för Ernst, som inte kan betala. Hur ska vi klara oss?" Siri såg förkrossad ut.

"Siri, Siri ... klarar oss gör vi alltid. Vi arbetar ju båda två."

"Mitt Dramatenkontrakt går ut i maj! Och vi har skulder upp över öronen!"

"Lever man gott så kostar det ...", mumlade han. Det var avsett som en pik, eller åtminstone som en ansats att göra Siri delansvarig. För inte heller hon hade ju sparat på slantarna. Men någon tröst var det knappast.

"Och vad ska det betyda? Löser det våra problem att vi båda varit slösaktiga?"

"Äsch", sa han, än en gång. "Jag har ju vänner."

Hon tittade stumt på honom.

"Isidor kan hjälpa oss", fortsatte han trotsigt. "Han är brorson till juden Bonnier, och själv bokkapitalist. Han har pengar."

"Men det är inte *dina* pengar, August!" utbrast hon.

Nu var det hans tur att spänna ögonen i henne. "Du kanske inte är van vid att vänner stöttar varandra", riposterade han. "Men det är jag. Jag har vänner som är som mitt eget blod!"

"Jaha, det var ju trevligt, August. Och förfallna lån grumlar inte det blodet?"

"Äsch."

I januari 1879, skuldsatt upp över öronen till vännerna Isidor Bonnier, Edvard Bäckström, kusin Oscar, August Strömbäck, Gustaf Meyer, Rudolf Wall och alla banker i Svea rikes land, och efter att hans hustru gått till pantbanken med alla sina smycken och hushållets matsilver, utan att detta gjort något märkbart avtryck i hushållskassan, begärde sig August Strindberg i personlig konkurs. Bara äktenskapsförordet räddade dem från att även förlora sin nya våning, en fyrarummare på Norrmalmsgatan 6.

Den kvällen kom han ut i salongen, strålande som en sol. Så tog han hennes förgråtna ansikte i sina händer, och sa:

"Nu, min älskade, står jag naken som ett litet barn! Och jag ska erövra världen!"

Att han gått i konkurs tycktes underligt nog inte bekomma August nämnvärt. Inte heller det faktum att han – förvisso inte egenhändigt, men icke desto mindre – hade medverkat till att utradera Siris förmögenhet.

Fast hans synbara nonchalans inför detta senare faktum dolde givetvis att det bekom honom något alldeles enormt. På så många, helt motstridiga, sätt.

Det var som om hans skål i balansvågen steg och föll på samma gång.

När August inte var på Kungliga Biblioteket satt han från denna dag inne på sitt eget rum nästan jämt, och skrev. Och de korta stunder då han promenerade genom den gemensamma salongen hade han något beslöjat över blicken. På Siris dörr knackade han ibland, sena nätter, när inspirationens bägare blivit tömd och hjärnan fått sin utlösning. Hon tog oftast emot honom, lade armarna runt hans nacke och vaggade honom till sömns.

Mästerverket, med vilket han avsåg att erövra världen, hade redan fått ett namn: *Röda rummet*. Det skulle, sa han, handla om en ung man som driven av ett patos att förändra samhället och göra slut på dess orättvisor lämnar sin karriär som ämbetsman, för att bli journalist. Man skulle lätt kunna föreställa sig att hans hustru i det läge de nu hamnat skulle försöka tvinga den bångstyrige maken att avstå från sitt fantasifulla projekt, för att i stället söka ännu en säker inkomstkälla. Men det var nu en gång så att Siri von Essen den dagen hon första gången hörde rader skrivna av August Strindberg upplästa för sig hade bländats av hans flyhänthet, den dagen hon första gången råkade honom, på Drottninggatan, bedårats inte bara av hans vekhet utan också av hans envetenhet och integritet, och den dagen hon första gången verkligen samtalade med honom imponerats av hans kompromisslösa konstnärssjäl. Siri von Essen hade, i sitt eget liv, offrat allt för sin konst. Hon förväntade sig intet annat från August.

Själv hade hon precis fått sitt Dramatenkontrakt förlängt – trots Dramatens alla uppsägningar, trots den ekonomiska krisen.

Så det var kanske inte så konstigt att även hon denna vår blev paradoxalt euforisk.

Men de måste ju ha roligt också, mitt i allt ekonomiskt elände. Så de startade Klubben. Egentligen var det Siri som startade den, mest därför att hon älskade kägelspel. Så till den grad älskade hon kägelspel att hon drog runt med sina vänner till banor på de mest avlägsna orter, som Finspång.

"Slår du mig, August?" skrattade hon när han skulle till att slänga iväg klotet. Men nej, det var sällan han slog henne. Hon var bäst av dem alla.

Det dröjde inte länge innan Klubbens verksamhet svällde. Siri hade nämligen upptäckt att den stockholmska teातervärlden var full av människor som hade behov av att förströ sig på dagtid, när andra människor arbetade.

Och Herre Gud så mycket roligare dessa människor var än dem hon tidigare fått underhålla i sina salonger!

Så från att ha ägnat sig uteslutande åt kägelspel gick Klubbens medlemmar snart vidare till kasperteater, till sångspel, och till, ja, de mest backanalska fester Stockholm just nu upplevde – åtminstone i avseende på sådana som omfattade båda könen på lika villkor. När Siri och August till slut hade satt sig ner för att skriva Klubbens stadgar fanns där bara en paragraf:

"Ändamål: Nöjet."

Pelle Janzon, operasångaren, blev utnämnd till Klubbens stormästare, skådespelerskan Gurli Åberg till stormästarinna. Skådespelerskan Helga Franckenfeldt och skulptören Frithiof Kjellberg blev Klubbens ceremonimästare; målaren Hjalmar Sandberg och skådespelerskan Georgina Bäckström dess skattmästare.

Varje position i denna celebra förening hade alltså två innehavare – en kvinnlig och en manlig. Allt skulle vara jämlikt. Grundarna fann sig båda i att vara sekreterare.

Icke desto mindre kom de flesta tillställningar som inte krävde käglor, scener eller orkestrar att äga rum på "sekreterarbostället". För det var där Klubben hade sin själ.

Och om Siri var dess inspiratör så hade den blyge August snart förvandlats till dess maestro, dess upptågsmakare par excellence.

"Han är alldeles förtjusande när han är på det humöret", rapporterade Siri till moster Kill, "i synnerhet sedan han fått lite i hatten, men *bara lite.*"

45

Så framskred våren, i en paradoxal tillförsikt om att allt skulle lösa sig, eftersom allt ju hittills hade löst sig. Och livet trots allt såg så ljust ut. Och deras kärlek trots allt hade bestått alla prov.

Den var ju sagolikt effektfull, den av August föreslagna distansen som de skilda sovrummen erbjöd. De kunde fortsätta att uppvakta varandra som två nyförälskade, aldrig helt säkra på om en invit skulle bli mottagen eller avvisad. Rusiga av lycka när de blev mottagna.

Det var framför allt August som livnärde sig på denna magi. Men Siri bistod honom mer än gärna. Hon älskade att se hans upphetsade ansikte i kvällsdunklet.

Ändå fanns det faktiskt en liten utmaning i denna lek: för sökte man bibehålla spänningen genom att vidmakthålla en viss distans, en distans som med jämna mellanrum skulle överbryggas, så kunde avståndet mellan för nära och för långt ifrån lätt bli väldigt litet. Så litet, ibland, att praktiskt taget ett hårstrå skulle kunna rucka den delikata jämvikten.

Och till slut hade det ju dykt upp, det djävulusiska hårstrået.

Siri hade suttit på sin kammare och repeterat sin nya roll, som Geneviève i *De onyttiga*, när hon hörde de bekanta ljuden i farstun – harklandet, klädespersedlarna, skorna. Hon tittade på klockan: han var redan hemma från biblioteket! Hon lade ifrån sig pjäshäftet på bordet, rättade till klänningsfållen och kastade en sista blick i spegeln.

Så gick hon ut för att möta honom.

Hon hann bara till hallen.

"Vad är detta?!" Med ett vrål.

Hon rusade ut i salongen.

"Vad har hänt?" flämtade hon.

Han stod och pekade med ett darrande finger på den orientaliska mattan mitt på golvet.

"Vad är det, August?" Hon skyndade fram till honom. "Berätta!"

"Men ser du inte?" Han hötte med fingret mot mattan.

Hon tittade på den punkt där han pekade. Hon såg ingenting.

"Jag är ledsen, August, jag förstår inte", sa hon förvirrat.

"Mattan är ju proppfull med hår!"

Nu brast Siri ut i skratt. Hur kunde hon låta bli? Det var ju så komiskt.

"Men August, det är ju bara Mutte ..."

"Bara Mutte!?" Inom två sekunder kom en vit silkespudel utspringande från köket med viftande svans.

"Nej, Mutte", sa Siri och pekade mot köket. "Jag ropade inte på dig!"

Men det var för sent.

"Ta ut odjuret!"

Det var omöjligt att urskilja en avgörande anledning till Augusts avsky för hunden. Den hade legat och pyrt länge, men nu hade den alltså briserat. Man kunde förstås inte ta ifrån honom hans uttalade skäl: det handlade om smuts och hår och oreda. August var en man som värderade det propra, och ständigt gick i rena, stärkta skjortor.

Men att det var just Mutte som väckte hans avsky – och att det var en personligt riktad avsky – gick heller inte att ta miste på. Och han försökte faktiskt inte ens dölja anledningen:

"Är du helt oförmögen att avsluta ett ruttet gammalt äktenskap?"

Hon betraktade hans ansikte. Och där var den, den svarta blicken, det förintande klenmodet. Av ingen rimlig anledning alls.

Utom möjligen att något ändå skett med deras jämvikt.

Hon tog ett djupt andetag. Och med stadig röst sa hon:

"Det är inte på grund av Carl som jag är så fäst vid Mutte. Det är på grund av Kickan. Hon älskade Mutte, och jag känner att hon lever genom honom."

Inför detta ogensägliga argument vände hennes make på klacken och gick in på sitt rum.

Runt Mutte tvingades de efter detta vidmakthålla ett skört stillestånd. Ett stillestånd som ibland brast, i en kaskad av ovett. Oftast av en anledning som egentligen hade föga att göra med den stackars hunden.

Varje gång detta skedde gick Siri in på sitt rum med föremålet för Augusts avsky. Och stängde dörren. Och eftersom regeln – den regel som han själv skapat – sa att sovrummet var helig mark, och icke fick beträdas utan tillstånd, fick August finna sig i att vanka av och an i våningen tills Siri behagade komma ut.

Och så fick den av honom föreslagna fristaden en ny innebörd – hans älskogsnäste förvandlat till hundkoja. Så i och med detta, och från och med denna stund, började de skilda territorierna fungera icke endast som lockande flor dem emellan, utan av och till också som tillflyktsorter.

46

1891

Den 10 juni 1891 stämde danska medborgaren Marie David den svenske medborgaren August Strindberg för ärekränkning.

På grund av sjuklig svartsjuka hade Strindberg, enligt stämnings-yrkandet, försatt David i en omöjlig situation. Och hon såg sig ingen annan råd än att inför rätten söka rentvå sitt namn.

Till stämningen bifogade fröken Davids advokat, vice häradshöv-ding Hollenius, en ansenlig mängd intyg:

Ett från poliskammaren i Köpenhamn, om att Strindberg alls inte, som han påstått, under sin vistelse där begärt skydd för sina barn mot David.

Ett från Georg Brandes, som intygade att denne aldrig hört förkle-nande rykten om Marie i Köpenhamn.

Ett från Brandes bror Edvard, som förnekade att han fällt några nedsättande omdömen om David till Strindberg.

Ett från den nya hushållerskan på Lemshaga, Alma Jonsson, som gav en diametralt motsatt bild av hushållet än den hennes företrädare förmedlat.

Ett från Lemshagas förvaltare, patron Eklund, som intygade att han av alla som kommit i beröring med fru Strindberg hört "att hon skall vara en öm Mor för sina barn" och själv funnit henne "uppföra sig som ett respektabelt fruntimmer anstår".

Och kanske viktigast av allt: en skrivelse inkommen från den fran-ska orten Grez, där fröken David vistats med paret Strindberg 1885 och

1886. Skrivelsen var undertecknad av inte mindre än femton personer boende i byn. Den löd:

> *Fröken Marie David, som länge bott i Grez, först år 1885 och 1886 och senast 1890, är en mycket anständig fröken med mycket goda seder. Vi har haft tillfälle att mycket väl lära känna henne. Fröken David har alltid uppfört sig väl, hon har alltid umgåtts i gott sällskap såsom en dam comme il faut. Det är långt ifrån att fröken Marie David är illa känd i Grez, tvärtom har hon givit oss prov på grannlagenhet och hjärta och vi minns henne med aktning och icke med förakt. Det är därför vi lämnar fröken Marie David detta intyg.*

Vad vägde väl Karl Nordströms framtvingade minnesfragment mot detta?

Advokat Hollenius anhåller om stämning av Strindberg, "att han må inför häradsrätten stå för och styrka sina uppgifter eller rättvisligen näpsas för sitt ovärdiga tilltag".

Och så hade Siri och Marie till slut gått till motangrepp. Det var ett djärvt drag, men Siri litade till sin intuition. Hon hade med åren blivit en expert på sin makes sköra psyke, och var väl förtrogen med hans benägenhet att hellre fly än illa fäkta. Hon hoppades att hotet om fängelse äntligen skulle sätta stopp inte endast för vidare kränkningar av både Marie och henne själv, utan även få honom att släppa taget om hennes strupe, och de ännu ovetande barnens.

Från en långsamt framskridande skilsmässa i godo har kontrahenterna nu alltså kommit dithän att två av dem hotas med fängelse.

Och nu är det Augusts värsta skräckscenario som kan komma att bli verklighet. För Augusts fasa inför att hamna i fängelse kan endast jämföras med skräcken att hamna på dårhus.

Det är lätt att vara stursk, att gå till angrepp, när ingen tribut avkrävs.

Det är en helt annan sak att faktiskt tvingas betala ett pris.

47

1879

Tidpunkten för maskeradbalen var väl vald – det var vår, och Dramatiska Teaterns skådespelare hade just omförhandlat sina kontrakt. Siri skulle gå själv, som hon ju oftast gjorde när det var fest på Dramaten.

Klubbens galej, ja det var en sak. Klubben var deras vänner. Stora offentliga tillställningar, däremot, där han själv inte stod i centrum, tråkade ut August. Han föredrog att stanna hemma.

För Siri var det tvärtom. Ju större desto bättre.

Inför denna maskeradbal var hon dessutom, i efterdyningarna av de goda nyheterna från teaterledningen, på förträffligt humör. Hon tänkte klä sig därefter. I frack. Hon skulle låna Augusts, som passade henne som en handske, och så skulle hon sätta upp hela sitt långa hår och dölja det under hög hatt.

Hon blev upprymd bara av att tänka på det.

"August, du vet maskeradbalen på lördag?"

Det var kväll, och han hade just kommit ut från sin skrivarkammare.

"Ja", mumlade han tankspritt.

"Jag har funderat lite på min kostym."

Han nickade förstrött.

"Får jag låna din frack?"

Nu vaknade han till.

"Min frack? Vad ska du med min frack till?"

"Klä ut mig förstås."

"I min frack? Till vad?"

"Ja … till … till en man i frack, förstås."

"En man i frack!?"

"Ja …"

"Men Siri, du är en kvinna!"

Hon skrattade. "Det vet jag väl! Men August, det är maskeradbal."

Han såg ett ögonblick förvirrad ut. "Kan du inte komma på något annat att klä ut dig till än karl?"

"Jo, det kanske jag kan. Men vad är det för fel med att klä ut sig till karl, när det är maskerad?"

"Felet, Siri, är att du inte passar att vara manhaftig."

"Manhaftig …? Men August, när det är maskerad är det ju just det oväntade, det märkvärdiga man eftersträvar."

"Ja, men jag skulle då rakt inte komma på tanken att klä mig i kvinnokläder."

Nu kunde hon inte låta bli att skratta igen, trots att hon såg att han var upprörd. "Åh August, du skulle vara så söt i klänning!"

Han blev alldeles röd i ansiktet. Och så gick han rakt in på sitt rum igen. Men det dröjde inte mer än tjugo sekunder innan dörren åter öppnades.

"Jag vill att du lovar mig!"

Hon tittade på honom, på blicken som såg ut som om den när som helst skulle svartna. Och då nickade hon.

Den lördagen var han borta, på besök hos Frithiof Kjellberg. De hade inte talat mer om maskeraden. Men hon hade tänkt, och våndats, och nästan ilsknat, och bestämt sig. De var ju fria människor! Han kunde inte, han hade ingen rätt att, tvinga henne att avstå från något så oskyldigt som att välja sin egen maskeradkostym.

Så när fredagen kom hade hon gått ut och hyrt den, fracken.

Han skulle ändå inte vara där, så hur kunde det störa honom?

Det var en varm afton, solen lyste ännu när droskan kom fram till Östra Trädgårdsgatan. Siri anlände ensam, utan sällskap. Inte gjorde det henne något. Inget alls.

När hon skred in i salen kände hon sig som balens drottning, så frackklädd hon var. Märkligt nog fick den manliga kostymeringen henne att känna sig ännu kvinnligare, ännu tjusigare, ännu säkrare.

Snart flockades de runt henne. Fiskare, änglar, arabiska prinsar, amerikanska indianer.

"Siri, det var mig det ståtligaste ..."

Hon vände sig om. Helga hade klätt ut sig till haremsdam, med halva ansiktet täckt.

"Tack", svarade hon. "Tack, Mylady!" Så ursäktade sig Siri till kavaljererna, tog Helga Franckenfeldt under armen, och tillsammans skred de till drinkbordet, som ett äkta par ur en mångkulturell sagobok.

Kanske var det kostymeringen – den som gjorde att hon inte helt och hållet var sig själv; kanske var det upprymdheten över att få fortsätta att stå på Sveriges nationalscen ännu ett år.

Det blev en av de ljuvligaste kvällarna sedan hon börjat sitt nya liv.

Och visst fann hon behag i att vara omgiven av kavaljerer ur Stockholms teatervärld.

Visst njöt hon av att vara festens mittpunkt.

Och visst flörtade hon.

När Siri Strindberg kom hem den natten var hon lite berusad. Hon hade allt sjå i världen att inte fnittra högt för sig själv. Men hon fick ju inte väcka August, hon måste försöka få av sig fracken obemärkt och sedan gömma undan den. Hon öppnade alltså dörren till våningen så tyst hon bara kunde.

Han satt i schäslongen, med vidöppna ögon, och tittade på henne.

"August", sa hon lamt.

Han satt kvar. Och ändrade inte en min. Iskylan kom inte, inte heller den svarta blicken.

I stället reste sig hennes make långsamt, utan att ta blicken från henne, gick fram till henne, tog båda hennes händer i sina och sa:

"Siri, som jag har längtat."

Hjärtat tycktes stanna i hennes bröst.

"Har du …?" var det enda hon lyckades få fram.

"Ja", sa han och kysste båda hennes kinder. "Något så oerhört."

"Åh August", sa hon. Och i stället för den förväntade ordningen var det hon själv som började gråta. "Min älskade August."

Han ledde henne in i sovrummet, sitt eget sovrum. Han satte henne på sängen och betraktade henne, med en sådan åtrå att det fick henne att kippa efter andan. Så började han långsamt och darrande ta av henne kläderna – fracken, byxorna med revärer, den vita västen, rosetten, frackskjortan, de svarta herrstrumporna, de vita handskarna. Hans andhämtning var nu så ytlig att hon var rädd att han skulle svimma. Aldrig någonsin hade hon sett August så upphetsad. När han knäppte upp den sista knappen i frackskjortan hörde hon ett ljud som tycktes komma djupt ur hans bröst.

Hon tog själv av sig underkläderna, raskt, och han började hetsigt kyssa hennes ansikte, hennes mun, hennes bröst. Hon stönade av beröringen, av hans läppar mot hennes bröstvårtor, av hans darrande smekningar av hennes kön. Och sedan, när han trängde in i henne, nådde hon nästan omedelbart klimax.

Så underbart var det att hon nästan inte märkte att han stannade kvar i henne. Att hon nästan inte märkte att hon i sitt sköte denna natt mottog hans säd.

48

Siri blev tvungen att åter avbryta engagemanget på Dramaten, mitt under pågående spelår. Under september och oktober fick hon spela i Frans Hedbergs pjäs *Halmstrån* i något som närmast kunde beskrivas som en gumroll, eftersom hon inte längre kunde bära korsett över sin växande mage. Sedan, i oktober, fick hon kliva av scenen.

August vandrade omkring i våningen som en tupp. Hans kvinna skulle bli mor! Hans vackra, eleganta, åtråvärda, älskliga hustru – den skönaste kvinnan i hela detta långa land. Hon skulle ge honom ett barn. August kunde plötsligt inte sluta le.

Och Siri då?

Var hon förkrossad? Panikslagen? Skrek hon på honom?

Ja, ett tag var det så. Men sedan hände något märkligt.

Och varför det hände, det visste hon inte.

Hon visste bara att hon skulle föda barnet, och hon skulle behålla det. Hon *ville* behålla det.

Hon hade mist två döttrar, ja, nästan slarvat bort dem. Och Gud var henne ändå nådig.

Kanske hjälpte det att August dyrt och heligt lovade att han skulle skriva en pjäs för henne, till efteråt, och omedelbart skred till verket? Kanske hjälpte det att barnet denna gång inte hotade hennes egen existens?

Men denna gång ville hon.

Och samtidigt slumpade det sig så att det var nu som August slog igenom. *Röda rummet* svepte i november 1879 fram som en löpeld genom det vittra Sverige.

"Jag är modern", sa han lyckligt till Siri. "Mer modern än någon annan existerande varelse på jorden."

Och plötsligt hade de råd med både kaviar och champagne.

*

Karin Strindberg föddes en av de sista dagarna i februari månad 1880. Det gjorde ont i henne när hon tog emot den nyfödda i sin famn. Men inte ont av sorg. Inte i första hand.

Två månader senare, den 3 maj, hade *Gillets hemlighet* premiär på Dramaten. Denna kväll stod det äkta paret Strindberg för första gången tillsammans på en scen och tog emot publikens applåder.

"Mitt livs goda tid", skulle August senare, och för resten av sitt liv, komma att kalla dessa 1880-talets tidiga år.

Och sett genom årens prisma skulle nog Siri vara benägen att hålla med honom.

*

"Ser man den, August? Ser man den härifrån?" Hon kupade handen över ögonen för att inte bländas av morgonsolen.

"Nej, inte härifrån", svarade han. "Den skyms av Ornö."

"Ornö", mumlade hon.

Hon stod på bryggan vid Dalarö, och tittade ut över fjärden. De hade tillbringat natten på värdshuset, samma värdshus som fem år tidigare hade varit skådeplatsen för en av de mest dramatiska episoderna i deras kärlekssaga. Och nu gick två karlar mellan värdshuset och bryggan och lastade deras gemensamma bohag på båten.

"Ja, och alla holmarna framför, förstås." Han pekade rakt ut mot fjärden, på den obestämbara gråblå landmassan där ute.

Hon vände sig mot honom.

"Så underbart det ska bli!" sa hon.

De följde solen, ut mot havet. Karins vitmålade vagn, den med den blå suffletten, stod längst fram i fören. Med van hand vaggade modern den lilla vagnen, fram och tillbaka. Medan fadern stod bredvid, stolt, och tittade ut över vattnet. De hade tagit både stora fåtöljen och förmakssoffan med sig, och badkaret med blomkrukorna. Man visste ju aldrig hur fiskarfamiljen där ute hade inrett huset.

Ångbåten gled snart förbi Ornöhuvud, tätt, tätt, och de blågrå klipporna reste sig på styrbordssidan.

"Där! Där borta!" utbrast plötsligt August. "Där är det."

Hon sträckte på halsen, försökte se vilken ö han menade.

Han förde hennes huvud bakom sin arm, så att hon skulle se exakt var han pekade.

"Ser man huset från sjön?" undrade hon.

"Nej", svarade han, "det ligger ute bland ängarna, omgivet av blomster i regnbågens alla färger."

"Åh", utbrast hon. "Jag längtar dit!"

Och då skrattade han, för de hade ju inte ens en halvtimme kvar på sin färd mot Blomkorgen i Havets våg.

49

1891

Häcken som omgav gumman Wahlbäcks stuga bestod av sibiriska ärtbuskar. Utanför stod ett vanligt trästaket, som väl mest var där för att försäkra andra Sandhamnsbor om att detta verkligen var en tomtgräns. Innanför hägnaden hade det anlagts en stor gräsmatta som de nu hade till sitt förfogande, liksom den gunga som någon tidigare sommargäst ställt upp.

De kände huset väl. De hade firat sommarnöje här i förfjol. August i husets huvudlänga, resten av familjen i den andra delen av huset.

Det var kanske lite elakt att leta sig tillbaka till ett sommarställe de tidigare delat med honom, och ändå rata Runmarö, där August nu befann sig.

Fast Siri betraktade det inte som elakt. De måste bort från det dystra Värmdö. Och de måste bort från August.

Karin, Greta och Putte lekte med grannskapets barn på den stora gräsmattan, precis som de gjort i förfjol. Kull och blindbock och säckhoppning. Och med jämna mellanrum satte de upp små kammarspel på den andra trädgårdsremsan, den mot vägen. På så sätt skulle de få en större publik.

De drog till sig traktens barn, som i sin tur tog med sig sina föräldrar. Och så blev Sandhamn en oas, mitt i allt.

Ingen berättade förstås för barnen – allra minst Siri – att deras mor och hennes väninna stod i begrepp att stämma fadern, som därmed hotades av fängelse. Ingen berättade heller för dem att fadern i snart

206

ett halvår gjort stora ansträngningar att ta dem från deras mor.

För i så fall hade deras lekar denna sommar knappast varit så sorg-lösa.

Siri kisade mot det starka ljuset. Solen stod redan högt på himlen. Hon tog med sig brickan och bar ut den till det vitmålade träbordet i bersån. Det var ovanligt tyst i trädgården denna morgon, barnen hade redan begett sig med Alma till klipporna.

Marie hade dragit ut en gungstol från huset och i den satt hon nu och läste. Eller låtsades läsa. Hennes ögon tycktes vila någon annanstans.

"En kopp te, Jinka?" Så kallade Siri henne ibland.

Marie ryckte till. Hon vände sig om och gav Siri ett snabbt leende.

Siri ställde fram två koppar, lite kantstötta, en tekanna, och en sockerkaka som Alma hade bakat kvällen innan. Så satte hon sig på bänken bredvid Maries gungstol, och vilade. Väninnan hade inte sagt många ord de senaste dagarna.

Siri trummade med fingrarna på armstödet.

"Jag tror att det är fel."

Marie svarade inte.

"Hörde du mig, Jinka?"

"Ja, jag hörde dig", mumlade Marie. "Men jag har inget val." Hon tog en kaka och började äta.

"Jo, det har du!" utbrast Siri. "Tänk över det en gång till innan du gör det. Jag ber dig."

Det var tyst i flera sekunder.

"Jag känner honom", sa Marie stilla.

"Men du känner inte den han har blivit!"

Och förmodligen var det tur att Siri aldrig fick se det brev Marie någon vecka senare skulle skriva till sin mors älskare och August Strindbergs vän, Georg Brandes:

Kom hit, rädda mig från denna människa. För mors skull ber jag Er, hjälp mig!

*

Han hade kommit fram med båten till Runmarö strax efter solnedgången. Rorsman hade lagt till vid Långviks brygga, lastat av allt hans bagage och sedan lagt ut igen.

Ja, han hade valt att åka dit. Men i samma ögonblick som båten försvann runt udden hade August drabbats av en närmast paralyserande saknad.

När jag i går afton kom hit ut – ensam! – och återsåg de röda stugorna och de gröna ängarna, där jag lekte med mina barn i fjol somras!! Åhhh!

Så skrev han.

Eftersom Siri och barnen inte hade velat följa med honom.

Han skulle hyra hos Pettersson, farbrorn som de träffat i Grez, skrev han till Karin den våren. "Och om ni vill ha Stenbros ena stuga skall jag hyra den mot villkor att den repareras, så att det ej regnar in, och då får vi råkas var dag och Putte får leka med den snälla Einar."

Men varför i Herrans namn skulle de vilja det?

Sedan satt han där på sin ö resten av den sommaren. Inkvarterad, ensam. Nej, inte ensam, men övergiven.

Och vännerna mobiliserades från andra sidan jordklotet. Och breven gick i skytteltrafik över vattnet.

Jag bor i en stuga, där för 2 år sedan en barndomsbekant bodde, då han dränkte sig i ett härvarande träsk därför att hans hustru gått ifrån honom och tagit hans barn med sig. Sov i samma

rum i natt där han sov sista natten och suggererades så fasligt
av – träsket! Drömde så illusoriskt att huset inkräktades av råa
människor som skymfade mig kroppsligt – att jag tände ljus och
ställde den laddade bössan vid sängen.

Jag kan mycket lätt förgås här – både av sorg och nöd! Och jag
har ännu icke förföljelsemani, behöver det ej heller – ty alla skär-
gårdskarlar är mina fiender – men jag kan få det! Min räddning
finns blott hos: mina barn! Eller – en ny kvinna! Om det också
vore själva fan! Eller ett umgänge!

Mest av allt skrev han till Ola Hansson, författarkollegan. Hansson
hade nämligen fått en viktig plats i hans liv, alldeles särskilt efter att
August hade låtit honom läsa manuskriptet, det på franska. Det som
handlade om en kärleksrelation mellan en ung författare och en gift
adelskvinna med teaterambitioner. Det som handlade om hur adels-
kvinnan överger sin man, baronen, och gifter sig med författaren,
men sedan övergår till att börja kurtisera massor av andra männi-
skor, både män och kvinnor. Det som handlade om hur hon i den
franska byn Grez träffar en kvinna som hon förför, "en rödhårig typ,
med maskulina drag, böjd och hängande näsa, isterhaka, gula ögon,
kinder uppsvällda av dryckjom, platt bröst, krokiga händer – den av-
skyvärdaste, otäckaste varelse man kunde föreställa sig, inte ens en
bonddräng skulle vilja veta av henne".

Manuskriptet, som han kallar *En dåres bikt,* är förstås opublicer-
bart. Men han kan inte låta bli att ge det till utvalda manliga vänner.
Och sedan omedelbart ta tillbaka det. Manuskriptet är nästan som
en amulett. Han håller det nära sitt bröst, tätt intill, upphetsad av
förtjusning inför dess existens.

Och tänker att han en dag, kanske, ska våga släppa det ifrån sig.
Att han en dag, kanske, ska verkställa sin hämnd. Och den tanken gör
ändå livet värt att leva.

*

Det hade varit en regnig midsommarafton. Men nu, morgonen efter, bröt stundom solens strålar igenom molnen. Havet var dock knappast lugnt, och Marie stirrade stint mot horisonten för att inte bli illamående. Hon var inte van vid att resa på havet i så här små farkoster.

Roddbåten gled ut mellan Sandön och Tviskäret, och snart befann de sig ute på Gråskärsfjärden. Kobbarna slog upp som svampar i fjärran, karga och ganska ovälkomnande, trots solstrålarna. Det var många kilometer till land nu, alldeles för många. Och vinden hade tilltagit betänkligt. Men Wickberg, kronolotsen, i vars båt Marie och trotjänarinnan Alma nu befann sig, hade försäkrat att han var en van rorsman, och att båten skulle stå emot vågor mycket högre än dessa.

Marie pekade mot landmassan på andra sidan fjärden och tittade frågande på Wickberg.

"Ja", ropade han, "det är Runmarö. Fast vi måste runt till andra sidan ön."

Då gav hon upp försöken att mota illamåendet, och slöt i stället ögonen.

Så fort Wickberg tagit dem förbi Näsudden mojnade vinden, och vågorna avtog. Marie drog en djup suck av tillfällig lättnad. Inom några minuter hade de tagit sig in i Sandviken, och rorsmannen gjorde an vid Långviks brygga.

"Sådär, fröknarna", sa han. "Då kan vi gå i land."

Stigen mellan Långvik och Lerkila var ungefär en kilometer lång. Men den hade gärna fått vara längre. För nu började hon ångra sig. Ju närmare de kom målet för sin färd, desto starkare blev impulsen att vända om. Och desto mer skyndade hon på sina steg.

Hon hade förstås aldrig varit där tidigare. Men Wickberg pekade med sitt långa krokiga pekfinger ut stugan redan på ett par hundra meters håll.

"Där. Där borta bor han, litografen Pettersson." Gubben Piso hade de kallat honom då, för många år sedan, i Grez. Han hade varit den äldste i sällskapet, en halt, och stundtals kolerisk, gammal man.

Marie ökade på takten ännu lite till, trots att Alma hade svårt att hänga med. Att hon tagit med sig hushållerskan var väl som ett skydd. Fast vilket skydd den gamla kvinnan skulle erbjuda henne kunde man undra. Vittne skulle hon i alla fall bli, till vad som än skulle komma att utspela sig.

Så stod de där till slut. Nedanför de fem trappstegen som ledde till verandan och den stängda dörren på andra sidan.

Hon hade en sista chans till reträtt. Men hon tog den inte. Hon gick upp de fem stegen, hon gick över verandan. Och hon knackade på dörren.

Den rycktes upp, alldeles för fort. Nästan som om de varit väntade, fast detta förstås var en omöjlighet. Hon stirrade rakt in i ett bekant ansikte, som hon inte sett på många år.

August Strindbergs blick kunde, om man hade lagt hela förloppet på minnet, ha dissekerats i små millisekundlånga beståndsdelar: först nollställdhet, därefter häpnad. Och så, när han insåg att han faktiskt inte inbillade sig, att detta, trots sin omöjlighet, inte var ett utslag av hans förföljelsemani, stirrade han på Marie David med ett hat som hon aldrig tidigare sett hos någon människa.

"Lämna mitt hus!" Han lät som ett djur. *"Lämna mitt hus nu, annars dödar jag er!"*

"Jag söker inte er", svarade hon, så lugnt hon bara kunde. "Jag söker en annan person boende i huset."

"Jag ger er en sekund!"

"Jag söker litograf Pettersson."

Hans utfall var blixtsnabbt. Han grep henne runt halsen och tryckte henne upp mot väggen. Marie kippade efter andan. Och då släppte han tillfälligt taget. Men en sekund senare var han åter där. Han tog tag i hennes axlar, drog henne mot verandatrappan, och med ett vrål stötte han henne ifrån sig så att hon handlöst föll baklänges nerför trappstegen. Sedan slängde han igen stugdörren och var försvunnen.

Marie blev liggande på marken, alldeles stilla, men med öppna ögon. Hennes två medresenärer rusade fram för att se hur det var fatt.

"Det är ingen fara med mig", mumlade hon, fortfarande skakad. "Ge mig bara en minut."

Ja, Siri hade berättat för henne om den gången i Lindau, då August under ett av sina fruktansvärda anfall av omotiverad svartsjuka, mitt framför barnens ögon vräkt ner henne på marken, satt ena knäet mot hennes bröst och börjat slå henne med knytnävarna.

Och hon hade berättat om den gången, förra sommaren på Runmarö, då han hotat att segla ut med barnen och dränka både dem och sig själv.

Och hon hade berättat om det som hände en vecka senare, när han stod framför henne med laddad och spänd pistol, riktad mot hennes hjärta.

Och hur hon hade tittat rakt in i de hatiska ögonen och med fast stämma sagt: "Skjut!" Då hade han sänkt vapnet, full av förakt, och sagt: "Du är inte värd ett skott krut!"

Siri hade berättat. Och Siri hade varnat Marie för att åka.

Men Marie hade inte lyssnat.

Hon hade förklarat för Siri att hon måste tala med Gubben Piso, att hon måste höra om han vidmakthöll sina kränkande och oriktiga påståenden om henne.

Men någonstans måste Marie också ha hoppats att ett möte, ansikte mot ansikte, mellan två människor som en gång stått varandra nära skulle kunna rucka det hat som hos den ene av dem tillåtits växa bortom alla proportioner.

*

Han hade mage att stämma henne för hemfridsbrott. För att hon hade knackat på Gubben Pisos dörr!

Och sedan hade han mage att inte infinna sig.

Siri kastade en blick på Marie, som satt framför henne i rättssalen och blundade. Så trött hon såg ut. Om August levde i en värld fylld av sjuklig misstänksamhet så hade han också, med sin expansiva personlighet, förmågan att dra in andra i denna sjuka sfär. Och nu satt Marie där.

"Nästa mål: Mål nummer 16. Fröken Marie Davids enskilda åtal mot herr Strindberg för ärekränkning."

Nej, August var ju fortfarande inte där. Var han inte där som kärande skulle han knappast vara där som svarande. Och sannolikheten att han skulle infinna sig för det tredje målet – det där han åtalades för misshandel – var förstås negligerbar.

Så han bötfälldes för sin frånvaro, och målen uppsköts. Uppsköts, och uppsköts, i en påfrestande långsamt nedåtgående spiral som slöt sig runt dem alla.

Likafullt lovade Marie att visa sig varje gång hon blev kallad. För de visste båda att det enda som skulle få August att släppa greppet var att hon inte visade sig rädd.

Siri bara hoppades att hon skulle orka.

50

1880

Och så underbar denna ö var. Och så förunderligt lätt det ändå var att vara mor. Och hur bra de trots allt hade det – hon och August och Karin.

Fast det hjälpte förstås att de hade med sig en barnsköterska. Och det hjälpte förstås att August lät Siri följa sin alldeles egna dygnsrytm, i sitt alldeles självvalda sällskap.

Siri brukade sitta med Helga ute på verandan, ända tills solen gick upp. Nästan varje natt. Och de pratade, och de fnissade, tyst, så att August och barnet inte skulle vakna.

Helga Franckenfeldt var en av de mest begåvade skådespelerskorna i Dramatens stall. Och en av de vackraste. Hon var Siris närmaste väninna, och hon skulle tillbringa flera veckor med dem denna sommar.

August tyckte att det var bra att Siri hade sällskap där ute på Kymmendö när han sov. Då försökte hon inte hålla honom uppe. Han steg alltid upp vid sex, arbetade några timmar, och åt sedan frukost, med Karin i knäet. Till sängs lade han sig oftast vid tio. Siri, däremot, lade sig sällan före tre. Å andra sidan steg hon inte upp förrän solen stod som allra högst på himlen.

Karin hade ungefär samma dygnsrytm som August.

Helga hade samma dygnsrytm som Siri.

Och ingen tycktes ha något att invända emot detta.

Vissa nätter gick de två kvinnorna genom granskogen, ner till den

Tarpeiska klippan, som August kallade den. Och där satt de och tittade på det blåsvarta havet, som var så gudomligt vackert så här på sommarkvällarna.

Ibland sjöng de högt. För Kymmendö var stort, och ingen skulle störas så här långt bort från bebyggelsen. *Den stumma från Portici* blev det alltsomoftast, operan. Siri sjöng för full hals, medan Helga dansade en vild dans, invirad i tyger, en dans som avslutades med att hon kastade sig i Vesuvius, så gott det nu gick.

Och efter att det blivit för mörkt för att dansa vilda danser kunde man fortfarande höra sången och de två kvinnornas skratt över vattnet. Långt ut över vattnet, och ända till långt in på morgontimmarna.

Nej, August var inte svartsjuk. Inte ännu.

*

Det var ändå fruktansvärt orättvist. Det tyckte alla, även August. Men i teaterns värld kunde saker hända med mycket kort varsel, och ibland av obegripliga skäl. Helga var förstås både förkrossad och förundrad. Hon ansågs ju vara en lysande aktris.

Det mumlades att man velat lämna plats åt den debuterande Anna-Lisa Hwasser, dotter till Dramatens grande dame, Elise Hwasser. Dotterns triumf krävde tydligen hekatomber av besegrade.

"Odågornas kungliga tempel …", muttrade August.

"Men boendet löser vi", tröstade Siri och tog Helgas hand. "Du flyttar in i det möblerade rummet, med egen ingång." Helga hade ju inte längre råd att hålla sig med egen lägenhet.

Så i oktober flyttade den avskedade skådespelerskan in i det lilla annexrummet, med anslutning till deras våning. Hon åt kvällsmål med dem, nästan varje dag. Och de kvällar då Siri spelade på Dramaten åt Helga och August för sig själva.

August tyckte om Helga – han tyckte om de flesta kvinnor med karaktär och ryggrad. Helga hade dessutom en magnifik humor. Och när denna vackra kvinna uppmärksamt lade sitt huvud på sned, och koncentrerat lyssnade på hans kloka utläggningar, smickrade det hans fåfänga. Inte för att han behövde smickras så väldigt mycket numera. Efter framgångarna med *Röda rummet* hade August ett orubbligt självförtroende.

Fast det var en liten sak som nyligen hade börjat störa honom lite. Det var egentligen urlöjligt – knappt ett hårstrå. Bara en liten pjäs. En liten pjäs som nyligen haft premiär i Stockholm.

"Ni måste gå och se den!" Helga hällde upp rött vin i sitt glas där de satt framför kakelugnen i salongen. "Jag blev alldeles upprymd! Och jag måste säga att Elise Hwasser gjorde en strålande tolkning."

"Det är bra att du är så storsint, Helga." Siri log.

"Börjar han inte bli gammal, Ibsen?" Det var August.

"Gammal?" Helga tittade upp på honom. "När är han född?"

"1828."

"Det var väldans vad du var påläst, August! Ja, då är han väl … låt mig se …"

"Femtiotvå!"

"Femtiotvå … Ja, en man i sina bästa år."

"Inte för en författare", sa August. "Det är sällan någon är nydanande vid en så hög ålder."

Helga höjde på ögonbrynen. "Må så vara. Men i så fall är Henrik Ibsen ett undantag. Pjäsen är omvälvande!"

"Berätta", sa Siri.

"Det behöver du inte", sköt August in. "Vi vet vad den handlar om."

"Men August, tyst nu." Siri skrattade. "Jag vill höra vad Helga tycker."

"Jag kan bara säga att jag har aldrig sett en sådan genial gestaltning av äktenskapet." Helga ställde ifrån sig vinglaset. "Den framlägger de tydligaste argument jag sett för att kvinnan *aldrig* ska behöva acceptera att vara sin makes egendom. Den visar hur problemen inom äktenskapet inte behöver handla om våld eller öppna förbud eller ens förnedring. Att det kan vara mycket mer lömskt än så. Att den gifta kvinnan ofta lever i ett … ja … i ett dockhem. Ett hem där pengar kanske finns, och till och med kärlek, av något slag. Men hon får inte vara sig själv, bli sig själv, utnyttja sin fulla förmåga."

"En pjäs om mitt förflutna …", sa Siri.

"Tror du att du är ensam?" sa Helga. "Och den är skriven av en man!"

"August, tänk om du skulle skriva en modern pjäs om äktenskapet!" Siri hade plötsligt vänt sig mot honom. "Det ligger ju absolut i tiden!"

"I tiden …"

"Ja, vi är ju själva liksom ibseniter, jag menar i vårt eget äktenskap." Hon tog hans hand. "August, August! Jag skulle älska att spela huvudrollen i en sådan pjäs. Vad säger du? Åh, så roligt det skulle vara. Så underbart, sagolikt roligt!"

August svarade inte.

Varför han sedan satt där och småsurade var svårt att förklara. Han hade ju gift sig med en yrkeskvinna, en som hade lämnat sitt tidigare äktenskap just för att få bli sig själv. Han hade ju själv uttalat många av de tankar Ibsen nu framförde i sin pjäs.

Så kanske var det bara det att det var Ibsen som hade sagt det? Att det inte var August själv?

*

"Jävla byracka!"

Siri tittade upp från sin sömnad. Hon suckade.

Men så kom ylandet, ett hjärtskärande tjut utifrån salongen.

Hon sprang upp från stolen, ryckte upp dörren och rusade ut.

"Slog du Mutte?" skrek hon.

August stod ovanför hunden som krupit ihop till en liten boll.

Siri satte sig på huk och lyfte upp den lilla silverpudeln i famnen. Hon vaggade honom tätt mot sitt bröst, säkert en halv minut, medan August stod ovanför och glodde.

"Din byracka har ju för fan träckat på mattan!" mumlade han.

Nu reste hon sig upp, fortfarande med Mutte i famnen, och stirrade på August.

"Men titta då!" Han pekade med fingret på mattan. "Ser du inte? Han har ju skitit på vår matta!"

"Inte vår matta, August", sa hon med lugn röst. "Min matta. Och du slår aldrig mer Mutte. Hör du det. Aldrig någonsin mer."

Det verkade helt ofattbart att ett litet skådespel skulle ha en sådan inverkan på honom; att en pjäs skulle kunna rubba den till synes solida balans och det enorma självförtroende han under det senaste året uppnått; att blotta det faktum att det fanns en *annan* skandinavisk författare som rönte större uppmärksamhet än han själv var tillräckligt för att rycka undan mattan för honom. Men det var svårt att tolka saken på något annat sätt. För den var tillbaka igen, den svarta sjukan. Och den riktade sig mot Mutte – men allra mest mot Helga. August påtalade, och inte endast en gång, att Siris kära väninna inlett sin bana "med att göra pojkroller i Helsingfors".

En timme på tu man hand med Helga förlänade nu Siri en kväll i iskyla. Tre timmar betalades med en dag.

Och August hade redan åter gjort sin hustru gravid.

51

Våren 1881 blev Siri Strindberg uppsagd från Kungliga Dramatiska Teatern i Stockholm. Anledningen var uppenbar: det var dags att förnya skådespelerskans kontrakt och hon var obestridligen i grossess.

Två och ett halvt år tidigare hade hon på skaldinnan Emilie Björksténs fråga om hon ämnade stanna vid teatern svarat: "Det var en fråga! Du milde himmel och det till mig, som skulle döden dö samma dag jag lämnade den!"

Och nu hade hon lämnat den.

"Oroa dig inte, Siri", utbrast August när han såg hennes förtvivlade ansikte. "Efter *Mäster Olof* dreglar Josephson efter nytt stoff från mig."

Siri hörde honom inte.

"Jo då, jo då, Siri. Det här ordnar sig."

Hon hörde honom fortfarande inte

Fast August började verkligen kämpa för hennes karriär.

Han ville ju egentligen alls inte att hon skulle vara olycklig.

Han skrev till sin viktigaste välgörare, Ludvig Josephson på Nya Teatern, den teaterchef som efter många år av refuseringar hade antagit hans *Mäster Olof*. Vem kunde vara mer benägen att tänka förnuftigt än han?

> *Bäste Herr Josephson!*
> *Mina teaterintressen, nu vill jag en gång tala rent ut, rör sig*
> *kring en enda punkt och har blott ett enda mål – min hustrus*
> *skådespelarbana. Varför skall den vara så stängd för henne, som*
> *i alla avseenden står över de hopar av oförmågor som bärs fram*

av stora roller, har jag ännu inte fått klart för mig.

Därför, och för att få frågan klar, frågar jag nu Herr Joseph-
son: vill ni låta min hustru debutera på er teater, eller vill ni
engagera henne? Frågan är fri, och den har legat som glöd på
mig under året.

Detta är mitt teaterintresse! Vad jag har att säga kan jag säga
bättre i en roman än i en teaterpjäs, men jag skriver de senare
för hennes skull.

Nu har Herr Josephson alla mina hemligheter!

Kom nu med starka inkast, ty jag har använt år på att finna
motskäl, och det blir min sista och svåraste uppgift, ty själv begär
jag inget för egen del av detta besynnerliga livet. När jag begär en
tjänst är jag alltid redo att göra en återtjänst, och tecknar

Med utmärkt högaktning tacksam!

August Strindberg

"Oroa dig inte, mitt hjärta", sa han uppmuntrande till sin hustru.
"Jag lovar dig att du ska stå på scenen igen, senast till hösten."

Och till slut väljer hon att tro honom. För vad ska hon annars göra?

52

Blomkorgen i Havets våg låg där, orörd, som om den bara väntat, förberett sig för deras återkomst. Rosorna som växte tätt intill väggen på Bergs stuga stod redo att blomma. Det nyfödda gräset hade sökt sig upp ur den svarta, våta myllan. Havet, som under deras frånvaro legat stelfruset, hade nu sakta värmts upp av solen, så att det snart, likt ett bad som pigan omsorgsfullt förberett, stod redo att svalka deras varma kroppar.

Siri skulle föda ute på deras ö, så de hade tagit med sig en barnmorska, "jordfrun", som August kallade henne. Och den nya barnsköterskan, Eva Carlsson, hon hade också följt med.

Denna sommar skulle de bli många på ön. Carl Larsson skulle komma hem från Frankrike för att göra illustrationerna till Augusts nya storverk, *Svenska folket*. Han skulle bo ute på ön. Andre bäste vännen, Anton Stuxberg, skulle också komma ut. I sällskap med Helga, som August genialt lyckats få bort från Siris sida genom att introducera henne för bäste vännen. Och så var ordningen återställd.

Därtill väntades en strid ström av mer eller mindre tillfälliga besökare – bland dem givetvis Klubbens övriga medlemmar. De skulle bli många som satt på verandan på kvällarna och drack akvavit och åt kräftor och sjöng till Augusts gitarr. Och de skulle vandra genom granskogen, i jakt på röda och blå bär, vändandes på löv och kvistar för att söka hitta den gula läckersvampen. Och de skulle gå den långa stigen mot havet, och sedan sitta kvällar och nätter på klipporna och samtala och titta ut mot det blåsvarta vattnet.

Ett par veckor in på sommaren föddes Siris fjärde dotter. Flickan fick namnet Greta, efter sagans Hans och Greta. För August sa att hon var ett sagoväsen, som föddes på en sagoö.

Och visst var flickan ett sagoväsen, och visst hade de trevligt där ute på ön med alla sina vänner, och visst var det roligt att se August så glad.

Men vad skulle hända med hennes liv?

53

Nej, Ludvig Josephson hade inget arbete åt henne. Och inte hjälpte det att August i utbyte erbjudit sig att skriva både två och tre pjäser för Nya Teatern.

Det var inte det att Josephson inte uppskattade Siris skådespelar-konst. För det gjorde han visst. Han hade bara alltför många aktriser i sitt stall – bland dem nu Helga – som alla måste få förtur.

"Men du lovade mig!" skrek hon på August, mitt på salongsgolvet. Och båda flickorna grät.

"Jag är väl ingen trollkarl!" skrek han tillbaka.

"Jo, du lovade mig!"

Nu var han tyst.

"Du gjorde mig gravid igen! Med flit!"

"Du har sådana fantasier", mumlade han.

"Jag hade en tjänst på Dramaten!"

"Tillfälligt", undslapp det August. Och kanske kunde man ana ett litet leende i ena mungipan.

"Åh, din … *Eva*!" Hon hade vänt sig mot dörren. *"Eva!"*

Ett ögonblick senare var barnsköterskan där.

"Ta flickorna!"

Och nu var de ensamma kvar.

"Du hånar mig inte, August …", sa hon tyst. "Jag offrade allt för dig, och du hånar mig inte …"

"Men det går ju bra för oss, Siri", sa han ynkligt. Och inbillade sig att det var någon tröst.

*

Ja, det hade gått bra för dem, rent ekonomiskt. Sverige låg för Augusts fötter. Och inte nog med det: valet hur han skulle förvalta detta avundsvärda tillstånd var helt och hållet hans.

Han kunde välja att rida på framgången med *Röda rummet*, och inta en prestigefylld ställning som modernistisk förgrundsfigur i det nya Sverige – en permanent plats på parnassen, om än i dess avantgarde.

Eller han kunde höja insatsen. Gå på tvärs mot allt vad etablissemang hette. Bli permanent upprorsmakare. Uppvigla massorna.

För Siri var valet givet. De hade en familj, de behövde lugn och stabilitet, för att inte tala om en god ekonomi. Hon hade sagt det till honom mer än en gång. Mer än tio. Och hon visste dessutom, liksom han måste veta, att upprorsmakarrollen passade honom förfärligt dåligt. En av grundförutsättningarna om man vill vara provokatör är nämligen att man är hårdhudad. Ja, man kan säga att det är rent ut sagt löjligt att inbjuda till strid om man sedan inte är beredd att ta smällarna.

August Strindberg var inte hårdhudad.

Men det spelade ingen roll. Valet var gjort.

Och antingen var det på grund av Henrik Ibsen, den knarrige gamle norrmannen. Eller så var det på grund av August Strindberg.

Fast om sanningen ska fram slog han till en början ganska löst. Boken om svenska folkets historia, den som skulle se på historien mer ur folkets än ur överhetens synvinkel, kunde väl kanske reta överheten genom sitt perspektiv. Men man hade ju egentligen inte så mycket att oja sig över. Egentligen bara ett citat på baksidan av första häftet, ett där August tog sig för att näpsa seklets största svenska historiker, skalden Erik Gustaf Geijer.

Så Akademien ojade sig faktiskt, och tidningarna skrev om Strindbergs "kolossala brist på blick för det som är ädelt och upphöjt". Fast Dagens Nyheter gillade boken. Och det gjorde även många av vännerna.

Men inte hjälpte det. För kritikernas ord genomborrade hans själ som en giftpil.

Och eftersom August hade en egenhet som verkligen passade en provokatör illa – han blev oregerligt hämndlysten så fort han kände sig det minsta kränkt – skulle det som börjat som en försynt liten provokation snart komma att stegras bortom till och med hans egen kontroll.

Och när det gick dithän fanns det bara en person som kunde lugna hans sköra nerver, bara en person som med sina mjuka händer kunde smeka honom till ro.

Men i det avgörande ögonblicket var hon inte där.

54

Siri var tvungen att nypa sig själv i armen. Var detta verkligen Helsingfors?

Det kändes som Wien, eller Paris, eller kanske Sankt Petersburg. På dansgolvet svassade ryska officerare i prålig a uniformer. Omkring henne, vid de andra borden, hördes en mängd olika språk: svenska, tyska, franska, engelska, ryska. Och på scenen stod Robert Kajanus och dirigerade Helsingfors orkesterförening som vore han i Großer Musikvereinssaal i Wien.

Hon kastade en blick på Constance och Waldemar, som satt bredvid. Var det denna stad, detta land, som upplevts så provinsiell och så bakåtsträvande och så trist, att den fått familjen von Essen att överge allt – sin släkt, sina vänner, sitt hem?

Det var förstås inte förnuftsmässigt det som ilade genom Siris hjärna denna kväll i Societetshusets bankettsal. Familjens flytt hade förstås inte bara haft Helsingfors eventuella lantlighet som bevekelsegrund. Och även om staden förvisso vuxit och förändrats under de senaste åren stod förklaringen till hennes häpnad lika mycket att finna i den utveckling hon själv genomgått: Hon hade tagit in på "Socis" två dagar tidigare, som en firad aktris som skulle uppträda på den finska huvudstadens stora scen.

Tala om återkomst!

Siri hade varit arbetslös i nästan tolv månader när öppningen äntligen kom – ett engagemang, om än tillfälligt, vid Nya Teatern i Helsingfors. Hon skulle få spela huvudrollen i *Jane Eyre*, en roll hon kunde väl. Hon stod ännu stadigt på tiljorna! Och det var hennes gamla hemland som erbjudit henne denna bekräftelse. Hon kände sig tacksam, och djupt rörd.

Senare denna kväll promenerade hon, Constance och Waldemar tillsammans på Esplanaden, det stråk som förband hotellet med Nya Teatern. En lätt vind drog in från havet, en som luktade tång och fisk och barndom. Hon tittade upp mot trädkronorna. Ja, det var ljuvligt att vara här. Denna gång var det verkligen ljuvligt! De talade om gångna tider, och vad som hänt sedan sist. De talade om Carl, som äntligen hade fått gifta sig med Fiffi, efter alla dessa år. Och när de nådde fram till teatern och stod och tittade på den runda byggnaden i månskenet vände sig Constance mot henne och sa, alldeles lugnt:

"Jag beundrar dig, Gillan."

Kanske var det då, först då, som Siri fick den slutgiltiga bekräftelsen på att hon hade gjort rätt den gången, för sju år sedan, när hon övergav allt det som förväntats av henne. Märkligt, men så kändes det. Och då kunde hon inte hålla tillbaka tårarna.

Siri Strindberg gjorde succé i Helsingfors. Hennes Jane ansågs värdig, ståtlig, känslomässigt finstämd. Och dessa omdömen var följdriktiga. Siri hade under de år som gått sedan hon gjorde sin debut mognat, som människa och som aktris. Den tendens till överspändhet hon tidigare gett uttryck för, i sin personlighet och stundtals i sitt skådespel, var nu borta. Och den känslomässiga klang som fördjupas med ålder och erfarenhet – den inre ton som man till slut vågar låta stilla vibrera – den fanns där också på scenen.

Den finska publiken applåderade in henne, gång på gång, och recensenterna bjöd på idel beröm:

Fru Strindberg ådagalade i sitt förträffliga återgivande av Jane icke blott den höga intelligens och de gedigna studier, dem man på flera håll med beröm erkänt, utan tillika en sann konstnärlig-

het, den som allena förmår skapa en så livslevande gestalt, som denna karaktär blev genom henne. Till åtbörder och röst, till väsen och klädsel var hon alltigenom vad hon skulle vara, och om de medel hon därvid använde för mången tycktes nog enkla, så bevisar det blott i hur hög grad hon verkligen behärskade sin uppgift.

Så skrev Wilhelm Bolin i *Finsk tidskrift.* Och August skrev, han också. Oupphörligen. Från den stund hennes båt lämnat Skeppsbron. Han skrev till henne, långa utförliga epistlar. Om vad han gjorde – timme för timme – om hur flickorna mådde, om hur mycket han längtade, hur *vansinnigt* mycket han längtade.

*

Hon satt med Constance på Restaurang Kapellet. Som så många gånger i ungdomen.

Och kaffet smakade precis som det alltid smakat. Och hon tänkte att det är märkligt hur mycket och hur lite som förändras under ett långt liv.

"Jag tänker ibland att det är som en bok …", sa hon, "livet."

Constance log. "Med en *Herrans* massa kapitel …"

"Ja, verkligen. Och en berättelse som följer dramats alla regler …"

"… eller komedins!" Nu skrattade Constance.

"Ja …" Siri log lite och rörde om med skeden i kaffekoppen. "Men det konstigaste", sa hon, "är att upplösningen, den får vi aldrig veta i förväg."

Nu blev Constance tyst. Hon tog en klunk av kaffet.

"Hur har ni det, Gillan?"

Siri tittade upp, överraskad.

"Hur menar du?"

"Hur är det med August?"

"Med August …" Siri harklade sig. "Just nu är han besatt av Ibsen."

"Jaså?" Constance tittade på henne. "Vad säger han om Ibsen då?"

"Att han är en blåstrumpeprofet."

Nu blev väninnan verkligen tyst.

"Men det är inte så allvarligt", skyndade sig Siri att tillägga. "Du vet ju hur August är. Saker blossar upp och så går de över."

"Vad säger han om Dockhemmet då?"

Siri petade i kakan. "Vill du verkligen veta?"

"Ja, det vill jag."

"Han kallar Nora för hustyrann och förfalskerska. Och Helmer för 'den älskande, hederlige mannen'."

Constance stirrade på henne, förskräckt. Vilket var mer än hon stod ut med.

"Men det vet du väl! Idéerna kommer, och så blåser de bort, och så kommer det något nytt. Just nu har han fått Ibsen på hjärnan. Det går över."

"Har ni det bra?"

Nej, den frågan ville hon väl inte ha. Hon kastade en blick bort mot dörren.

"Har ni det bra, Siri?"

Siri tog ett djupt andetag.

"Jag har hittat in i hans själ, Constance." Fortfarande med blicken fäst vid dörren. "Jag kan navigera där. Han behöver mig, så fruktansvärt mycket. Och jag behöver honom. Vi har blivit som grenar på samma träd."

*

Andra veckan i maj blev breven från andra sidan Östersjön dagliga. Och allt mer påstridiga:

Om du också får, så tag icke engagemang i Finland. Du har
mycket bättre planerat här! Josephson och jag är goda vänner. Åt
middag hos honom igår med Norman, Lunkan, Pelle Janzon,
Holmqvist och Wetterhoff.

I Lördags hade jag kräftkalas hemma och flera talare hade
känslosträngar för dig som jag skulle framföra. Gurli Åberg,
Wennerström och Helga var värdinnor. Slutade kl. 4 på mor-
gonen.

Spela icke för många gånger i Finland Siri! Kom igen och
studera här och res sedan tillbaka en annan gång.

Farväl med dig. Lycka till!

Om Lördag reser vi troligen till Kymmendö.

Stuxbergs kommer dit och jag fasar för sommaren!

Din August

Och när han väl kommit ut till deras ö, Blomkorgen i Havets våg,
intensifierades brevskrivandet ytterligare. Han lovade henne vad som
helst, bara hon kom tillbaka snart. Han skulle sköta hushållet, han
skulle sköta kassaboken, hon skulle få styra och ställa, han skulle an-
passa sig. "Och har du något det minsta mot mitt förslag, så bara ett
ord, och jag ger med mig, utan resonemang. Låt din egoism råda!"

Siri svarade inte. Kanske var det för att hon var en dålig brevskri-
verska.

Men så, i mitten av maj, kom telegrammet. Levererat till hennes
rum på Socis. Siri öppnade det med darrande händer.

"August sjuk", stod det. "Kom hem, omedelbart!"

55

Det mörka vattnet förvandlades till vitt skum framför stäven. Det pulserande ljudet från ångmaskinerna hördes ända ut till däck, och ljuset från kommandobryggan reflekterades i röken som steg mot himlen. Klockan var säkert efter tio, för det hade hunnit bli beckmörkt ute. Ändå var det inte särskilt kallt, trots att det bara var maj. Siri drog sjalen tätare om sina axlar. Det lyste till bredvid henne, glöden från en cigarr. Axel Lundgren drog ett djupt bloss, det sista. Så släckte han cigarren mot räcket. Hon kände doften av hans andedräkt. Färsk rök, så bekant.

Vinden tog plötsligt tag i hennes hatt. Hon fick upp handen i sista ögonblicket.

"Oj då", utbrast hon och skrattade till. Mannen bredvid henne tog ett steg närmare, som för att skydda henne mot nästa vindpust.

"Det skulle vara mig en ära att få bjuda er på ett glas toddy", sa han, utan att titta på henne. "Varm toddy, mot kylan."

Nu vände hon sig mot honom. Hans ansikte var vänligt, och intelligent. Ingenjör hade han sagt att han var, vid Karlstads mekaniska verkstad. Ingenjör och disponent. Hon uppskattade att han var kanske fyrtio år gammal, förmodligen gift. Men det spelade ingen roll. Inte just nu. Inte någonsin.

"Tack", sa hon. "Tack, det skulle vara gott."

Så lämnade de däck och gick in i salongen. Där drack de ett glas toddy, eller två, eller tre.

Och sedan, en timme senare, eller kanske två, eller kanske tre, följde herr Lundgren, ingenjör och disponent vid AB Karlstads mekaniska verkstad, Siri in till hennes hytt.

Hon visste inte varför hon gjorde det. För att markera att hon fortfarande hade en egen vilja? För att hålla August ifrån sig, ännu en liten stund?

Eller helt enkelt bara för att hon fick lust, där, långt ute på havet mellan Finland och Sverige.

*

Han tittade glädjestrålande på henne och sträckte ut armarna.

Hon rättade till en slinga i det rufsiga håret. Hon hade ju knappt fått någon sömn på två dygn, hade rusat ut till ön, utan att stanna i Stockholm på vägen.

"Välkommen hem!" Han sträckte ut armarna ännu längre.

Hon tittade förvirrat på honom.

"Men August …"

"Välkommen till din ö, och till din familj!"

Och så gick det till slut upp för henne: han hade lurat henne.

"Karin, kom och hälsa på mamma!" Han ropade upp till övervåningen.

"Mamma, mamma!" Karin försökte springa nerför de höga trappstegen medan hon höll barnsköterskans hand. Hon rusade i sin mammas famn. Och från köket kom strax den lilla krypande.

"Hon har hjälpt mig med matlagningen! Se så frisk hon är, så pigg!" trallade August. "Hon återhämtade sig raskt i sommarvärmen."

Men Siri fick inte fram ett ord.

"Mamma, mamma, titta på kattungen!"

"August, jag …"

"Vad?"

"Du skrev att du var sjuk."

"Ja", han ryckte på axlarna. "Jag satt lite för länge på klipporna och drog på mig blåskatarr. Ett tag såg det riktigt illa ut. Men nu är det bra." Han skrattade till. "Med nyktert leverne och mycket luft!"

Hon stirrade på honom.

"Och jag har byggt en stuga invid stranden där jag sitter och skriver." Han ritade den i luften. "En fin liten låda, nästan som ett dass!"

Men August fick inte den respons han önskat. Och nu försvann leendet från hans ansikte.

"Är du inte glad över att vara hemma?"

"Jo. Men jag spelade teater i Finland."

"Men det gästspelet var ju över!"

"Det talades om mer …"

"Siri, du har mycket mer att hämta här! Jag har talat med Josephson."

Ja, hon var glad över att återse dem. Visst var hon det. Men hon hade velat välja tidpunkt själv. Och varför hade han varit tvungen att lura henne?

Kanske av samma skäl som hade fått henne att bedra honom. Kanske drog de inte längre åt riktigt samma håll. Kanske var det helt enkelt så.

"Nej, låt bli! Stanna!"

Han tittade upp på henne förvånat, förbluffat. Han hade små pärlor av svett i pannan, som hon anade trots att endast månskenet lyste upp hans ansikte.

"Man måste kunna njuta ordentligt", förklarade hon, eftersom hennes agerande ju tarvade en förklaring, och hon knappast kunde uppge den verkliga.

Hon såg att han blev förvirrad, en blandning av glädje och ett stänk av misstänksamhet. Men han stannade i henne.

*

Det knakar i tackel och hult. Solen gassar på det nyoljade träet. Det spända seglet brummar lätt i vinden.

Hon sitter i fören, mittemot den unge fiskaren. Den unge fiskaren med de nyputsade stövlarna.

August sitter vid rorkulten, med storskotet i den andra handen. Han visslar.

Små stänk av havsvatten skvätter upp på henne när fören trycker sig genom en våg. Hon ruskar på huvudet, och lutar sig bakåt, mot relingen. Hon låter blicken glida ut över havet. Gjusböte och Horsholmarna sticker upp ur det blågröna vattnet. Och Lunsen, och långt borta Ormskär.

Det blänker till i de nyputsade stövlarna.

"Säg, hur mycket kostar sådana där stövlar?" Frågar hon.

"Jag vet inte, jag har fått dem från min far. I födelsedagspresent." Svarar den unge fiskaren.

"De är fina", säger hon. "Mycket fina." Och blir åter tyst.

Men strax känner hon att något har förändrats.

Så vet hon: August har slutat vissla. Hon tittar bort mot honom. Han stirrar på henne.

"Siri", säger han, och rösten låter torr. "Du vet ju hur man seglar. Ska vi byta plats?"

*

"Hon är inte min dotter, erkänn!" Han står framför henne, hans ögon blixtrar.

"Vad menar du …?" Rösten låter alldeles för ynklig.

"Vad jag menar? Vad jag menar är att Greta inte är min dotter! Utan dotter till någon horbock eller fiskardjävel eller … nej, jag vet!

Någon djävla stroppig fjollaktör på Dramaten!" Han pekar med ett hårt finger mot henne. "Personne! Jag känner den horbocken!"

Hon sätter sig, plötsligt matt.

"Vet du hur jag vet?" Han låter triumferande där han står rakt över henne. "Hon är född den 9 juni! Och den 7 september var du på fest på Dramaten. Och kom hem mitt i natten! Trodde du inte jag kunde räkna, va!?"

Hon är tyst.

"Trodde du att du skulle lura mig? Rikets briljantaste man!" Hans röst har gått upp i falsett.

Hon tittar upp på honom. "Du har räknat fel, August." Hennes röst är märkligt behärskad. "Vi avlade Greta i mitt sovrum i slutet av september."

Men det var som om hennes lugn retade upp honom ytterligare. Han var plötsligt blek, eller som en ångmaskin där all energi tryckts ihop på en punkt. Plötsligt insåg hon att hon var rädd för honom.

"Snälla August", sa hon.

"Var du klipsk nu, va?" vrålade han. "Inte för att man skulle tro att hon var *ditt* barn! Vilken mor lämnar ett barn, som just svävat mellan liv och död, för att stå och fjanta sig på scenen!"

"Du går för långt, August."

"Jaså?" Han höjde ögonbrynen. "Jaså, det säger du?" Elakt. "En liten lunginflammation, det är väl inget att bry sig om när de finska premiäraktörerna lockar."

"August, jag vill att du slutar nu!" Hon hade rest sig. Hennes röst var fast och bestämd. "När du talar så här fruktar jag för ditt förstånd."

Äntligen fick hon tyst på honom. Hon hade träffat honom i mellangärdet. Det syntes.

"Du använder min syster emot mig …" Hans röst darrade.

"Nej, August, det gör jag inte. Jag tänkte inte ens på Elisabeth. Jag vill bara inte att du spinner iväg så."

"Jo, det gör du …"

"August." Nu tog hon några steg framåt så att hon stod alldeles framför honom. Och de var nästan precis lika långa och hon tittade rakt in i hans ansikte. "Jag lovar dig, *lovar* dig, att Greta är ditt barn."

Och då anade hon äntligen tårarna i hans ögon.

*

Hon satt vid det vita trädgårdsbordet, framför det röda huset, omgärdat av de rosa blommorna. En svag vind blåste genom hennes hår. Hon lade en hårslinga bakom ena örat.

Flickan räckte henne ett rött bär. Siri trädde det på strået. Så ännu ett, och ännu ett. Den lilla flickan studerade fascinerat hennes händer – speciellt när hon lyckades pricka det mjuka vita området av bäret och sedan genomborra det.

Så bad flickan att få göra själv. Och de små, små fingrarna tog det röda bäret, försiktigt, så att det inte skulle krossas. Och med den andra handen höll hon i strået. Och så trädde hon med darrande fingrar det lilla bäret på det gröna strået, utan att något gick sönder.

*

Han hade inte kunnat arbeta när hon var i Finland. Men nu var tydligen ordningen återställd. För han skrev frenetiskt där ute i skjulet, det han låtit bygga längst ute på klippan. Han tog sig inte ens tid att komma tillbaka till huset för att äta. Måltiderna fick levereras till klippan.

"De kan få skjuta ner mig som en spelande orre", skojade han, "jag svarar inte ett ljud!"

Han skrev på två alster. Det ena var en pjäs om äktenskapets helgd. Den skrev han för Siri.

Det andra var den elakaste bok som någonsin skrivits på svenska språket. Den skrev han för sig själv.

Han nästan skuttade iväg till den lilla stugan på morgnarna, längtade efter pappret, som han sa. Längtade efter att få häva ur sig alla sina tankar, de som tryckts ihop i hans hjärna under natten. Och hon förstod att det var tankarna på hur de skulle reagera – "kungafjäskarna, litteraturfiskalerna, börskrämarna" – som fick honom att fröjda sig så. De som otvivelaktigt skulle komma att känna igen sig själva i de delikata porträtt han satt och tecknade hela dagarna i sitt lilla skjul vid havet.

Om aftonen drack han ibland toddy med fiskarna, och passade då på tillfälle att göda deras, och sitt eget, hat mot kungahuset och institutionerna. Och så fick han inspiration till nästa dags arbete.

"Mina frön faller som i en väl gödslad lerjord", skrattade han.

Det nya riket. Skildringar från attentatens och jubelfesternas tidevarv, kallade August boken. Han lät henne läsa flera avsnitt. Han lade dem framför henne på matsalsbordet på kvällarna.

De var karaktärsmord. Och självmord. Hennes make var, i all sin fröjd, på väg att begå litterärt självmord.

Hon försökte tala honom till rätta.

"Jag förstår inte behovet av vedergällning."

"Hämnden är en sund känsla", sa han. "Att ge hugg för hugg är det enda som biter på den onde!"

"'Den onde' … Men August … Hämnden är ju meningslös. Ett ont blir aldrig bättre av att man lägger ett nytt ont till det gamla."

"'Du ska skriva med kärlek om oss när vi piskar dig, du ska vända ryggen till när vi kommer med käppen!'" Han låtsades härma henne.

"Hämnden är ovärdig en civiliserad människa", sa hon.

Men nu tappade han till slut tålamodet med henne.

"Titta på fiskarna här ute! Bara titta! De skrattar så de gråter när de hör mig läsa ur boken. Jag berättar ju sanningen. Någon måste berätta den!"

Plötsligt stannade han upp. Och han stirrade på henne, som om han fått en plötslig insikt.

"Du är med mina fiender …", viskade han. "Du har tagit deras parti."

"Nej, jag är på din sida. Och jag är rädd för vad de kommer att göra mot dig."

Han snörpte på munnen. "Tack för din omtanke. Den behövs inte."

Men en kväll gav han henne sin försoningsgåva. *Herr Bengts hustru*.

Det var väl en sista skänk, ett sparat ögonblick från utfästelsernas tid, ett halvt decennium tidigare: "Jag skall hämnas alla dina oförrätter, jag skall föra er kvinnors talan. Tro på mig!"

Han skulle infria sitt löfte. För att inte längre stå i skuld. Och för att han fortfarande, när han förmådde, ville henne väl.

56

1892

"Barn! Barn!"

Karin lade ifrån sig dockan och tittade upp mot den stängda barn-kammardörren. Den bekanta rösten lät konstig.

"Barn! Barn, här kommer Tantis med presenter!"

Dörren var inte låst, bara stängd. Men ingen rörde handtaget. Det hördes bara ett svagt krafsande, som om någon lade sin hand, eller sin kropp, mot dörren. Och så Tantis röst. Den lät så besynnerlig.

Karin tittade på sina syskon, de hade också släppt vad de hade för händer.

"Kycklingar små …"

"Jinka, kom med mig. Nu!" Det var Siris stämma.

"Men jag vill bara ge de … de älskliga barnen … de vill väl ha sina presenter?" Karin kände sig illa till mods. För Tantis sluddrade när hon talade.

"Inte nu, Jinka! Sedan! Kom med mig här!"

"Men Hønemor, vänta… Jag vill bara ge … älskliga barnen …"

Nu rörde det sig igen på andra sidan dörren, och så stapplande steg bort. Siris röst hördes från andra änden av korridoren. De tycktes gå tillsammans mot Maries rum. Dörren slog igen.

Mot eftermiddagen såg Karin Siri bära ut en korg full med tomma buteljer till gården.

Och till kvällsvarden kom Marie in till köket. Hon var mycket röd i ansiktet och såg trött ut. Men annars föreföll hon åter vara sitt gamla jag.

Och på var och en av barnens tallrikar stod nu en liten porslinsdocka, en present från Tantis resa, "en negerdocka med riktigt krullhår", som hon sa.

*

De bodde på Södermalm, för att barnen skulle hinna examineras i en riktig skola innan vårterminens slut. De hade inrättat sig där på samma sätt som de gjorde på Lemshaga: flickorna i det stora rummet mot gatan; Siri och Putte i det mindre rummet, med dörren öppen emellan; den nya hushållerskan – en kvinna vid namn Anna – i köket; Marie i andra änden av tamburen, i ett rum som vette mot gården. Hon försörjde dem igen. I december hade Siri drabbats av influensan och efteråt var hon förlamande trött. Marie handlade, och hon förklarade att hon "handlade åt sig själv". Siri orkade inte ens protestera. Hon hade inget val.

Den hade varit olidlig, den långa väntan på januaritinget. Och nu, när det äntligen närmade sig, satt Marie mest på sitt rum, till synes dyster, och rökte.

Men strax före rättegången gjorde hon en kortare resa, till Köpenhamn. När hon kom tillbaka hade hon med sig två små dockor med krulligt hår.

En vecka senare skrev Siri ett brev, till en fröken Sofie Nielsen, läkare i Köpenhamn:

Stockholm, den 20 januari 1892

Högtärade Fröken S. Nielsen,
Det var ett förfärligt sorgligt meddelande Ni hade att göra mig.
Maria David hade dock så säkert lovat mig att ta sig till vara

*och jag trodde mig även kunna lita på henne, då jag haft henne
så länge (ett helt år) om händer. Men olyckligtvis var hon nu
överlämnad åt sig själv. Kanske har den stränga regim varunder
hon hos mig varit tvungen att böja sig orsakat att frestelsen allt
för starkt kommit över henne då hon var på fri hand. Jag vet
naturligtvis ej om mitt behandlingssätt varit det rätta – jag är
ju inte läkare – utan har blott handlat enligt min övertygelse.*

*Dock har Maria själv varit belåten med att stå under min
ledning. Den tid vi varit tillsammans har hon varit mycket
snäll och foglig. Går aldrig ut utan mitt tillstånd, förtär i var-
dagslag endast en halv butelj porter (1 glas f.m. 1 d:o e.m.)
samt till sin mat och för övrigt att släcka törsten en lätt, nästan
alkoholfri dryck som här kallas isdricka. Fröken Andersen har
under sitt vistande häruppe smakat därpå. Tyvärr kan jag som
är sjuklig ej alltid gå ut, men neka Maria frisk luft kan och
bör jag ju ej heller. Det är vid sådana tillfällen, ehuru Gud
vare lov med långa mellanskov, olyckan varit framme i det
att hon då ibland ej kunnat motstå frestelsen utan köpt hem
något starkt. Men som jag noga studerat Maria kan jag också
genast se på henne så snart hon förtärt något olovligt, och då
är jag strax inne och gör min visitation och tar ifrån henne
den ödesdigra drycken. Det var en överenskommelse emellan
oss att hon skulle underkasta sig detta – och mig lyder hon. Ni
ser således, goda Fröken, att hon Gud vare tack ej lider av en
så hemsk sjukdom som kronisk alkoholism, och att lägga henne
på ett hospital vore att fullkomligt förstöra hennes rykte, och
jag fruktar dessutom att det i stället skulle förstöra henne helt
och hållet. Då jag varit så länge tillsammans med Maria, tror
jag mig kunna döma i denna sak, samt mena att hennes sjuk-
dom, om det så skall kallas, ej är kronisk utan endast består i
akuta svaghetsanfall. Ty Maria har levt i veckotal i rad utan
att förtära mera alkohol än den dagliga kvantitet jag ovan*

anfört – och hon har befunnit sig förträffligt därav.

Jag skulle anse det som en helig plikt att fortfarande vaka över Maria, som varit så god mot mig, men tyvärr är min hälsa så medtagen av alla sorger och lidanden jag genomgått, att jag fruktar att mina kroppsliga krafter ej räcker till för detta ansvarsfulla värv.

Därför hade vi redan innan Marias resa till Köpenhamn kommit överens om, att hon skulle fara över till Doktor Taghs och stanna där så länge det vore behövligt. Det är snälla, vänliga människor och hon får där ett gott hem. Och hon har lovat att underkasta sig hans vilja så som hon underkastat sig min. Därför hyser jag nu de bästa förhoppningar, ehuru det innerligt kostar på mig att vara så långt från min snälla, avhållna Maria.

Med mycken tack för Ert dystra men välmenta brev avslutar jag nu detta, och då Ni tyckes hysa intresse för Maria, känner jag mig glad att åtminstone kunna meddela, att faran Gud vare lov, ej på långt när är så stor som Ni antager.

Jag har med flit ej besvarat Ert brev förrän idag, emedan jag ville se, hur dessa dagar skulle gestalta sig, och kan säga att Maria varit frisk till kropp och själ och fullt normal i alla avseenden.

Er
Siri Strindberg

*

August bodde nu i Djursholm, i en villa på Götavägen som han hyrde av en blomsterhandlare Sachs. Till hjälp i hushållet hade han Eva Carlsson. I husen runtomkring fanns gott om intressanta människor, som alls inte hade något emot att bjuda in en känd författare till samkväm.

Så August hade sällskap. Men sådant kan ibland förhöja en människas känsla av ensamhet.

Han bad vännen Gustaf af Geijerstam att skriva ett brev, ett brev till hans hustru, där det stod att om hon bara flyttade ut med barnen till Djursholm så skulle de få bo i en femrumsvilla, och därutöver få 800 kronor av August, och sedan 100 kronor varje månad.

Framgången uteblev förstås. Och snart kunde de som eventuellt besökte August i hans hem på Götavägen se en lapp som hade klistrats upp på hallspegeln.

Du rev mitt hus,
du tog min kvinna, mina vänner och mina ägodelar, det förlåter jag!
Men du tog mina barn också,
och det förlåter jag dig aldrig,
svinhund!
Bits reptil! Blod på tand!
Drag till på knutarna
och snör min strupe
när jag ropar nåd!
Nåd Apollo! Icke för mig,
kvinnohävdaren, tempelskändaren,
icke för mig, Trojavännen,
grekhataren,
men nåd, Apollo,
för mina barn;
mina älskade barn!
Glöm mitt övermod, mitt överord,
glöm att jag förhävde mig,
att jag gladdes i glädjen,
levde det ljuva livet,
bytte ditt kalla tempel mot mitt varma hem.
Att jag som ugglan
fann mina ungar
vara de vackraste!

Glöm, att det icke var mig tillfyllest
vara Apolloprästen, orakelsvararen,
utan även gudadjuret människa.
Glöm!

57

1882

Hon stod till höger, han till vänster. Han tog hennes hand i sin och så bugade de, samtidigt.

Snett bakom dem stod Josephson och grinade stort. Nackhåret, det enda huvudhår han hade, föll långt ner på skjortkragen. Den nakna skallen blänkte i ljusskenet från scenlamporna. August sträckte ut handen mot teaterdirektören. Nu kom han fram, och så stod de där alla tre och bugade.

Det var hennes största ögonblick på en scen. Det skedde den 25 november 1882 inför ettusentvåhundratrettio personer på Nya Teatern. August hade skrivit skådespelet, *Herr Bengts hustru.* För henne.

När applåderna tystnat, och pratet i vimlet, och när champagnen gjort sitt, och laxen med dill och färska pressgurkor fyllt deras magar, stod de på Blasieholmstorget, rådvilla.

"Hem till oss!" sa hon. "På nattsexa!"

Josephson skakade på huvudet.

"Jag är en gammal man. En gammal man som behöver sin nattsömn." Han tog hennes hand. "Men tack för i kväll, Siri. I kväll hände det. Från och med nu finns det inga fler farliga vallgravar, ingen förfärlig skärseld. Din väg är rak och bred och utstakad."

"Visst går vi med dig, Siri!" sköt Pelle Janzon in. "Eller hur, Frithiof?"

"Om maken inte har något emot det?" Den trinde Kjellberg vände sig till August.

Men August verkade inte höra.

"Hem till oss då?" sa Siri än en gång.

August tycktes plötsligt återkallad till verkligheten. Han log mot henne, nickade.

Och hon tog honom under armen.

Sedan, resten av natten, firade de. Sillen kom fram, med nubben. Och till och med Augusts gitarr. Han sjöng, för att en stund senare tystna. Men det märkte hon inte.

Siri fick strålande recensioner. Inte August.

Man ansåg att hans nya pjäs var underlägsen både *Mäster Olof* och *Gillets hemlighet*.

Kanske var man missunnsam. Kanske var man irriterad och väntade bara på tillfälle att uttrycka detta. Den 7 december, samma dag som pjäsen framfördes för sista gången, öppnades nämligen dammluckorna. Det var inte August som öppnade dem. Det var Hugo Nisbeth ("Agathon Hund"), och Carl David af Wirsén ("W.C.D."), och Christoffer Eichhorn ("Ballhorn"), och professor Cederschjöld ("direktören"). Eller så var det de celebra herrarnas tillskyndare, de som av någon anledning hållit tyst i mer än två månader, sedan *Det nya riket* kom ut. Förmodligen för att de var chockade.

*

Hela det svenska etablissemanget blir honom vidrigt. Hela den intorkade, lismande, förvridet återhållna mentaliteten väcker hans vämjelse. Alla som yrkesmässigt befattar sig med det skrivna ordet framkallar hans äckel.

Han bestämmer sig för att sälja alla deras möbler och tavlor och böcker, och flytta ut på landet och bli bonde.

En dag senare har han glömt allt och åker till Vaxholm för att festa.

Ytterligare två dagar senare upptäcker Siri en liten flaska cyankalium i sitt juvelskrin.

"Du mördar mig!" säger han till henne som förklaring, medan han ligger på soffan med en blöt duk på pannan. "Du mördar mig! Men jag förlåter dig."

Hon går med flaskan till apoteket. Och när hon kommer hem sent på natten, efter en bjudning med skådespelarvänner, sitter han framför hennes dörr. Han kallar henne för hora.

Då skriker hon på honom och förbannar honom och gråter. Och går in på sitt rum och slänger igen dörren bakom sig.

"Hynda!" skriker han då genom dörren. "Du är en hynda som mördar både sin make och sina oäkta barn!"

Nästa dag ber han henne om ursäkt, på sina bara knän, förtvivlad över vad han sagt. Till slut, efter två dagar, förlåter hon honom. Men han är inte färdig.

Han håller upp brevet framför henne. Hon plirar på det.

"Det är doktorns ordination", säger han. "Och jag måste följa den."

"Men … men …", stammar hon. "Sådant kan väl inte en doktor ordinera."

"Du säger ju själv att man alltid måste följa doktorns instruktioner", svarar han.

"Men jag vill inte lämna mitt land!"

"Ditt land!?" utbrister han hånfullt. "Det är Finland! Och jag förstår inte riktigt vad du skulle kunna sakna i Sverige, där du varken har släktingar eller vänner. Eller", tillägger han, "för den delen en teater."

"Jag vill inte!"

"Och varför det?"

Hon tittar på honom. Och så säger hon:

"Därför att du gör mig rädd. Jag vill inte vara ensam med dig."

Nu skrattar han rått.

"Ett lamm som du för i ledband skulle göra dig rädd?"

Hon nickar tyst.

Han byter taktik. Han blir varm och kärleksfull och god mot henne. Han låter henne gå ut på kvällarna, umgås med sina vänner, medan han tar hand om barnen. Han gör hennes frukost.

Men han insisterar på att resa. Han framhärdar i att doktorn – deras gemensamma doktor – bestämt att han måste få komma utomlands för att kurera sina klena nerver. Och att han måste förbli i sin familjs sköte.

Till slut lovar han henne att vad som än händer – *vad som än händer!* – kommer de att vara borta från Sverige i högst ett år.

Hans vilja är starkare än hennes. Hans kraft, i all sin bräcklighet, större. Hon är hustru och mor, och året är 1883. Hon har redan en gång i sitt unga liv lämnat make och barn. Och sedan fyra veckor tillbaka vet hon att hon åter är gravid.

Hon dövar sin rädsla med hans löfte: högst ett år. Kanske, tänker hon, ska det verkligen hjälpa? Kanske blir hans nerver lugnare om han kommer bort från de ilskna hundarna i Akademien, om han får nya intryck, nya vänner? Ja, kanske kunde hon till och med själv se fram emot ett luftombyte, några månader på kontinenten.

Och sedan, när barnet har fötts, kan de återvända hem, och både hon och han kan återuppta sina karriärer. Från ett betydligt bättre utgångsläge än nu.

För inte, tänker hon, kan väl han – som ändock blivit ett så stort litterärt namn i Sverige – vara villig att offra detta? Inte kan väl han, som älskar uppmärksamheten, göra ett livslångt avkall på denna?

I vetskapen om hans gränslösa ambitioner finner hon tillförsikt.

Och August har lugnat henne genom att boka Bergs stuga för ytterligare fem säsonger, à 150 kronor.

I slutet av sommaren – den sista på Kymmendö – tar hon den gamla hunden, den i vars päls hennes förstfödda en gång burrade in sitt ansikte, med sig till stan. Hon kommer tillbaka med Mutte invirad i en pläd. Han begravs på deras ö, i en kista, av två unga fiskare.

August står på avstånd och tittar på.

Och så, den 12 september 1883, lämnar en droska Storgatan 11, med fyra stora koffertar, två barn och tre vuxna – man har i sista stund fått med sig Eva Carlsson. All packning och magasinering inför avfärden har ombesörjts av Siri, eftersom Augusts nerver är i olag. Han har legat till sängs en vecka, han har stigit upp först dagen innan.

Efter tjugo minuters färd på regniga Stockholmsgator anländer ekipaget till Centralstationen. De ska ta morgontåget, med destination Paris.

Ett år, högst ett år. Det har August lovat Siri. Det har Siri lovat Eva.

En gång, sju år tidigare, hade han överlämnat ett brev till henne, vid en annan tågstation:

> O, jag lever nu igen, ty jag har någon att leva för. Det var detta jag behövde, jag kan inte leva endast för mig själv! Jag skall hämnas alla dina oförrätter, jag skall föra er kvinnors talan. Tro på mig! Så länge du är ensam, övergiven, förbisedd, skall jag älska dig så högt någon kvinna kan fordra.

Men sedan då? Sedan, när hon inte längre är ensam och övergiven och förbisedd?

58

Tåget gled ut från Stockholms Centralstation.

Hon såg de bekanta fasaderna, den stilla vattenspegeln, de upp-radade skutorna som gjordes redo för dagens fångst, gatorna fulla av stockholmare, på väg i sin vardag.

Men hösten var redan här, och på kontinenten var det ännu varmt.

"Ett år", mumlade hon för sig själv när de gled in i tunneln vid Södermalm. "Ett år blir bra."

Flickorna stojade kring henne, hon lade handen på sin mage. Så tittade hon bort mot August. Han hade fått tillbaka sitt ystra ansikts-uttryck. Så fort …

"Mamsen och pappsen och flickorna små, Eva också, roligt ska få …"

Nu sjöng han!

"Bort till Parisarn hågen nu stå, bort från det kalla, bort från det grå …"

Hon tittade ut genom fönstret på den svarta bergväggen.

"… ingen kan ana hur bra man kan må, när …" Han avbröt sig mitt i en rad.

"Siri, ska du inte vara med och leka?"

Hon vände sig mot honom, tittade på honom. Så såg hon Karins förväntansfulla ansikte.

"Visst", sa hon tyst. "Visst ska vi leka."

Malmö, Stralsund, Lübeck – ju grinigare barnen blev av den långa resan, ju tröttare Siri och Eva, desto muntrare föreföll August. I Hamburg blev han rent av sprallig. "Vilken uppfinning!" utbrast han efter ett toalettbesök. "Jag träckade i något som liknade en soppskål, och när jag tittade mig om var där ingenting att se, trots att jag kunnat svära på att jag nedlagt ett par meter!" Han skrattade uppsluppet. "Det var ett fullständigt trolleri!"

August hade verkligen, i all sin bräcklighet, en otrolig förmåga att reparera sig själv.

*

De sov på hotell i Hamburg.

Han ville älska med henne, sent på natten.

"Du är ju i grossess, Siri. Nu är det ju ingen fara!"

Hon tog hans hand bakom sin rygg. Men hon vände sig inte om.

De kalla fingrarna låg kvar i hennes, ett par minuter. Hon kände hans tveksamhet. Så tog han dem tillbaka, ur hennes grepp. Och medan ljuset från gatlyktan utanför strilade in mellan gardinerna, medan skuggan från sängen och de två människorna däri skönjdes på väggen mittemot, hörde hon hur han till slut vände sig bort från henne. Strax därpå de tunga andetagen. Och äntligen kunde hon domna bort.

59

Det var en kylig septembermorgon när de anlände till Gare du Nord. Tre vuxna nordbor, två barn, och bagage för en livstid. De steg av tåget med alla väskor. Men bara för att inta en snabb frukost och söka upp ett annat spår. För det var faktiskt inte mot den franska huvudstaden August hade haft siktet inställt.

"Calle Larsson, farbrorn med teckningarna, du vet", sa han till Karin med sin ljusa röst, som alltid blev extra ljus när han talade till sin dotter. "Vi ska träffa honom snart!"

Snart befann de sig åter ute på landsbygden, i en tågvagn med mörkbruna träbänkar. De dunkade fram på hård räls. Men vädret hade slagit om, molnen hade skingrats, och värmen trängde redan igenom vagnens rutor. Karin tryckte näsan mot glaset och betraktade den kavalkad av franska kor som for förbi hennes blick. Flickan, som aldrig tidigare varit långt från hemmet, tyckte helt tydligt om att resa.

När tåget gled in på den lilla stationen i Bourron-Marlotte, en av de många trötta landsortshålor de passerat förbi, stod solen högt på himlen. Utanför syntes ett gammalt stationshus i sten, en sådan där byggnad där den grå putsen på sina ställen pittoreskt fallit bort för att blotta de underliggande tegelstenarna. Stinsen var en orakad man som föreföll ha levt och utvecklats och förfallit med sitt gamla hus och med de ständigt förbirullande vagnarna, på väg någon annanstans i världen. Han gastade på någon inne i huset, en man i skärmmössa som strax kom ut och hastade mot deras tåg. På perrongen vimlade det av franska bönder, med korgar och kycklingar och vagnar lastade med grönsaker.

"Vi är framme!" utropade August. Pigg som en mört som fått återvända till de stora vattnen slet han tag i den största kofferten och släpade ut den på egen hand. De andra fick stadsbudet ta hand om.

"Åh Calle, Calle …", joddlade han där han stod på perrongen. "Vart har du fört oss?" Nu skrattade han. Han som nästan aldrig skrattade.

Den sista biten på den långa färden från Stockholm till slutdestinationen fick det strindbergska bagaget färdas tillsammans med Eva och barnen i en vagn framförd av ett gammalt sto.

August ville promenera, arm i arm med Siri.

Calle hade nämligen skrivit att byn dit de skulle var som en dikt. Och en dikt skulle man inmundiga långsamt, ord för ord, strof för strof. Han kunde inte sluta vissla där de gick på den dammiga landsvägen, ömsom omgivna av klippta och putsade träd, ömsom av sädesfält, där skörden pågick som bäst.

"Så violett allting är här", mumlade han. "Så förunderligt violett."

Till slut såg de byn i fjärran. Siri plirade med ögonen. För vad som syntes där framme gav henne näppeligen förnimmelser av vare sig dikt eller paradis. Ett fort, tänkte hon. Inga fönster, endast vita murar, husmurar, murmurar, markeringar av enhet, slutenhet, tystnad.

Hon rös.

"Så ödsligt det ser ut, August …"

"Byn är blind", skrattade han.

Så såg de en bonde som kom gående emot dem på vägen, bortifrån den vita hus- och murmassan. Han hade en stor slokhatt och bylsiga grå byxor. Över axeln bar han en ränsel. Är det dessa människor vi ska leva bland? hann hon tänka innan bonden plötsligt ryckte av sig hatten.

"Var hälsade, sköna svenskar!" ropade han och slängde ut med armen.

"Men det är ju Calle!" utbrast August. "Calle, din lurendrejare."
Och så började han springa.

August kastade sig om halsen på Calle Larsson. Siri hörde inte vad
de sa, bara att de pratade i munnen på varandra. Och så låtsasboxade
de varandra i magen.

"Siri!" August hade vänt sig mot henne. "Titta på Calle. Sådana
kommer vi att bli snart!"

Det fanns två hotell i byn, Chez Laurent och Hôtel Chevillon. Calle
föreslog det förra, för där bodde han och hans nya fru.

"Och massor av andra roliga människor!"

Men åsynen av den by de färdats så långt för att göra till sin tillfäl-
liga hemvist fick henne knappast att jubla inombords, inte ens på
nära håll. De små stenhusen med sina smala träportar kallade inte
på henne, inte heller de tysta gatorna. Och den sömnige prästen som
kom vandrande nerför huvudgatan i ensamhet förstärkte bara det
slutna och ensliga intrycket.

Nu kom de fram till hotellet.

"Voilà!" utbrast Calle.

Chez Laurent hade en gång varit ett kloster, och det syntes. Muren
som vette mot gatan tycktes säga: "Hit men inte längre." De trånga
trädörrarna syntes varna presumtiva besökare att endast beträda ägor-
na om de var beredda att anträda den smala vägen.

Men så öppnades en av de smala portarna och livet därinnanför
kunde plötsligt förnimmas. Hon såg den prunkande trädgården på
andra sidan det tysta fortet, och sluttningen ner mot den sävliga flo-
den, och den gamla stenbron, och pilträden som lutade sig över vatt-
net, och hon kände doften av rosorna, och fick syn på blå druvor på
gröna spaljéer, och guldgula päron som dinglade i träden, och eldröda
tomater och rader av kronärtskockor och blomkål och andra prakt-
fulla grönsaker. Det var då som hon förstod att hon faktiskt verkligen
kommit till Edens lustgård. Ibland i livet är det ju faktiskt så: något

slår plötsligt emot en, erövrar omedelbart alla ens sinnen, och förändrar på mindre än en sekund ens sinnelag.

Från det ögonblicket älskade Siri Grez. Hon skulle alltid älska Grez.

August hade omedelbart sprungit in på Calles rum och bytt om till badkläder. Sedan hade han rusat ner till floden, ställt sig på bryggan, och hoppat i med huvudet före. Han skrek högt när det kalla vattnet slog emot hans varma hud.

"Siri, Siri, du måste pröva!" Hans huvud hade dykt upp ur det mörka vattnet. Hårmanen låg slickad utmed panna, öron och nacke. Huvudet var inte så stort när allt kom omkring.

Hon log och skakade på huvudet. Och medan barnsköterskan gick ner till flodbanken med de två små, medan August åter tog sig upp på bryggan och lade sig att torka, satte sig Siri i en vit trädgårdsfåtölj och tog in landskapet. På den andra flodstranden betade kor på vidsträckta ängar, kantade med hagtornshäckar. Hon skulle komma att trivas här, det trodde hon faktiskt. Nej, det visste hon, med den visshet som drabbar den plötsligt förälskade. Här skulle hon kunna föda sitt barn, och leva, tills det blev dags att återvända till det vana. Tills det blev dags att fortsätta det utstakade livet. Här skulle hon gärna stiga av ett tag och vila.

Hon tittade på honom där han låg i sin randiga simskoledräkt på den långa bryggan nere vid floden. Och inom sig förnam hon åter – som en familjemedlem som just återkommit från en lång resa – den bekanta värmen.

Tjugofem meter ifrån Siri, i andra änden av trädgården, satt en annan kvinna, kanske tio år yngre än hon själv, i en likadan trädgårdsfåtölj. Kvinnan lutade sig bakåt och blundade, som om hon solade sig eller kanske insöp miljön för sin inre blick. Hon bar en vit klänning, och det raka, mörka håret var uppsatt i en knut. Siri hann registrera att kvinnan hade en rolig uppnäsa, innan hon plötsligt öppnade ögonen.

Hon log och nickade vänligt. Siri nickade tillbaka. Så gjorde de båda en ansats att resa sig. Siri hann före. Hon gick över, sträckte fram en hand och hälsade:

"Siri Strindberg. *Je suis suédoise.*"

"Välkommen!" svarade kvinnan på svenska och tog Siris hand. "Karin Bergöö – förlåt! – Larsson!"

"Men!" utbrast Siri. "Så ni är alltså Calles nya fru. Så roligt att träffas!"

Karin log och pekade på den tomma träsoffan bredvid sig.

"Vilken fantastisk värld här innanför murarna", sa Siri medan hon satte sig. Det hade bara tagit henne ett ögonblick att uppfatta att Calles unga fru var en blyg kvinna, som knappast skulle föra konversationen.

"Ja, Grez är en pärla innesluten i en mussla", svarade Karin. "Men Calle fick mig snart att älska den."

"Ja, det förstår jag. Det påminner om … jag vet inte vad … men något …"

"Landet omkring Varberg."

Siri skrattade.

"Kanske det …"

Men nu hade den unga kvinnan åter vänt blicken ut mot floden. Siri sneglade på henne. Karin hade en vacker profil, som inte på något sätt fördärvades av uppnäsan – eller potatisnäsan, som Calle hade kallat den i ett brev. Tvärtom, hennes ansikte hade karaktär. Ögonen var intelligenta, tänkande. Och Siri tyckte om hennes tystnad. Den var inbjudande, inte avvisande. Som om hon hade en stillhet inom sig som inte krävde någon konversation. Det var ändå besynnerligt, hur motstridiga karaktärsdrag kunde samsas inom en och samma människa. För Siri visste att Calles hustru var en mycket målmedveten kvinna. Hon hade tidigt övertalat sina föräldrar att låta henne studera till konstnär. Och sedan gått från Slöjdskolan i Stockholm till Konstakademiens Qvinliga Afdelning och vidare till Colarossis målarskola i Paris. Nu var Karin tydligen hos den berömde Alfred Stevens. Siri kunde nästan känna ett sting av avundsjuka. Den unga kvinnan hade inte tvingats gå några omvägar via äktenskap och borgerlig konvenans. Tänk vilken skillnad tio år kunde göra …

"Jag är ledsen att vi inte kunde närvara vid ert bröllop."

Karin vände sig mot henne. "Men ni hade ju giltigt förfall, fru Strindberg!"

"Siri."

"Siri … Jag hoppas er dotter mår bättre nu."

"Ja, nu är hon frisk som en nötkärna! Det var bara en tillfällig feber."

"Så bra. Calle talar så mycket om er, och era fina barn." Karin lutade sig åter bakåt i träsoffan.

Siri tittade sig omkring i den tysta trädgården.

"Var är alla gästerna?"

"Ute och målar, eller skriver, eller vilar", svarade Karin.

"Men var?"

"På någon äng, i en båt på floden, eller …" Hon tittade ut mot floden, som om hon sökte efter något. "Calle brukar arbeta nära vattnet."

"Och när det regnar?"

"Då får vi måla i biljardsalen. Då brukar Calle knota, men jag tycker att det duger fint, det finns stora fönster där. Sedan, efter arbetsdagens slut, samlas vi alla till kvällsmålet – de som bor hos Laurents här, Chevillons gäster hos sig. Men till avecen förenas ofta alla på ett av hotellen. Och därefter släpper vi sällan taget om varandra förrän framåt midnatt."

Siri log. "Jag tror att jag kommer att tycka om den här tysta lilla hålan!"

"Helt visst", svarade Karin. "Calle har bott här i mer än ett år."

Hon måtte verkligen älska sin Calle. Hon hade nämnt hans namn i nästan varje mening. Det var som om hon inspirerades att tala inför möjligheten att få uttala ordet "Calle".

Men så var det väl när man var nygift.

Karin och Calle bodde i hotellets finaste rum, No. 1, förmodligen för att Calle bott i byn så länge. De skulle snart flytta ut, till en stuga i Hôtel Chevillons trädgård. Vid förfrågan visade sig emellertid Monsieur Laurent just nu ha endast ett ledigt rum – August hade förstås inte brytt sig om att boka i förväg. Så de tog vad som bjöds, och i detta enda rum installerade sig August, Siri, Karin och Greta. Eva blev inackorderad hos en bondfamilj i utkanten av byn. Hon skulle komma varje morgon.

Det blev trångt, men det gjorde inget. Siri hade inget emot trångt.

Men kanske hade August det. Eller så var det något annat som bekymrade honom. För när den soliga franska eftermiddagen övergick i kväll tycktes han plötsligt tankfull, nej dyster. Han vankade omkring i det lilla rummet, utan att säga ett ord. Så packade han upp sin väska, hängde upp kostymerna och ställde sig att titta på dem, länge. Mest, verkade det, för att ha något att fästa blicken på.

"Hur står det till, August?" undrade hon, inte så lite förbryllad efter den senaste tidens eufori.

Han svarade inte, gick i stället för att titta igenom högen av skjortor, eller snarare rada upp dem på sängen. Och så betraktade han dem, lika länge.

"Den skjortan blir fin", sa hon.

"Tror du?" mumlade han.

Var han nervös? Orolig för att inte kunna inta en plats i detta nya sällskap?

Han klädde sig långsamt. Och när klockan ringde till middag satte han raskt på sig sin åtsittande svarta bonjour. Sedan ställde han sig framför spegeln och justerade den långa fracken i nästan en minut. Därpå kammade han noggrant den stora manen, och med försiktiga fingrar rättade han till några hårstrån.

Själv hade Siri satt på sig sin nya blå klänning, den hon själv sytt, den som så markant skilde sig från det rådande modet i sin obenägenhet att tvinga kroppen till anpassning, den som formade sig efter, ackompanjerade, hennes ännu unga lekamen och dess rörelser.

Hon gav Eva de sista instruktionerna för kvällen. Sedan sträckte hon fram handen mot August. Äntligen släppte han motvilligt taget om sin egen spegelbild. Han rättade till bonjouren en sista gång, så tog han henne under armen, och utan ett ord ledde han henne sedan ut i hotellkorridoren, stramt, stelt, tyst. Som en frackklädd akademiledamot på väg till sin första audiens hos konungen, med hustrun vid armen.

Så såg det ut, för en utomstående. Och vad som inte syntes var att den som egentligen förde, det var hustrun vid armen.

När de steg in i matsalen satt redan alla till bords – Siri uppskattade att det var ungefär tjugo personer runt det stora rektangulära ekbordet i Laurents matsal, med Calle tronande vid ena bordsänden. Ljudnivån var hög, och ingen lade till att börja med märke till de nyanlända. August hade hunnit börja skruva på sig när Calle till slut noterade deras närvaro.

"Allesamman! Vi har fått celebert besök från gamla Norden!"

August sträckte på sig.

"En av Sveriges allra mest prominenta skriftställare har behagat ge glans till vår lilla franska mussla! Får jag presentera August Strindberg!"

Sällskapet runt bordet började applådera, och i andra bordsänden kunde man höra hur någon översatte till engelska. August sträckte på sig ytterligare, och så bugade han stelt åt sällskapet. Men, tyckte Siri, han såg redan något mindre obekväm ut.

"Med sig har vår prominente skriftställare sin intagande hustru, numera aktrisen, Siri Strindberg."

Ännu en applåd. Siri avbröt dem:

"Så formell man är i Frankrike."

"Alls inte, fru Strindberg!" kontrade Calle. "Här är vi alla bönder. Får jag presentera min hustru, bondmoran Karin."

Nu skrattade alla. "Vi har träffats", sa Siri.

"Men inte jag", avbröt August och gick fram till Karin, tog henne i hand och bugade.

"Den kända gravören Tekla Lindeström", fortsatte Calle, "tidigare Akademikamrat till min hustru, numera även hon bondmora." De skakade hand.

"Den bereste korrespondenten Spada, numera bonde."

August drog fortfarande inte på smilbanden. "Vi känner varandra."

"Så finske bildhuggaren och bonden Ville Vallgren. Från Borgå."

"Borgå!" utbrast Siri. "Herre min Gud, är herr Vallgren från Borgå? Och jag som är från Jackarby!"

"En fin gård", log Vallgren.

"Så roligt att träffas!" Siri kände sig med ens på förträffligt humör.

Presentationen fortsatte och avslutades med några engelska fruar och fröknar längst bort i hörnet. Så fick de äntligen sätta sig ner, bredvid Ville och hans hustru Antoinette.

August stirrade på maten. En biffstek med gräddsås, lättstekta primörer bredvid.

Siri hade redan huggit in på den läckra kötträtten med god aptit.

"Hur är det, August?" undrade Calle. "Vill du ha ärter och fläsk?!"

"Nej, nej …", mumlade August.

"Varför äter du inte då?"

Siri kastade en ogillande blick på Calle. Han drev med August. I ett läge när August ännu inte var mogen att skämtas med.

"Jodå …", mumlade han. Och så förde han glaset till sin näsa och luktade på vätskan inuti.

"Unn bong väng roosj!" sa Calle.

"Men Calle", inflikade nu Siri. "Du vet väl att August är en finsmakare, som alltid anträder den kulinariska vägen med aktning."

"Skål på er!" utbrast Calle då och sträckte vinglaset i luften.

"Skål!" svarade Siri och sträckte även hon upp glaset.

Nu lyfte alla sina glas, även anglosaxarna vid andra bordsänden. Siri sneglade på August och såg att också han fått upp sitt glas, om än med tvekan.

Helan går, sjung hopp faderallan lallan lej.
Helan går, sjung hopp faderallan lej.

Det var Spada som hade börjat sjunga, samtidigt som han höjde det lilla snapsglaset bredvid sig. Det som inte innehöll brännvin utan akvavit. Och strax sjöng alla skandinaverna med:

Och den som inte helan tar,
han heller inte halvan får.
Helan går!

Här, på "gååår!", klämde plötsligt August i för full hals. Och hans "gååår" blev ljudligare, längre och vackrare än någon annans. När han var färdig applåderade anglosaxarna vid andra änden av bordet. De som inte hade sjungit med.

"Bravo! Bravo!" ropade de.

August log stolt. Och äntligen, äntligen, tycktes det som om han började slappna av lite.

"Det var som fasen!" utbrast Spada. "Sjunger Strindberg kvartett också?"

"Om han sjunger!" sa Calle. "Bara det inte är Bellman."

"Jaså?" sa Spada. "Strindberg tycker inte om vår nationalskald ..."

"Den suputen!" ropade då August och svepte hela akvavitglaset i en klunk. Nu skrattade man, men inte åt August utan med honom. Och visst drog han själv på smilbanden. Och hans ansiktsfärg hade övergått från askgrå till rosa.

Siri drog en suck av lättnad. Och liksom de andra damerna vid bordet lutade hon sig nu tillbaka för att iaktta den fryntliga tuppfäktningen.

De gick till sängs klockan två den natten, upprymda och rusiga. Och de visste redan att tillvaron i Grez, åtminstone ett tag, skulle ge dem precis det de just nu behövde mest: vila, gemenskap, värme, balans.

*

Redan vid niotiden satt Strindbergs ute i trädgården och åt croissanter. Uppstigning var en högst individuell affär hos Laurents, och de var tidiga. Morgonmål serverades ända till elva. Men August, som nu åter var på gott humör, var inte den som ruckade på sin dygnsrytm i första taget.

Plötsligt kom Christian Skredsvig springande förbi dem i badkostym, samtidigt som han, utan att stanna, hojtade ett *"God morgen!"*. Tio sekunder senare hörde de plasket. Och strax därpå kom Calle och Karin ut i trädgården. Calle kånkade på två stafflin och ur ränseln han bar över axeln stack det upp flera penslar.

"Är det till att börja arbeta?" log August.

"Ja, alla kan inte vila på sina lagrar!" kontrade Calle.

"Ha ha …", sa August.

"Ska du också måla i dag, Karin?" undrade Siri.

Karin tittade upp på sin man med kärleksfull blick. Han lade armen om hennes axlar.

"Karin ska stå modell för mig nere vid floden", sa Calle. "Och kanske gör vi så att hon då målar bron medan jag målar henne. Vi får se hur det passar. Eller hur?" Han tittade på Karin och drog henne till sig. Hon nickade.

"Spännande!" sa August. "Jag funderar också på att plocka fram staffliet."

"Det gör du rätt i, Strix!" svarade Calle (för så kallade han ofta August).

Paret Larsson började vandra ner mot floden. Trots att Calle bar på både stafflierna och den tunga ränseln såg han till att ha en arm fri som han kunde hålla om sin hustrus axlar.

"Hon har räddat mitt liv", hade han sagt dem. "Hon har tagit mig upp ur avgrunden." Han kallade henne sitt älsklingsbi, sin gudatös, sin hästsvans, och hundratals andra kärleksfullheter.

Och när Strindbergs kom tillbaka till Grez, två år senare, då hade Karin fött deras första barn. Och hon hade slutat måla – för alltid, som det skulle visa sig. Fast detta var något som Siri bara hörde av andra, eftersom Larssons då befann sig i Sverige.

"Man räcker ej till på två håll", skulle Karin komma att förklara saken. "Då måste ettdera gå på slarv och man blir ledsen och utpinad i onödan."

Och hon såg inte det allra minsta bitter ut när hon sa det.

60

Det nyfunna paradiset stängde sina portar efter endast två veckor. Den ljumma, soliga, välskrudade septemberbyn förbyttes snart i en kall, våt och dragig oktoberhåla.

"Det finns ju för fan inga eldstäder i den här gudsförgätna avkroken!" gormade August en morgon när regnet piskade mot fönstret och lakanen låg sura mot kroppen.

De hade tagit de två små flickorna till sin säng för att värma dem. Men familjens allmänna ovilja att gå upp och ut övertygade även Siri om att det var dags att bryta upp.

Larssons skulle stanna ett tag till, liksom en del av de andra skandinaverna, men de var väl av annat virke, muttrade August. Han ville till Paris.

"Där ska man väl för fan hitta lite civilisation och kultur!"

Den sista kvällen blev förvånansvärt dramatisk. Siri och August hade bjudit de andra gästerna på avskedskaffe och avec nere i matsalen. En ny besökare hade anlänt samma dag, en bullrig amerikan. Han ville inte vara sämre och hade också bestämt sig för att bjuda laget runt. Samtidigt som kvällens musicerande inleddes framdukades sålunda en groteskt stor balja med bål. Och den som mest frekvent begagnade sig av bålskopan var amerikanen själv. Vilket fick till följd att han blev än bullrigare. Bullrigheten övergick så småningom i tafsande. I detta skede började en del av kvinnorna avlägsna sig, och när amerikanen till slut knappt kunde stå på benen bars han upp till sitt rum. Den äldre damen i rummet bredvid hans hade varit en av de ofredade, så hon krävde att mannen skulle låsas in. Sagt och gjort, Monsieur Laurent hämtade en hotellnyckel och amerikanen låstes in på sitt rum. Någon halvtimme senare hade lugnet sänkt sig.

Klockan var tre när Siri vaknade med ett ryck. Hon visste först inte varför.

Men så kom det, igen: ett pistolskott!

August rusade upp ur sängen, kastade på sig sin bonjour, utan skjorta, och drog på sig byxorna, utan strumpor. Därpå ryckte han till sig en av flickornas madrasser och ställde sig med ryggen mot garderoben.

"Mamma, vad är det?" sa Greta, som vaknat i deras säng.

"Ingenting, min skatt", sa hon. "Mamma kommer strax tillbaka." Hon tog på sig sin morgonrock och gick till dörren.

"Nej …", kom det, svagt, från August. Han sträckte ut en hand i något som måste ha varit ett försök att stoppa henne, men antingen såg hon honom inte eller så valde hon att inte se honom. När Siri kom ut i korridoren möttes hon av Karin och Calle, i bara nattskjorta, och av Spada i sin spanska kappa.

Så ännu ett skott! Och ett vilt ryckande i dörren till amerikanens rum. Inifrån. Så han hade alltså inte skjutit sig! Ville han skjuta dem!?

"Garçon!" skrek Calle. *"Garde champêtre!"* Han rusade fram mot trappan samtidigt som August kom ut ur sitt rum, med madrassen tryckt mot bröstet. Han stirrade på dem med ögon stela av skräck.

"Spada!" väste han. "Du som varit i krig, gör något!" Så ryckte han tag i Siris arm och drog henne till sig, samtidigt som han backade tillbaka in i deras rum. "Jag måste skydda hustru och barn! Min hustru", tillade han innan han smällde igen dörren, "är gravid."

Siri betraktade honom där han stod mitt i rummet i sin löjliga klädsel, fortfarande med madrassen tryckt mot bröstet. Och kände hon förakt så visade hon det inte.

Båda flickorna grät. Hon kastade en blick mot dörren.

"Snälla Siri", viskade August. "Gå inte ut dit igen. Tänk på dina barn."

I samma ögonblick knackade det på dörren.

"Kom inte in! Jag har pistol!" skrek August.

Men dörren öppnades. Och där stod Calle.

"Det var amerikanen som försökte skjuta sönder låset till sin dörr. Han har lugnat sig nu. Vi hörde hur han gick tillbaka till sängen. Nu går vi och lägger oss, vi får ta hand om det i morgon."

August glodde på sin vän.

"Tack, Calle", sa Siri.

När Calle gått gick hon fram till August, tog honom i handen och ledde honom till sängen. Han lät sig läggas ner, han lät sig stoppas om. Till sist lade hon sig bakom hans rygg, lade sin arm runt hans midja och strök med den andra handen hans panna.

Dagen därpå hann de möta den ångerfulle amerikanen i matsalen. Han bad dem alla så fruktansvärt mycket om ursäkt och meddelade att han redan lämnat ifrån sig pistolen.

"Det är bra!" sa August, plötsligt stursk. "Ni är inte lämpad att bära vapen."

Vilket förmodligen stämde, eftersom de några veckor senare fick höra att amerikanen skjutit sig själv, i Monte Carlo.

De lämnade den lilla byn med de blinda husen på förmiddagen. De spårade sig tillbaka till Paris, samma väg som de kommit, blott två veckor tidigare.

Men den här gången syntes ingen sol under deras tågresa. Och de pittoreska byarna som svepte förbi föreföll dystra och övergivna.

"Jag begriper inte vad solen gör med våra sinnen ...", mumlade Siri.

Men för barnen tycktes väderleken inte ha någon betydelse. Och inte för August heller. Uppbrottet var nog för att åter göra honom på gott humör. Och föregående kvälls skräckupplevelse förbyttes hos denne man, med sina såriga nerver, i sin motsats. Han var kaxig, uppspelt, pladdrig. Och han kunde inte sluta prata om amerikanen ("den dumme djäveln").

Upprymdheten varade ett par timmar. Tills de gled in på Gare du Nord.

Huvudstaden lade sig som en våt filt över deras sinnen. Paris var inte varmare än Grez, bara smutsigare, större, bullrigare. Storstadsbor som skyndade, hjul som snurrade, maskiner som väsnades. Siri tittade på sin lilla klan – på maken, de två små flickorna, tjänarinnan. Ett år kändes plötsligt olidligt långt.

August ville att de skulle till Passy, i stadens utkant. Han sa att han måste ha ljus. Och på Calles karta hade det sett ut som om husen stod glesare i Passy.

Sagt och gjort; de tog en droska till ett familjepensionat på rue Raynouard, i den stadsdel som August kallade "ljus".

De stannade i fyra dagar.

"La maison du Prince de Galles", sa August nu, lika uppfordrande. "Där är det ljust och fint." De bröt upp igen. Till några rum på nedre botten, som vette mot en bakgård. Ett skithus, närmare bestämt. Och där – betraktande detta skithus – fastnade de. I något slags letargi.

Pensionatet tillhandahöll inga måltider. Mat fick de laga själva. Eva kunde inte ett ord franska. Så Siri fick handla. Men mycket fick hon inte för pengarna. Och när hon kom hem var kaminen och eldstaden de enda spisar som stod till buds.

Någon enstaka gång fick de besök av någon av de många skandinaver som bodde i Paris. Men dessa bodde inte i Passy. De bodde i Montmartre. Eller i Montparnasse. Dit flyttade dock inte Strindbergs.

Den finkultur – den opera, den teaterkonst, de museer – Siri hade hoppats att de skulle finna i den franska huvudstaden fanns säkert där, men inte till deras beskådande. Endast två gånger gick de på teater, eftersom August numera avskydde scenkonsten ("Fy fan, bara manér och knep!" sa han när de sett Sarah Bernhardt), men framför allt därför att de inte hade råd.

"Du måste nog börja skriva, August", sa Siri.

Han svarade inte.

Framåt november lyckades de ändå samla sig tillräckligt för att genomföra ännu en flytt – till en annan förort, Neuilly. Äntligen lättade det lite. I Neuilly fick de en egen våning, något som liknade ett hem. Och där fanns en järnbandad kakelugn som Eva kunde laga mat i. De inhandlade också en kamin. Nu kunde de äntligen börja ta emot gäster.

Inom några dagar hade de fått besök av både Larssons och Vallgrens, som även de vid det här laget flyttat till Paris.

Siri märkte hur hon genast blev på bättre humör. Nu stundade dessutom julsäsongens skandinaviska fester. Och utbudet av festande nordbor var i denna stora stad oändligt.

*

"God dag." Den långe mannen lyfte på hatten.

"God dag", sa Siri, undrande. Hon var nyuppstigen och hade precis hunnit klä sig. Gästen kom oanmäld. Och hon kände inte igen honom. Han var lång, som sagt, i femtioårsåldern, och hade en stor hårman, precis som August. Men denna var grå, eller nästan vit. På sidan av det starkt utmejslade käkpartiet växte två likaledes yviga polisonger. Och på nästippen hade gästen ett par båglösa glasögon. Han såg mäktig ut. Att döma av accenten var han norrman.

"Bjørnstjerne Bjørnson", sa han när han såg hennes undrande blick.

"Åh, herr Bjørnson!" utbrast Siri. Hon öppnade dörren för honom så att han kunde stiga in.

"Ja, jag började undra när ni skulle komma på visit …", log gästen.

"Jag ber om ursäkt", sa Siri, "vi har flyttat runt så mycket."

Fast i själva verket hade ju August undvikit den store norske författaren, av någon obegriplig anledning.

"Min make är ute på sin morgonpromenad. Han är säkert tillbaka inom en timme. Kan jag bjuda på något?"

Bjørnson slog sig ner i deras soffa, tog ett glas likör. Betedde sig omedelbart som hemmastadd. Siri tyckte han verkade sympatisk.

"Trivs ni i Paris?"

"Trivs …", mumlade Bjørnson. Han hade en ljus och lätt stämma, inte alls vad man skulle förvänta sig från en man med så utpräglat manliga drag. "Det var sådan uppståndelse hemma så det blev lugnast så här."

"Ja", sa Siri, "vi har också flytt från uppståndelse."

Bjørnson berättade för henne om sin senaste pjäs, *En handske*, och om det rabalder den hade väckt i Norge.

"Man kallar ju mig och Ibsen numera för fruntimmer."

Siri kunde inte låta bli att skratta. "Varför det?"

"Därför att vi arbetar för kvinnans rättigheter."

"Vad intressant!" utbrast hon. "Då vet jag att August och ni kommer att ha mycket att tala om!"

Ja, August och Bjørnson fick verkligen mycket att tala om. Enormt mycket. Passionerad vänskap, skulle man nog kalla det, nästan från första ögonkastet. Vilket var desto märkligare eftersom August ju verkligen inte stod på Ibsens och Bjørnsons sida i kvinnofrågan. Men detta tycktes inte spela någon roll. Det gjorde det sällan i början.

"Det är den man jag så länge sökt", mumlade han till Siri redan efter det första mötet med norrmannen. "Kanske för att jag är så omanlig själv."

De långa morgonpromenader som August alltid tog, medan Siri ännu sov och Eva lagade frukost till barnen, tog han snart alltmer ofta i Bjørnsons sällskap. Och om kvällarna satt de två männen för sig själva i den slitna soffan och pratade till långt in på småtimmarna.

Sedan, på natten, kröp han ner bredvid henne i sängen, ännu upprymd.

"Det är som kärleksfester med honom", mumlade han. "Man går ifrån varandra flämtande och vet inte vad som är mitt eller ditt av dessa fantasibarn man avlat ihop, dessa tankar med två fäder."

Och det var väl tur att hon inte hade anlag för svartsjuka. Nej, snarast tvärtom, åtminstone när det gällde August: allt som gjorde honom väl till mods, allt som bringade honom i jämvikt och gav honom ett harmoniskt sinnelag, var i hennes ögon av godo. Någon anledning till svartsjuka hade han för övrigt aldrig gett henne.

Och Bjørnson kom hon i själva verket snart att betrakta som en bundsförvant.

"Ta dig samman!" utbrast norrmannnen där de satt tillsammans vid matsalsbordet. "Kom fram med mästerverken och låt dem gå ut över världen!"

"Men detta är nyckeln till hela mitt författarskap!" protesterade August, som nyligen åter börjat skriva. Texter som knappast någon skulle vilja läsa.

"Du varma, starka, svaga, du troskyldigt-misstänksamma, modigt-rädda, älskande-hatande, lyriskt-prosaiska, omsorgsfullt-dumdristiga Strindberg, gå nu iväg och skaffa dig en annan uppsättning nerver över harpan, men se till att klangfärgen är densamma!"

Bjørnson såg lika lite som Siri något värde i de där nya epistlarna, de agitatoriska uppsatserna om bondesamhällets upphöjdhet över den moderna civilisationen. August hade utvecklat en politisk passion för samhällen där var man var sin egen herre, där inga statliga bojor fick begränsa, där naturens lagar fick styra, och där konsten i varje ögonblick var underordnad verkligheten. Han hade väl blivit inspirerad av vad han sett kring Grez.

Men Bjørnson ansåg att August slösade bort sin talang. Och Siri att han slösade bort deras möjligheter till försörjning.

"Sluta vara så utmanande, August", bad hon. "Så kan vi resa hem och jag kan bidra till familjens uppehälle med mitt skådespeleri."

"Det ena har inte med det andra att göra", protesterade han.

Och så stoppade han i sig ytterligare några bromkristaller, för att lugna sin febriga hjärna.

Om Bjørnson hade blivit Augusts idol så hade alltså Rousseau blivit hans profet.

Lyckligtvis uppskattade inte idolen valet av profet. I detta avseende var den gode norrmannen alltså Siris bundsförvant. Fast, skulle det snart visa sig, inte i så många andra.

61

"SKÅL!!" Bjørnstjerne Bjørnson hade ställt sig upp, och med glansiga ögon hade han vänt sig till August. "SKÅL, min käre, käre vän och den nutida svenska litteraturens hövding!" Så lyfte han glaset mot de andra gästerna. "Töm era glas och höj era stämmor för att herr Strindberg ska stanna hos oss i två år, minst!"

Alla de stora skandinaviska konstnärerna höjde sina glas och skålade.

Siri trodde inte sina öron. Och framför allt trodde hon inte sina ögon när hon såg att också August höjde sitt glas! Hade han hört att de skålade för att han skulle stanna i Paris i två år?

Jonas och Thomasine Lie, värdparet denna kväll, ropade nu ett "Hepp hepp!".

Och August höjde än en gång sitt glas.

Hon satte sig ner, förskräckt.

Karoline Bjørnson kom fram till henne.

"En så underbar tillställning, tycker ni inte?"

"Mycket …"

"Jag är så glad att ni kanske blir kvar."

"Ursäkta, men …"

"Vi är så glada att ha er här, fru Strindberg." Bjørnson stod plötsligt bakom henne. Han drog fram en stol och satte sig ner. Mittemot henne.

"Ni trivs väl här i Paris?"

Hon kände sig alldeles torr i munnen. "Visst", mumlade hon. "Men vi stannar ju bara till sommaren."

"Jaså …?" Han höjde ena ögonbrynet.

Plötsligt såg hon i ögonvrån att August stod och betraktade dem från andra sidan av rummet. Hon tittade på honom, vädjande.

Han var hos henne inom några sekunder.

"Vad samtalar ni om?"

"Strindberg!" utbrast Bjørnson. "Vi talar om olika ting. Min hustru är intresserad av vad ni skriver på just nu. Jag svarade: 'Pamfletter!'"

Bjørnson skrattade sitt höga skratt.

"Sätt dig ner", bad Siri tyst. Och August satte sig.

"Min make beundrar så er arbetsförmåga", sa Karoline Bjørnson.

August tog Siris hand.

"Det är väl inget att orda om. Mitt arbete är oundgängligt."

"Ja, det är det verkligen!" sa Bjørnson.

"För mig själv, menar jag." August tittade på Siri. "Och för min familj. Jag kan ju inte vila, om jag än så gärna ville. Jag måste ju skriva för bröd, för att uppehålla hustru och barn …" Han kastade en blick på Siri. "Och även annars kan jag ej låta bli. Om jag reser på tåg eller vad jag än gör arbetar min hjärna oavbrutet, den maler och maler som en kvarn, och jag kan inte få den att stanna. Jag får ingen ro förrän jag fått det på pappret."

"Åh", sa Karoline Bjørnson. Och så blev det tyst.

"Nej, nu måste vi nog gå." Siri gjorde en ansats att resa sig.

"Sitt!" Det var Bjørnson. Tonfallet var skarpt.

Hon tyckte inte om uttrycket i hans ögon.

Men hon satte sig.

"Jag har hört, fru Strindberg, att ni är galen i teatern."

"Galen i …? Jag är skådespelerska, herr Bjørnson." Hon kastade en blick på August.

"Er make, fru Strindberg, kan bli världens störste författare."

Hon svalde.

"Min make är en mycket stor författare."

"En av de största. Men ett internationellt genombrott kräver att han spelar sina kort väl. Och då måste hans närmaste vara osjälviska."

"Osjälviska? Tycker ni att …"

"Ni kommer ju snart att föda, fru Strindberg."

"Bjørnson!" Det kom från hennes högersida. "Det räcker nu!" Augusts röst var kall.

"Men Strindberg …", sa den förvånade norrmannen och slog ut med armarna. "Jag vill ju bara ert eget bästa."

"Mitt eget bästa är min hustru!" fräste August. "Utan henne kan jag inte leva! Hon är en god hustru, hon är min enda vän, och jag har gråtit mig frisk och stark många gånger med mitt huvud i hennes knä. Förstår hon inte fullt vad jag vill och uppmuntrar hon mig inte till striden så ger hon mig alltid tröst när jag kommer till henne slagen och eländig, ty hon har en oändlig fond av välvilja och hjärtegodhet. Att göra henne illa är likvärdigt med att sarga mig – till döds."

"Men Strindberg, nu ska du väl …"

"Nu går vi hem!" August reste sig. Och i samma ögonblick reste sig även Bjørnson, för att undvika att bli lämnad i sittande ställning.

"Det tycker jag inte att ni ska göra", sa han. "Kom, nu går vi och roar oss!"

Men det gjorde de inte. August tog Siri under armen och de gick hem.

Så mycket en nedgången och kall våning i den franska huvudstaden nu kan uppfattas som hem.

Den natten älskade August och Siri Strindberg, i en knarrig gammal säng där många älskat före dem. De älskade innerligt, hjärtedjupt, så som två människor älskar när de upplever sig ha räddat varandra till livet.

Han avskydde plötsligt Bjørnson.

"Den djäveln är en andlig kannibal som vill äta upp alla själar som kommer i hans närhet!"

"Men så farligt är det väl inte, August."

"Jo, det är det! Han är som en boaorm som vill dra sitt slem över en!"

"Sitt slem över en …?" Hon skrattade. "Ibland är du rolig, August … Ta nu inte i så. Jag tog inte så illa vid mig."

"Det är inte bara för din skull", mumlade han.

"Inte?"

"Han tror att han kan vara både min biktfader och mitt samvete. Han går som en landsflyktig på boulevarderna, okänd, opåaktad. Och så försöker han blåsa upp sig själv genom att erövra mig, kuva mig, göra mig till sin lydige son. Han är en präst! Och jag har inte längre lust att vara hans församling. Hans ende församlingsmedlem!"

"Men låt nu inte pendeln svänga så …"

"Jo!" Han avbröt henne. "Jag är själv en stor tänkare. Han förslappar min tanke! Han kuvar mig, lägger sig som en orm runt mina sinnen, gör så att jag inte längre vet vad som är hans och vad som är mitt. Jag måste bort från honom! Det är klibbigt."

Och bort for de. Med buller och bång. *Lycko-Pers resa* hade premiär i Stockholm i slutet av december och blev en stor succé, så stor att Strindbergs med de inkomsterna snabbt kunde göra sig skuldfria i Paris.

Så de reste. Men inte hem. Utan till en by vid Genèvesjön.

62

Siri födde sitt femte barn den 3 april 1884. I Schweiz. Utan läkare, utan barnmorska, praktiskt taget utan assistans.

Det blev en pojke, hennes första. De kallade honom Hans, fast han snart fick smeknamnet Putte. Han var blond, som hon. Han hade hennes anletsdrag. Men redan nu såg man att han hade något av Augusts ... vekhet ... skörhet ... sårbarhet.

Siri tog honom till sitt bröst, och hon höll honom närmare, längre och innerligare än något av sina tidigare barn. Inte för att hon älskade flickorna mindre. Utan för att pojken tycktes behöva det mer.

Hon var trött efter förlossningen, outhärdligt trött. Och något hade gått sönder i hennes underliv.

Sommaren närmade sig, Bergs stuga på Kymmendö väntade. Han sa "du orkar inte resa än". Hon protesterade.

"Sedan", sa han mjukt. "När du blivit starkare. Nu måste du vila upp dig."

Och kanske hade han rätt.

Stugan gick till hans bror Axel.

För att komma undan hettan vid Genèvesjön åker de upp i bergen, till en liten by, Chexbres. Där är outsägligt vackert. Ja, vilan kommer att göra henne gott.

De slår sig ner i ett gammalt fallfärdigt hus, invid ett pensionat där de kan inta sina måltider. August hyr ett arbetsrum i en intilliggande bondgård. Han skriver som om han har feber i kroppen.

Pensionatet ägs av en läkare. Till honom går August nästan varje dag för att få bromkristaller.

"Vore ej någon tids vila bättre än all världens brom?" undrar ägarens syster.

"Jag förmår ej vila", svarar August. "Det rusar i mitt huvud."

Och nu har han faktiskt börjat skriva skönlitteratur igen. Han skriver om äktenskapet. Noveller, *Giftas* kallar han dem. Siri tycker om dem. De är för det mesta kärleksfulla betraktelser över det äkta ståndet.

Och varje förmiddag när han kommer och väcker henne tar han hennes ansikte mellan sina båda händer, och så säger han: "Siri, min vän, hur skulle jag kunna leva utan dig?"

Hon blir långsamt piggare. Chexbres är som en sagoby. I fonden ser man Savoyeralperna med sina snötäckta toppar. Och nedanför ligger den gnistrande sjön. Stigarna som omger pensionatet leder ut till alpängar och skogar. "En enda lång söndag", kallar August deras tillvaro. Livet här uppe är som en meditation. Även här har de dessutom fått vänner – den ogifte pensionatsföreståndaren, och bromkristalldistributören, doktor Sauvageat, och dennes syster Hélène, som är gift med en svensk. Och en sjökapten Thomesen och hans dotter Inga, som de lärt känna på sin senaste vistelseort, utanför Lausanne, och fått med sig upp i bergen.

Den friska alpluften och de sköna omgivningarna har gjort Siri gott. På kvällarna sjunger hon ibland för de andra pensionatsgästerna, ackompanjerad av doktor Sauvageat på pianot. Allra helst sjunger hon Griegs *Vandring i Skoven*.

Och alla förundras över att denna späda, svaga kropp stundtals har förmågan till sådan intensitet. Sista strofen – "Min søde Brud, min unge Viv, Min Kjærlighed, mit Liv!" – klingar så starkt och väcker hos åskådarna så starkt jubel att det hörs långt utanför pensionatets väggar.

Dessa kvällar sitter August på stentrappan utanför, alldeles själv, och lyssnar på henne. Han sätter aldrig sin fot i salongen. Och när han någon gång syns på pensionatet, annat än vid måltiderna, är det oftast för att fråga: "Var är Siri? Har ni sett Siri?"

Hon vilar upp sig, och längtar ibland till Sverige.

Men Chexbresvistelsen är ändå ett fulländat avslut på deras år utomlands.

*

"August!" utbrister hon, uppskakad. "Det är ju hädelse!"

"Aha!" replikerar han. "Sanningen måste en högtstående civilisation tåla!"

"Men älskade vän, vi ska ju tillbaka snart. Gör dig inte omöjlig igen!"

"Omöjlig!? Om jag inte skriver sanningen, vem är jag då? En fjärt i litterär skepnad!"

"Men August, sanningen är en sak, blasfemi en helt annan."

Han hade låtit henne läsa sin senaste novell. Den hette "Dygdens lön". Den skulle bli den första i hans nya bok. Och där fanns några ohyggliga rader, om Jesus av Nasaret, och om den kristna konfirmationen. *Det oförskämda bedrägeriet som spelades med Högstedts Piccadon å 65 öre kannan och Lettströms majsoblater å 1 kr. skålp.* Så skrev August.

"Men Herre Gud! De kommer att slakta dig! Du sviker ju inte någon övertygelse om du låter bli att skriva *sådant.*"

Fast det märkliga var att det var just tanken på deras reaktion som tycktes göra honom allra mest upprymd.

En morgon i september vankade han av och an i pensionatets matsal, så lätt på steget att man nästan skulle kunna säga att han dansade. Och när pensionatsföreståndarens syster kom förbi viskade han:

"I dag utkommer min nya bok. Då blir det ett förfärligt hallå i Sverige!" Och så tillade han: "Fast jag tänker hålla mig borta."

Nej, de åkte inte hem. De åkte till Genève. Där fanns en boklåda, driven av revolutionären Elpidin. Honom ville August lära känna.

Inga Thomesen och Hélène Welinder hjälpte henne att packa denna gång.

Bara böckerna fyllde ett antal lårar.

"Det blir väl ännu fler i Genève, kan man tänka", sa Inga, som skulle följa dem även till nästa destination.

Plötsligt sjönk Siri ner på en stol bland alla packlårar och begravde huvudet i händerna. Så såg de hur hon började darra.

63

Hon fick feber. Den släppte inte. Hon fick en hosta som gick allt längre ner i luftrören. Den släppte inte heller. Och hon blev allt svagare. Läkaren förklarade för August att han inte var säker på att det skulle gå att häva sjukdomen.

August bröt ihop, August grät som ett litet barn.

De befann sig på ett litet pensionat, i Genève.

Och samtidigt, i deras hemland, brakade allt samman. Allt som hade med August Strindberg att göra.

Det första telegrammet kom efter en vecka. Det var från Albert Bonnier.

Den 3 oktober hade stadsfogden kommit upp på Bonniers förlag i Stockholm och belagt *Giftas* med kvarstad. Sedan väcktes åtal enligt tryckfrihetsförordningens paragraf 3, moment 1, för "hädelse mot Gud eller gäckeri av Guds ord och sakrament".

Nu krävde förlagsdirektören att August skulle komma hem. Men hem hade August inga som helst planer på att åka.

Hans hustru var ju dödssjuk.

Det hjälpte inte att hon viskade att han måste resa, att han måste ta ansvar för vad han gjort. Att de annars aldrig någonsin skulle kunna återvända.

"Halva Högsta domstolen utgörs ju av pederaster!" skrek han till svar.

Och ingen fanns där att stryka hans panna, ingen fanns att lugna hans spända nerver.

Eva tog barnen in i ett annat rum, långt bort från deras sjuka mor och deras upprivne far.

Men breven och telegrammen fortsatte att komma, i en strid

ström. Och alla manade de honom att komma hem, att försvara sig.

Den 14 oktober anlände Karl Otto Bonnier, sonen. Karl Otto bad honom att skriva på en namnsedel, en sådan som skulle befria förlaget från ansvar.

Det kunde han väl göra, tyckte August. De kunde i alla fall inte komma åt honom. Han var i Schweiz.

Han låg bredvid henne i sängen, tryckt mot hennes febriga bröst. Hon orkade inte trösta honom, orkade inte smeka honom, orkade inte tala till honom, men hon lät honom söka den tröst han själv lyckades finna från hennes kropp.

Halv elva på natten knackade det hårt på dörren.

August skrek till.

"Monsieur Strindberg …"

Han gick upp. Han öppnade.

Utanför stod pensionatsföreståndaren med ett telegram i handen.

I rummet intill började ett av barnen gråta.

"Vad är det, August?" viskade Siri.

Han räckte henne pappret.

Hon bad honom läsa.

Måste hem, eljes är Bonnier fast om tisdag!

Nästa bankning på dörren var vid halv två.

"Du måste", viskade hon till honom. "August, du måste."

Nästa dag åkte han med Karl Otto.

64

Fem veckor var han borta. Fem outhärdliga, skrämmande veckor. Efter tre veckor släppte äntligen febern. Efter ytterligare tio dagar hade hon börjat kunna lämna huset.

August blev frikänd, och sedan firad av hela svenska folket.

Till slut kom han tillbaka. Tillbaka till sin familj.

I flera dygn låg han sedan på en soffa i sitt arbetsrum. Helt utmattad.

*

Klockan var tio på morgonen. Siri låg ännu i sängen, omgiven av de tre små. Solens strålar letade sig in genom fönstret och lade stråk av guld på det röd- och vitrandiga täcket. Utanför fönstret hördes ett dämpat sorl, och glittrandet från det stora vattnet dansade uppe i taket. Greta och Karin låg på var sin sida om henne och tävlade om vem som bäst kunde fläta hennes lockar. Och den minste, han som liksom hon själv alldeles nyss tyckts berövad sina krafter, låg vid hennes bröst och sög.

Bredvid sängen stod en bricka med resterna av den frukost Eva hade burit in till dem.

"Siri …"

Hon tittade upp. Där stod han, i pyjamasen – han som aldrig visade sig i annat än stärkta skjortor. Hårmanen stod på ända och i ansiktet bar han ett uttryck av blyghet och längtan.

"Är du uppstigen, lille vän?" sa hon och sträckte den fria armen mot honom.

Han gick fram emot henne, långsamt.

"Ja", sa han tyst. "Och så skön du är …"

Det såg ut som om han skulle börja gråta.

Hon såg honom inte mycket mer den dagen. Han hade begett sig ner till bokhandeln, den som ägdes av Elpidin, och själv hade hon tagit itu med en del av de göromål som blivit eftersatta under de senaste veckorna.

Det blev kväll – kvällsmålet var uppätet och barnen lagda till sängs – innan de slutligen var ensamma med varandra.

Hon knäppte upp en av knapparna i hans skjorta, bara för att han såg ut att behöva det. Han såg äldre ut, tyckte hon. Påfrestningen föreföll ha tagit flera år av hans liv.

"Jag är så lycklig över att det gick bra, August. Du anar inte. Jag hörde ju ingenting …"

"Ingenting alls?" Han rynkade lite på pannan.

"Nej … Jo, från Geijerstam. För två veckor sedan. Det lugnade mig, för jag …"

"Ingenting annat?"

"Nej … jo … nästan …"

"Får jag se på posten." Han avbröt henne.

"Posten … Ja …" Hon tittade sig omkring, såg den lilla högen på byrån. "Det var nästan ingenting från dig …"

"Men från andra?"

Hon såg undrande på honom. "Vill du att jag ska visa dig posten?"

"Tack."

Hon gick bort till byrån. Hämtade den lilla högen av brev och räckte den till honom.

Han bläddrade snabbt igenom den, tittade bara på avsändarna, som det tycktes. Så ryckte han till.

"Adlersparre …" Som en viskning.

"Ja, hon ska starta ett kvinnoförbund och vill värva …"

"Det var hon som startade hela processen!"

"Sophie Adlersparre?"

"Vad vill hon dig?"

"Som jag sa, hon ska starta ett kvinnoförbund och …"

Nu glodde han på henne.

"August, vad är det? Vad har hänt?"

"Du är lierad med dem!" väste han.

"Med vilka?"

"Med mina fiender! Med blåstrumporna, Ibseniterna, kastrerarna!"

Hon stirrade på honom. Och allt sjönk inom henne.

"August, sluta."

"Jag har varit på postkontoret i kväll och hämtat brev. Av dessa framgår att du undanhållit både avgående och ankommande brev."

"Du bad mig att öppna din post, och välja vad …"

"Du har agerat bakom min rygg, spionerat, lierat dig med …"

"August! Du bad mig!"

"Att liera dig med mina fiender?"

Nu såg han helt vansinnig ut.

"Det var nog knappast välvilja" – han hade sänkt rösten – "för du visste att jag en dag skulle vinna mera ära, och du ville framför allt inte att jag skulle vinna någon ära, eftersom det framhävde din obetydlighet. Även jag har nämligen uppfångat brev ställda till dig!"

"Har du läst mina brev?"

"Jag måste, det var uppenbart att ett brott höll på att begås. För att rycka undan mattan för mig har du en längre tid samlat alla mina tidigare vänner emot mig genom att underhålla ett rykte om mitt sinnestillstånd. Och du har lyckats i ditt uppsåt, för nu finns det inte mer än en enda som tror mig vara klok."

"August, snälla, samla dig! Du fick ju hålla tacktal till människorna som hyllade dig i Stockholm. Det hurrades ju på Centralen!"

"Och visslades! De förbannade …", han bet sig i läppen. Han var tyst ett ögonblick, flackade med blicken, bet sig ytterligare en gång i läppen och tog bort en flaga med fingrarna. "Nu förhåller det sig med mig på detta sätt: mitt förstånd är orubbat, som du vet. Jag kan både sköta mitt arbete och mina åligganden som far, mina känslor har jag ännu något i min makt, så länge viljan är tämligen oskadad. Men du har gnagt och gnagt på den så att den snart släpper kuggarna, och då surrar hela urverket upp baklänges."

"Vad har jag gjort dig, August?" utbrast hon förtvivlat. "Jag har bara försökt skapa ett drägligt liv för oss!"

"Ha! Du har genom ditt uppförande lyckats väcka min misstänksamhet så att mitt omdöme snart är grumlat, och mina tankar börjar gå vilse. Detta är det annalkande vanvettet, som du väntar på och som kan komma när som helst." Orden bubblade ur honom. "Nu uppstår den frågan för dig: har du mera intresse av att jag förblir frisk än inte frisk? Tänk efter! Faller jag ihop mister jag förmågan att arbeta, och då står ni där. Dör jag utfaller min livförsäkring till er. Men skulle jag avhända mig livet får ni ingenting. Du har sålunda ett intresse av att jag lever mitt liv ut."

Hon tittade förtvivlat på honom, försökte febrilt hitta en ingång till hans förnuft.

"Jag vill bara att du har hälsan, att vi alla har hälsan."

"Aha! Så att jag ska kunna försörja dig!"

"Men August!"

"Tror du att en man kan leva när han ingen har att leva för?"

"Men du har allt att leva för! Låt oss återgå till ett drägligt liv, August ... Så blir allt bra igen."

Nu log han, men inte ett vänligt leende.

"Du tror att jag inte genomskådar dig. Nåväl – befria mig från mina misstankar och jag ger upp striden."

"Vilka misstankar?"

"Om Gretas börd."

"Gretas börd? Finns det några misstankar om den saken?"

"Ha, ha! Du tror att jag har glömt. Du tror att du dövade mina misstankar då, på Kymmendö. Du tror att jag är så dum!"

"Men varför nu …"

"Därför att jag ska bevisa för dig att jag inte är dum!"

"Det är det sista jag tror om dig." Hon sjönk ner på schäslongen. Han stod kvar, över henne.

"Fattar du inte att jag har sett tecknen? Du har droppat dem som bolmörtsdroppar i mitt öra, och omständigheterna har gett växt åt dem."

Hon skakade på huvudet.

"Befria mig från ovissheten, säg rent ut: så är det, och jag förlåter dig i förväg."

"Jag kan väl inte påta mig en skuld som jag inte har?"

"Vad gör det dig? Du kan vara förvissad om att jag inte sprider det." Som en försäljare som försöker ingjuta förtroende i sin presumtiva kund. "Tror du att en man skulle gå och basunera ut sin skam?"

"Men vad ber du mig om!? Om jag säger sanningen, att hon är din, får du inte det du kallar visshet, men om jag säger att hon inte är det, då får du visshet? Du önskar alltså att hon inte är din!"

"Underligt är det kanske, men det är väl därför att det förra fallet inte kan bevisas, bara det senare."

Han tycktes studera henne, försökte väl utläsa små ryckningar i muskler, små tecken på vad hon egentligen tänkte.

Men hon var redan långt borta i tankarna. Långt borta i en värld där hon vandrade runt som hemlös på en storstadsgata i ett okänt land, med tre barn vid sin sida, och en galen man springande runt dem.

"Du söker förvirra mig, Siri!" utbrast han. "Glöm inte att jag är en vetenskapsman, en själens vivisektionist. Jag ser allt, jag analyserar allt, inget undgår mig."

"Nej …"

"Om barnet inte är mitt har jag inga rättigheter och vill inga ha över det, och det är ju endast det du vill. Inte sant? Du vill ha makten över barnen, men ha mig kvar som försörjare?"

"August, *älskade vän*, vi tävlar inte om makten. Vi behöver inte förgöra varandra för att själva leva. Vi kan vara starka tillsammans. Varför gör du så här? Varför försätter du dig själv i detta outhärdliga tillstånd?"

"Vem är fadern?"

"Du!"

"Nej, det är inte jag! Här ligger ett brott begravet. Och vilket helvetes brott! Svarta slavar har ni varit nog ömsinta att befria, men vita har ni kvar. Jag har arbetat och slavat för dig, dina barn, dina tjänare. Jag har offrat lagerkransar och vänkrets, jag har undergått tortyr, piskning, sömnlöshet, oro för er existens, så att mina hår grånat. Allt för att du skulle få nöjet att leva bekymmerslöst och när du åldras njuta om igen tillvaron med dina barn. Allt har jag stått ut med, därför att jag trodde mig vara far till dessa barn. Detta är den simplaste form av stöld, det brutalaste slaveri. Jag har haft nästan ett decenniums straffarbete och varit oskyldig, vad kan du ge mig igen för det?"

"Nu är du fullt vansinnig!"

Då tystnade han äntligen.

"Förlåt …" Sa hon. För hon visste att detta fick man inte säga honom. För då gick han sönder.

"Se på mig, August. Tror du att jag är din fiende?"

Han nickade, och där var han, äntligen. Pojken. Hon drog en suck av lättnad. Nu skulle det snart vara över.

"Tror du verkligen det?" Med mjuk röst.

"Ni är alla mina fiender", mumlade han. "För ni tar makten över mig. Domstolen … Bonnier … Kvinnorna … Min mor, som inte ville ha mig till världen, därför att jag skulle födas med smärta. Min syster, som lärde mig att vara henne underdånig. Den första kvinna jag omfamnade, som gav mig sjukdom i lön. Min dotter, som stod som bevis på att en annan mans säd befruktat min hustru. Och du,

Siri, du var min dödsfiende, för du lämnade mig inte förrän jag blev liggande utan liv."

"Vad ber du mig om, August? Att jag ska lämna dig?"

Han såg så hjälplös ut.

"Det är inte kvinnan som gjort dig så illa …"

"Vem är det då? Jag älskar henne och hon dödar mig!" Nu grät han.

Hon skakade på huvudet. "Jag vet inte. Tro mig, jag vet inte. Men ett vet jag: jag vill dig inget ont."

Och så var stunden inne, det såg hon. Hon klappade med handen på schäslongen, alldeles intill sig. Äntligen närmade sig slutet på det outhärdliga.

"Sätt dig, August. Sätt dig, och kom till mig."

Och han satte sig, och efter ett ögonblicks tvekan hade han lagt sig ner, och lagt huvudet i hennes knä.

"Som mitt barn", viskade hon medan hon strök hans panna, "som mitt barn var du. Din stora starka kropp saknade nerver." Hon visste hur hon skulle lägga rösten, hon kände det intuitivt.

"Har man en mor och en far som inte vill ha en", mumlade hennes man från hennes knä, "så föds man utan vilja."

"Jag älskade dig som mitt barn."

"Älskade …?" Han hade stelnat till.

Hon tvekade bara en bråkdel av en sekund. Men det var tillräckligt.

"Älskar", sa hon. "Jag älskar dig som mitt barn."

"Nej! *Älskade*. Medge det!" Han vände hastigt på huvudet. Tittade rakt upp i hennes ansikte. "Aha!" sa han triumferande. "Inte ens det! Du älskade inte mig, jag var för vek! Alldeles för omanlig för dig! Du älskade det jag kunde ge dig! Scenen!"

Handen stannade ett ögonblick på hans panna.

Och nu satte han sig plötsligt upp, för första gången någonsin lämnade han deras pietà och återgick till striden.

"Men tar du min mandom så tar jag din!"

Så skrattade han högt och rått.

"Jag har ingen mandom", svarade hon, plötsligt alldeles matt.

"Det är precis vad du har!" Nu reste han sig åter upp, ställde sig bredbent framför henne. Förde benen isär, som inbjudande till duell.

"Du vill vinna min estrad! Du vill tömma mig på det liv du själv åstundar. Försök du! Försök! Men jag har avslöjat dig! Touché!" Han skrattade igen. "Och så dum jag var, så länge! Du kunde hypnotisera mig vaken, så att jag varken såg eller hörde, utan bara lydde. Du kunde ge mig en rå potatis och inbilla mig att det var en persika. Du kunde tvinga mig att beundra dina enfaldiga infall såsom genialiteter. Du kunde förmått mig till brott, ja till lumpna handlingar. För trots att du saknade förstånd handlade du efter ditt eget huvud i stället för att bli verkställare av mina råd. Men nu, ser du, har jag vaknat! Jag har varit en hanrej! Och nu ska jag bli man! Touché!" Och så gjorde han ett låtsat utfall mot henne med sin låtsade värja.

Nu reste sig äntligen Siri. Hon reste sig från schäslongen och tittade på honom, med trötta, resignerade ögon.

"Jag är sömnig, August. Det har varit en lång dag." Så vände hon sig om för att gå.

"Ett ögonblick bara!"

Hon vände sig igen och tittade på honom. Fortfarande stod han bredbent. Fortfarande stod han med den låtsade värjan i handen. Han såg för ett ögonblick osäker ut.

"Hatar du mig?" frågade han.

"Nej", svarade hon. Och så lämnade hon äntligen rummet.

65

1892

August kom förstås inte till tinget den 27 januari. Han satt i Marstrand och fullbordade sitt sagospel. Det om smeden som förlorat sina barn till döden. Sin hustru likaså.

Och smeden i sagan reser ut i världslitteraturen, bland rivaler och gycklare. Och under färden byter han ständigt skepnad. Men varje skepnad härbärgerar samma sargade själ, med samma ältande klagan, samma såriga skuld, samma förbrukade och eviga kärlek:

> *Jag tror dig – och jag följer dig!*
> *Med sårat hjärta, lika sårigt*
> *som dina nyss så ljuva drag!*
> *Är spetälsk du, så är jag också,*
> *och har du brutit, har jag felat.*
> *Jag bär din boja, bannar ej,*
> *välsignar den, ty kärleks smärta*
> *lär räcka längre än dess fröjd,*
> *och jag dig älska vill för evigt!*

Och så förbereder han sig på att allt ska ta slut; och på att sedan resa sig ur askan, och renad gå ut i ett nytt liv. *Tabula rasa.*

*

August och Marie möttes inte förrän den 17 maj, vid Wermdö Skepps-lags sommarting.

Fast möttes är för mycket sagt. Ingen av dem infann sig ju kropps-ligen.

Käranden, fröken David, företräddes av vice häradshövding Hol-lenius. Svaranden av en James Millar.

"Jag hotas av fängelse för att ha försvarat mina ungar!" hade August skrikit på advokatens kontor.

Så herr Millars uppgift var glasklar.

Att han hade förlorat sina barn, det visste August redan. Och i den frågan erkände han sig besegrad på ett sällsamt obemärkt sätt: Broder Oscar – förmyndaren – hade helt sonika gått till Hollenius och skrivit under på att Siri skulle få vårdnaden, "så länge hon vårdar och i övrigt sköter barnen oklanderligt och försvarligt".

Det enda August begärde var att slippa fällas för ärekränkning – el-ler, i händelse av fällande dom, att straffet "måtte sättas så ringa lag möjligen medgåve".

*

Det hade ringt hårt på dörrklockan. Hårt, eller länge. Tillräckligt hårt, eller tillräckligt länge, för att Siri skulle förstå.

"Anna!" ropade hon och gick snabbt in på sitt rum.

August Strindberg hade varit välklädd denna dag: hatt, överrock och handskar. Och skägget var välansat och kinderna nyrakade. Han hade tagit av sig sin hatt, sin överrock och sina handskar och gett dem till hushållerskan. Sedan hade han ställt undan sin spatserkäpp och sin portfölj, tagit fram sin kam och dragit den genom håret några gånger. Därpå hade han tagit upp sin portfölj, vänt sig mot hushållerskan och nickat.

Så hade de tillsammans gått fram till barnkammardörren.

Barnen reste sig, en efter en. De gick fram till sin far, lät sig kyssas. Sedan satte de sig tillsammans i soffan. Med pappa.

Han tog upp sin portfölj.

Det första paketet var till Karin. Fast August öppnade det själv. Det innehöll ett läderetui, fodrat med mörkblå sammet. Mitt på sammeten låg ett guldur med svarta emaljornament.

"Jag har ju sagt till Karin att när Karin blir stor, ska Karin få en klocka!"

"Å, men pappa!" mumlade den lilla flickan.

Nu stack han ner handen i portföljen igen.

Samma slags svarta etui, samma blå sammet. Men denna klocka var i silver, med blå emalj.

Greta sa inte så mycket. Hon tog bara emot.

Till Putte gav han sin egen gamla silverklocka.

"Den kan Putte ta sönder och titta inuti", sa han.

Nu hade de inte mer att avhandla. Det blev tyst i det lilla rummet.

Plötsligt kunde man förnimma Siris röst någonstans utanför, ett kort ögonblick. August ryckte till.

"Sådär, barn", sa han. "Det var hemskt roligt att få träffa er. Se nu till att sköta er skolgång ordentligt. Glöm inte att en flitig elev kan komma långt här i livet."

Han strök dem över kinden, en efter en. Sedan tog han sin portfölj, och knäppte omsorgsfullt de två knapparna. Och så reste han sig.

De tre barnen satt kvar med sina tre presenter.

Precis innan deras far skulle försvinna ut genom dörren vände han sig om, en sista gång.

"Farväl", sa han.

Sedan såg de honom aldrig mer som barn.

*

Domen avkunnades den 19 juli. August Strindberg dömdes enligt 14 kap. 13 § Strafflagen för misshandel av Marie Caroline David, "varvid likväl skada ej tillfogats", samt på grund av den försvårande omständigheten att detta skedde på Sabbaten (7 kap. 4 §) att böta femton kronor, samt att ersätta Marie Caroline Davids rättegångskostnader med 120 kronor.

August Strindberg dömdes också, enligt 16 kap. 7 § Strafflagen, samt 8 § samma kapitel, för att om Marie Caroline David ha utspritt ärekränkande dikt och utsatt rykte om last, att böta 100 kronor, samt för det lidande detta åsamkat Marie David i skadestånd betala 50 kronor. Dessutom ålades han att ersätta Marie Davids rättegångskostnader med 209 kronor och 80 öre.

Man har anledning att anta att August var lättad. Men i Köpenhamn var man upprörd.

"Resultatet var *lumpet* och icke som man hade väntat efter så skamlös behandling", skrev moster Augusta. "Har Marie därmed fått upprättelse?"

Hade Marie fått upprättelse?

Själv sa hon inte så mycket. Och inte Siri heller. De befann sig med barnen på Aludden, där de firade sommarnöje inhysta i en vindsvåning.

Och de var på ett sällsynt gott humör.

66

1885

De såg ut som en hägring, de blinda husen med sina vitputsade fasader. Kanske för att det var svårt att fästa blicken på dem i det starka solljuset.

Hon stannade upp ett ögonblick, blundade. Putte hade börjat gny. Hon lyfte upp honom från vagnen och tog honom i sin famn, varpå han genast tystnade. Så började hon gå igen. Landsvägen sträckte sig ännu en bit framför henne och i den varma luften tycktes det som om byn där framme svävade en bit ovanför marken. Som om hon befann sig i en dröm. Lika gott så. Hon tittade stint framför sig medan hon höll pojken med höger arm och styrde vagnen med den vänstra. Hon hade gjort allt för att få vara ensam.

August, Eva och flickorna hade tagit häst och vagn från stationen. De var säkert redan framme.

Landsvägen hade nu förvandlats till byväg. Där kom prästen gående emot henne. Han måtte tycka att det såg galet ut att här kom hon i reskläder, ensam på vägen med en ny barnvagn. Men han nickade vänligt och log, som om det varit i går de träffades senast. Hon nickade tillbaka, sa "*bon jour*". Några grå hår hade han fått sedan sist. Det får lätt en man i fyrtioårsåldern på två år.

De skulle bo på Hôtel Chevillon denna gång, August skulle använda Calles gamla ateljéstuga som skrivarlya. Calle själv var inte längre där. Men han hade skrivit från Sverige att han var omåttligt tillfreds med att höra att de återvänt till Grez. "För, ser ni, den goda fen lever där."

Det är deras sista år utomlands. Det har August dyrt och heligt lovat. Det måste bara lugna ner sig i Sverige runt honom, så att tillvaron blir dräglig. Han har också lovat att hela detta sista år ska tillbringas i Grez, vilket varit hennes krav. Sedan ska de hem.

Och som en sedan länge bedragen hustru, eller en sedan länge sviken älskarinna, har hon valt att tro på hans löfte. Av den enkla anledningen att hon, liksom den bedragna hustrun och den svikna älskarinnan, är oförmögen att ta konsekvenserna av motsatsen.

*

Förbrukade intryck är som förbrukad luft. Det är därför de har flyttat så ofta. Men nu är August upprymd, som alltid efter miljöbyten. Efter någon vecka övertalar han flera av vännerna att följa med till staden Guise för att besöka Familistèren, där allt ägs av alla och ingen styr över någon.

"Just så ska man uppfostra barn!" utbrister han när han ser kollektivets barn leka. "Lika för pojkar och flickor, ingen blind lydnad, inte vänja barnen att vara våra tjänare, vänskap mellan könen, flickorna leker med pojkarna i stället för att sitta inne och stoppa herrarnas strumpor!" Och så tittar han kärleksfullt på Siri:

"Vi bygger en Familistère i Sverige, Siri, en artist- och litteratörs-familistère! Och du blir fri från alla de sysslor du hatar."

Så ler han:

"Siri, vi kommer att ha det så bra."

*

Och hon sysselsätter sig så gott hon kan. Och varje människa behöver en punkt där hon kan vila sin själ. Mer och mer finner hon att hon har förlagt sin punkt hos deras barn.

Och så har han kanske ändå lyckats i sitt uppsåt.

Men det krävs mer än så för att behålla någons kärlek.

*

"Sofie Holten." Kvinnan framför henne nickar till hälsning samtidigt som hon tar av sig sin basker.

Siri tittar nyfiket på danskan, som med sitt kortklippta hår, sin baskermössa och sin korta jacka – som väl närmast köpts från en fransk bonde – utseendemässigt sticker ut även i denna konstnärliga by.

"Välkommen till Grez", säger hon. "Bor ni också på Chevillon?"

"Nej", svarar fröken Holten medan hon rättar till det korta håret. "Jag och min väninna har just flyttat in hos Monsieur Chauvin. Mittemot Laurents."

"August Strindberg, skriftställare. Och detta är min hustru, Siri Strindberg."

Fröken Holten tittar förvånat på mannen bredvid, som plötsligt brutit in i samtalet.

Men Siri sträcker fram sin hand. "Angenämt att träffas."

Danskans hand är torr, och när man tittar på den ser man små färgfläckar, även under naglarna.

"Målarinna?" undrar August. Fortfarande stramt.

"Ja", säger danskan och fingrar på sin basker. "Så gott det nu går."

"Intressant …", mumlar han. Och nu kan man verkligen ana intresse i hans tonfall.

"Monsieur Chauvin tar väl hand om sina gäster", säger Siri. "Var tänker ni inta era måltider?"

"På Chevillon."

"Så trevligt, då ses vi där."

"Jag hade tänkt bege mig ut på cykel för att göra en reportageresa om franska bönder." Det är August igen. "Ja, jag tänker mig en bok. Och då är det ju mycket fint att ha illustrationer."

Fröken Holten tittar roat på honom.

"Ni måtte ha ett öga för talang, herr Strindberg!" utbrister hon och blinkar med ena ögat.

Han harklar sig.

*

Litografen Pettersson – de kallar honom Gubben Piso – sitter vid bordets huvudända, i kraft av sin ålder. Bredvid honom sitter fästfolket Tekla Lindeström och Karl Nordström. Därefter Siri och August, målaren Allan Österlind, och till sist Antoinette och Ville Vallgren, tillfälligt på besök från Paris.

Mère Chevillon har precis serverat soppan. Man hör danska talas i hallen utanför. August tittar upp från sin sopptallrik.

"Det är hon, den nya", säger han till Allan. "En rar danska, konstnärinna."

Österlind tittar nyfiket på draperiet som skiljer matsalen från hallen. Nu dras det undan och så står de där – fröken Holten, för kvällen iklädd långärmad grå klänning, knäppt i halsen, och ännu en kvinna, vid hennes sida. En yngre kvinna.

"God afton!" säger fröken Holten.

"God afton!" svarar alla vid bordet.

Kvinnan bredvid fröken Holten nickar till sällskapet. Till skillnad från fröken Holten bär hon en klänning med bara armar, och ett skärp runt livet. Hon är kanske tjugo, med rött lockigt hår. Hon har ett vackert namn: Marie David.

Men det Siri lägger märke till är hennes ögon. De är outsägligt sorgsna.

"Var så goda och sitt!" säger August och pekar på de två tomma platserna bortom Ville. Han är på strålande humör.

Våra sinnen är som strålkastare. I varje ögonblick tar de emot hundratals intryck. Men vi varseblir endast ett – ett i taget, vill säga.

Siri hör bara fragment av konversationen längre ner vid bordet. Men dessa fragment dränker det som Karl och Tekla, alldeles bredvid henne, talar om. Eller Augusts animerade samtal med Allan om Familistèren.

Till slut märker August hennes tystnad, som en barometer, ständigt inställd på tryck. Men han har ännu inte lokaliserat dess orsak.

*

I sällskapslivet kan han vara glad och gemytlig, ja rent av avspänd. Men inom honom bubblar och pyser det som i en tryckkokare.

Han skriver på en ny bok, eller snarare en fortsättning på en gammal. Arton nya noveller, att ingå i en samling som han ska kalla *Giftas, del II*. August anser sig ha mer att berätta om äktenskapet. Boken har ett redan skrivet förord. Det börjar:

> *Att älska, det vill säga: med en bestämd individ av motsatt kön uppleva i släktet, synes vara en egenskap uteslutande mannens.*
>
> *En man offrar därför allt för att få leva med den kvinna han älskar.*
>
> *Kvinnan älskar mannen endast i och med de fördelar han erbjuder.*

Under denna vistelse i Grez ska August komma att skriva om förordet till sin nya bok, gång på gång, tills till slut inget av det han kallat sin kärlek till kvinnan återstår. Och han, som hatar den tysta oppositionen mer än den öppna, insisterar på att hans hustru ska läsa. Varje gång.

Man kanske skulle kunna säga att livet skrev förordet, i lika hög grad som förordet skrev livet. Och om någonting skulle kunna kallas en dödsdans, var det väl detta.

*

Han vill blåsa nytt liv i Klubben, fast med nya medlemmar. Han vill få tillbaka de varma sommarmånaderna på verandan till Bergs stuga – utan att behöva åka dit. Han tycker att de två danskornas närvaro har livat upp pensionatslivet, så till den grad att en hejdundrande fest nu vore på sin plats.

"Man dansar med repet om halsen och tänker: bäst att passa på." Så skriver han till sin senaste vän, en ung författare.

August anar väl att pendeln mycket snart ska nå sitt ytterläge.

Ville och Antoinette kommer ner från Paris på eftermiddagen, liksom Spada. Och till kvällen har alla samlats, tjugofem personer i Laurents matsal.

"Skredsvig har tagit med norsk akvavit!" utropar August och höjer sitt glas mot danskorna.

"Skål för Skredsvig!" ropar Spada och sveper brännvinet.

De sitter vid det långa bordet, omgivna av uppspikade färgstudier och de i utbyte mot en måltid donerade tavlorna. Siri sitter med, bredvid Sofie. Bortom Sofie sitter Marie. Marie David.

"Jag vill hålla tal!" ropar August, som aldrig håller tal. Sorlet vid bordet tystnar. "Jag vill hålla tal om Stockholm!" Och man anar att det stockar sig en gnutta i halsen på honom. "Men först måste jag rensa strupen!"

Alla skrattar medan August sveper glaset. Alla utom Siri, som finner talets tema taktlöst, och Marie, som är upptagen med att även hon fylla på sitt glas.

Nu håller August, han som aldrig håller tal, sitt tal. Han talar om fåglarna i Humlegården på våren, om båtarna som lägger till vid kajen nedanför Östermalm, om den torra doften av hav och tång som förnimmes alldeles intill den stora staden, om det vackra nordiska ljuset, det som aldrig kommer ovanifrån, alltid lite mer skyggt, från sidan, om sena kvällar på Djurgården, och skira blomster vars doft aldrig sticker i näsan utan alltid bjuder en att komma närmare, närmare, om ett liv i en förgången och, synes det, lyckligare tid. Men just när man tror att han ska börja gråta höjer han än en gång sitt glas och säger, med hög röst: "Skål, mina kära franska vänner!"

Ett ögonblick är alla tysta. Sedan börjar festen.

Och det är August som är maestro, upptågsmakare par excellence. Precis som på Klubbens dagar.

*

Slängkappan formar sig runt hennes axlar, hänger som en frihetssymbol runt hennes kropp. De långa gracila fingrarna för ibland undan en slinga av det långa, röda, utsläppta håret. Det finns som ett osynligt fält runt henne, en gräns man inte får passera.

Den lilla mustaschen passar henne utmärkt …

"Ni borde dö av skam!" utbrister hon. "Det finns inget försvar för sådant beteende. Och varje hedersam man måste kväljas av det. Jag ser er praktiskt taget kväva honom med era omfamningar, visa honom den mest glödande tillgivenhet, och överväldiga honom med bedyranden, erbjudanden och löften om vänskap!" Hon höjer rösten ytterligare ett snäpp: "Jag kallar det ovärdigt, lågt och skändligt, att sänka sig själv så lågt att man agerar tvärtemot sina egna känslor. Och om, genom någon olycklig omständighet, jag hade gjort något liknande, så hade jag genast hängt mig av rent obehag!"

Ett ögonblick är det tyst. Sedan bryter applåderna ut.

"Bravo!" utropar Strindberg. "Bravo! Och med så mycket akvavit i kroppen!"

"*Quel Molière!*" skriker Skredsvig.

Men Siri kan inte slita ögonen från gestalten som står där uppe på bordet och deklamerar. Det är den vackraste man hon sett.

*

Sofie och August har just avslutat sin Mendelssohnduett och August har sprungit tillbaka upp på dansgolvet. Nordström är på väg fram mot bordet, vinglande. Han slår sig ner bredvid Sofie.

"Sätt dig ner, Kalle", säger Marie, trots att han redan sitter. "Ta dig ett glas."

"Ni är allt för söta …", sluddrar han medan han häller upp mer akvavit.

"Tack, Kalle", säger Sofie. "Du också."

"Åhåhå!" skrockar Nordström. "Men håll nu upp här!" Han sträcker sitt nikotingula pekfinger i luften. "Vi talar nog inte riktigt om samma sak."

Siri kastar en hastig blick mot Sofie, den nyktrare av de båda danskorna.

"Nej, ser ni …", säger Nordström och skrockar igen. "När jag talar om söta, då menar jag tillsammans!" Och så pekar han med sitt gula finger först på Sofie, sedan på Marie, sedan på Sofie igen.

Och det är alldeles tyst runt bordet.

"Du kanske inte ska dricka så mycket, Kalle", säger Sofie torrt.

"Berätta, flickor små", sluddrar han, "vad två små söta varelser som ni gör med varandra i sänghalmen!"

"Vad fan säger du?" skriker Holten och flyger upp från bordet.

"Så, så, så", säger Nordström, "så känslig får man väl inte vara."

Och medan hon slänger sin stol på golvet och med bestämda

kliv stegar ut ur rummet hörs Augusts sjungande röst från dans-
golvet:

> *En ackuschörska är min fru, hon skapar barn som ett jehu.*
> *Båd egna och till andras gagn, hon ljuvast är bak barnavagn.*

*

Vägen till Montcourt är vacker i vinterljuset. Jorden ligger svart om-
kring dem och de nakna träden bjuder endast på en nyans i grått.
Men luften är klar, och sätter man på sig ullkappan är vandringen till
den lilla byn njutbar även denna årstid.

Det är Siri och August, Marie och Sofie, Spada, som stannat några
extra dagar. Och så Tekla. Hennes fästman Karl är inte med. Han vill
inte längre vistas i Sofies sällskap. Det är ömsesidigt.

Sällskapet sjunger, sånger av Grundtvig. Sofie och Marie kan dem
utantill. Siri nynnar med. Hon går bredvid Marie.

August tittar på dem. Länge. Han har varit tyst ända sedan prome-
naden började.

"Så vackert hon sjunger, min hustru!" säger han plötsligt. "Eller
hur?" Han vänder sig till de andra.

"Mycket", svarar Tekla. "Siri borde stå på en scen."

August ler lite.

"Du förresten, Tekla", säger han. "Din fästman visade mig albumet
du fick förra året, på din födelsedag."

Någon har plötsligt stannat, tvärt. Det känner alla.

"Jag tänkte på det där porträttet Calle Larsson hade ritat av mig",
fortsätter August, som om han inte har märkt att hans hustru står
kvar på vägen.

"Ja …", svarar Tekla tveksamt och vänder sig om.

"Kom nu, älskade Siri", säger August.

"Jag tänkte", fortsätter han, återigen till Tekla, "vid första anblicken ser det ju oskyldigt ut. Men när man tittar närmare så … ja, så ser man att jag har försetts med ett horn …"

"August, sluta!"

"… försåtligt format av en slinga av håret i pannan." August har höjt rösten. "Jag har nu förstått vad Calle menar med detta horn."

Men alla stirrar på Siri som står som fastfrusen på vägen, högröd i ansiktet.

"Han menar att alla vet utom jag att min hustru är otrogen mot mig!"

Äntligen är han tyst.

Spada huttrar. För att ha något att göra.

"Usch, vad kallt det är", säger han.

August börjar skratta.

Men Marie har gått fram till Siri. Hon har tagit hennes arm. Hon har ställt sig bredvid henne.

"Jag tänker inte lyssna på dessa förolämpningar", säger hon.

"Förolämpningar?" August hånler. "Känner du min hustru, eller?"

"Det jag har sett har förvissat mig om att du är gift med en fin och generös kvinna."

Nu skrattar han verkligen. Högt och gällt. "Till och med blåstrumpeprofeten i Norge har sett mer än du! Har du läst hans senaste?"

Marie svarar inte. Hon tittar på Siri, som blundar.

"För fotografen, huvudpersonen, han har ju gift sig med en flicka av tvivelaktig vandel, som tidigare varit älskarinna åt en förmögen sågverksägare. Eller hur? Men det är hustrun som försörjer familjen, genom fonder från den forne älskaren, och genom att utöva sin makes yrke. Eller hur?"

Fortfarande får han inget svar.

"Men ser du då inte!" utbrister han indignerat. "Ser du inte att blåstrumpeprofeten har gestaltat min hustru, som antas utföra översättningar mot betalning! Översättningar som jag i själva verket rättar, gratis!"

Marie vänder sig tvärt mot honom. "Nej. Det ser jag verkligen inte!"

"Och så upptäcker den arme fotografen att hans älskade dotter, som kommit till världen för tidigt efter bröllopet, inte är hans!"

"Så Ibsen har skrivit din historia, August?"

"Ja! Och så utstuderat diaboliskt. För min dotter föddes ju först efter att vi varit gifta i två år. Men känner du till att Siri tidigare födde ett barn åt oss, som dog?"

Nu sjunker hon ner på huk, med knäna pressade mot magen. Och hon lutar huvudet ner mot knäna, och hon gråter. "August, snälla, sök hjälp …"

Marie går ner på knä framför henne och tar henne i sin famn. Och hon håller henne.

August stirrar på dem.

Till slut tittar Marie upp på honom. "Ditt problem", säger hon stillsamt, "är att du har en fin och intelligent hustru, fast kokerska eller piga är ditt egentliga kvinnliga ideal. Ditt problem är att du inte vill låta din hustru bidra till familjens försörjning med sitt skådespeleri eftersom du då är oresonligt rädd för att hon skulle lämna dig. Ditt problem är att du är så skräckslagen för att göra henne till din jämlike att du tvingas hålla henne i koppel, långt borta från Sverige. Du, August Strindberg, borde kanske ha valt ett annat slags kvinna, en som inte är dig jämbördig!"

Men August fortsätter att stirra på dem.

"Kan vi gå?" Det är Spada igen.

August rör sig inte ur fläcken.

"Jag fryser faktiskt!" säger Spada.

"Jag förmår inte …"

"Du förmår inte vad?" säger Marie till August.

"Undergivna kvinnor äcklar mig."

*Kvinnan har som sagt i alla tider exploaterat
den duperade mannen och genom att väcka och nära
hans oförbätterliga passion hållit honom i kärlekens
bojor.
Hon kallar sig nu med sin evinnerliga
själusmekning den Stumma. Hon kan icke tala, kantänka!
Och ändock är kvinnans tunga ända sedan Sokrates
dagar så ryktbar. Den Stumma! Att hon icke talar
i församlingen, det gör hon rätt i, ty den som ljugit
i 6 000 år och mer, den kan icke skilja sanning från
lögn. Hon som aldrig tänkt en egen tanke, aldrig
gjort en nyttig uppfinning, aldrig arbetat,
hon har förlorat sin talan ända tills hon ångrat, omvänt och
bättrat sig.
Hon har aldrig intresserat sig för annat än sig
själv, aldrig för det allmänna. Hade hon velat, så
vore hon för länge sen inne i alla församlingar.
Karaktäristiskt att se huru hon, som fått välja
alla banor, endast valt de usla: som kejsarinna och
drottning har hon varit tyrannisk, obetydlig eller
usel, som abbedissa ränksmidat med präster, som
skådespelerska och lindanserska visat sin kropp, som
prostituée och hustru sålt sina gunster.*

Så löd den senaste delen han skrivit av förordet till sin bok. Och fast
han insisterade, så vägrade hon att läsa.

Man kan ju faktiskt inte tvinga en människa att läsa.

*

Han berättar för Karl om sitt bottenlösa elände. Han berättar för Karl om sitt hemska äktenskap. Han gråter.

Och Karl förstår honom. Karl tröstar honom. Sedan går August till Siri och berättar att Karl gett honom rätt.

När middagen serveras är Siri Strindberg först inte där. Sedan hör man steg i trappan, klapprande, hårda. Siri går rakt in i matsalen, rakt fram till bordet, rakt fram till Nordström. Och så skriker hon på honom.

August blir så skrämd att han springer sin väg.

Men Sofie tittar beundrande på henne. Och Marie reser sig, går fram till Siri, tar henne under armen och följer henne ut.

Senare på kvällen är August så snäll, så snäll. Men det hjälper inte.

*

De står nere i trädgården, på natten. Han försöker lägga armen om henne. Hon stelnar till.

"Du vill inte." Han låter sårad.

Hon svarar inte.

"Du har någon annan", viskar han.

Hon svarar inte.

Han försöker åter lägga armen om henne. Hon är som en pinne, ett livlöst objekt.

"Du har en annan", säger han igen, och nu hörs triumfen i hans röst. "Marie David, det danska vraket!"

Hon svarar inte.

Han trycker henne intill sig, hårdare. Han trycker sina fingrar hårt in i hennes överarm. Han försöker få henne att komma till liv.

"August, du gör mig illa", mumlar hon.

Då trycker han ännu hårdare. Och så, plötsligt, griper han tag i hennes arm med båda sina händer.

Då lutar hon huvudet ner mot handen som pressar mot hennes överarm så att tummen vitnat, och biter i den, allt vad hon förmår.

"Aj!" skriker han. "Ditt djävla luder! Ditt djävla förbannade lesbiska luder!!" Och så släpar han henne efter sig, nerför stigen, ner till flodbanken. Och han drar ut henne på bryggan. Och hon försöker spjärna emot. Och hon skriker allt vad hon är värd. Men ingen kommer.

"Ditt djävla luder!" skriker han igen. "Jag ska dränka dig!"

"August!" skriker hon, full av skräck. "Tänk på barnen!"

Han stelnar till. Så släpper han taget om hennes arm. Ett ögonblick står han alldeles stilla. Sedan sjunker han ner på bryggan framför henne.

Just då tänds en lampa uppe i pensionatet. Någon kommer ut i trädgården.

"Vad är det som står på?"

Det är Gubben Piso.

"Ingenting", ropar Siri tillbaka. "Det är ingen fara."

Det är tyst ett ögonblick. Så hör hon knaster mot grusgången och dörren där uppe stängas igen. Framför henne ligger August och gråter.

"Du borde skjuta mig, Siri", snyftar han. "Du borde ta min revolver och göra slut på mig, eländiga människa. Så skulle du äntligen bli fri."

Hon betraktar honom. Och hon förstår inte hur han fortfarande kan väcka medlidande hos henne.

"Åh, Siri", säger han. "Jag har en sådan lust att dö nu att jag är rädd. Att om inte jag dör, så dör du. Förlåt mig, förlåt mig … Jag vet inte vad det är för fel på mig …"

Och hon sätter sig ner på bryggan, och hans snyftningar är hjärtskärande, och hon låter honom lägga sitt huvud i hennes knä. Han darrar. Och han lägger sina armar om hennes midja, och han trycker sitt ansikte mot hennes mage.

Och inom sig vet hon att snart, om tjugo minuter, om någon timme, allra senast i morgon, ska han resa sig framför henne, föraktfull och hätsk, redo att hämnas för den förnedring hon utsatt honom för genom att låta honom vara så hjälplös.

*

Nedtecknat av August Strindberg:

> *I händelse jag skulle angripas av galenskap vilket ej alls är otroligt, då en klok människa verkligen kan bli rubbad när hon ser fånar och skurkar styra världen; så anhåller jag få bli antingen hemligen förgiftad av någon skicklig läkare eller också sänd till det bekanta kurstället i Belgien – där de sjuka går lösa som stod beskrivet i Revue des Deux Mondes detta år (jan.–april 1885). Ty att stänga in mig vore att göra saken ohjälplig.*

*

Hon tydde sig till barnen, och de till henne. Hon brukade gå med dem utmed floden. Och hon berättade sagor för dem. Om trollet som bodde där invid vattnet och som kom ut bara när det var mörkt och månen lyste.

Och så berättade hon för dem om människor hon träffat, och resor hon gjort, långt, långt bort.

Och de kallade henne Tantis, trots att hon bara var tjugo år gammal.

*

När klockan var halv sex gick han till sist och lade sig. Efter att ha varit maestro, upptågsmakare par excellence. I timmar. Och resterna efter en kvadrataln sillsallad låg kvar på långbordet. Och tiotals urdruckna vinflaskor stod spridda i den stora salongen. Och tystnaden hade börjat sänka sig över Paris, dit de alla åkt för att fira Villes födelsedag.

Siri är utmattad, men oförmögen att sova. Hon säger ja när Sofie och Marie föreslår en promenad upp till kvarnen på Butte Montmartre. Gubben Piso och Edvard Perséus ska också med.

Det är mörkt och kallt när de kommer ut från Vallgrens våning, ut på den tysta gatan. Siri lägger sjalen tätare om sin hals. Tillsammans med de andra vandrar hon så sakta i vinterkylan upp till Moulin de la Galette, till ett kafé där morgonträtta kypare just börjat servera kaffe och våfflor. De slår sig ner vid ett bord invid fönstret. Och där utanför ser de början till ett nytt monument, en vit kyrka som byggs högst uppe på berget. Sacré-Cœur ska den kallas.

När klockan slår sju reser sig till sist Sofie, Gubben Piso och Perséus för att gå tillbaka till rue Gabrielle och äntligen lägga sig att sova. Men Siri och Marie stannar. De ska se soluppgången, säger Marie. Så de sitter kvar på det lilla kaféet, vid bordet intill fönstret, medan de andra borden sakta fylls av parisare på väg till arbetet. Och Marie berättar för Siri om sitt liv. Om sin mor, som törstade efter friheten så till den grad att allt runt henne vittrade sönder. Om hur Caroline David, när hon till slut slet sig loss från den man hon lärt sig att hata, tog med sig endast sina två yngsta – Marie och Georg, dem som det sas att hon fått med någon annan än sin make – och begav sig med dem till Neapel.

"Var det rätt?" undrar Siri.

"Ja, det var det, men hon blev sjuk. Jag och Georg lämnades mest för oss själva."

Och nu ler Marie, sitt vackra och vemodiga leende. "Det var där jag lärde mig att älska de vackra flaskorna på hyllan."

Siri tittar på den omutliga munnen, den perfekt formade näsan, de röda lockarna som faller varhelst de vill. Och de bottenlöst sorgsna ögonen. Hon vill trösta henne, men vet inte hur.

"Sedan, när mor hade gått bort, var det ingen i släkten som ville kännas vid oss."

"Har du fått fostra dig själv, Marie?"

"Nej, mamma älskade mig."

"Men din mor gick bort."

Marie är tyst ett ögonblick.

"Jag har henne inne i mig."

Siri nickar, långsamt.

"Och Brandes bryr sig om mig."

"Skriver du till honom?"

"Ofta."

De tittar ut mot hustaken, som nu börjat blänka av den uppåt-gående solen.

Och man kan höra trafiken utanför.

"Sedan då, när du blev vuxen?"

"Jag studerade en del, började läsa medicin. Förmodligen för att jag sett så mycket sjukdom. Och sedan ville jag inte längre."

"Nej ..."

Marie ryckte på axlarna, som om tryggheten var lika oviktig för henne som den en gång varit för hennes mor.

"Har du skrivit något än?"

Hon skakade på huvudet.

"Inte mycket. Men jag ska. Jag har ett manuskript som jag alltid bär med mig."

Och vad kunde hon ge denna kvinna? Ingenting.

"Vad tycker du att jag ska göra?" hörde hon sig själv säga.

"Du måste göra dig oberoende av hans lynnen."

"Jag har tre barn, och han försörjer oss."

"Älskar du honom?"

"Jag vet inte."

Marie satt tyst.

"Ja, jag älskar honom med en enda liten tråd, som envisas med att inte gå sönder."

Och så börjar hon till sist gråta.

Marie tittar på henne, länge.

"Jag kan inte råda dig", säger hon. "Men jag vill att du ska veta ..." Hon tvekar ett ögonblick. "Jag vill att du ska veta, att om du någonsin beslutar dig för att lämna honom så ska jag hjälpa dig ekonomiskt."

Siri rycker till. Hon tittar upp på den unga, hemlösa kvinnan.

Marie ler. "Jag har faktiskt ett arv. Det förvaltas av någon. Men det är mitt. Och kan jag med det rädda ett liv, så ska jag göra det."

Dörren in till Vallgrens står öppen, Sofie och hennes sällskap har kommit ihåg att inte låsa innan de gick till sängs. Stelfrusna stiger de två kvinnorna in i den becksvarta, fönsterlösa hallen. Siri famlar framför sig för att hitta kapphängaren. Hon gör det inte. Så känner hon hur någon tar kappan ur hennes hand. Sedan en arm under hennes. En fast hand som håller henne, utan att leda henne någonstans. Och om det kan svartna framför ögonen i ett helt mörkt rum så gör det det. Armen under hennes, handen som rör hennes, fingrar som stryker hennes. Och så känner hon doften. Hon vänder sig upp mot denna doft. Och nu anar hon konturen av ett ansikte, hon ser ögon som inte syns, hon förnimmer en mun som inte kan ses. Och sedan kysser hon den.

*

August tvingade bort dem från Grez. Han hotade med att polisanmäla Marie David och Sofie Holten för otillbörligt umgänge med det egna könet. Och om det var för att de blev skrämda, eller om de helt enkelt bara blev illa berörda av att vistas i den nu fullkomligt besinningslöse Strindbergs närhet, är svårt att säga. Men de lämnade byn, tillfälligt. Så pass länge att August hann bryta upp och tvinga med sig Siri bort från Grez.

I Siri blev det nu tyst. Från denna stund väckte ingenting han gjorde längre några starka känslor. Från denna stund fick ingenting han sa längre någon stor betydelse.

Och fanns det något som gjorde honom vansinnig, var det väl detta.

Ändå hände det här: Han skrev sin fruktansvärda bok om henne. Och han skrev om Marie, och han skrev om deras sista kväll i Grez. Och han skrev om hur hans hustru sjöng till sin älskade.

För August skonade ingen, inte ens sig själv.

> Hon hade sjungit med en sådan glöd och sann känsla, de stora mandelformiga ögonen glänste i skenet från ljusen, hon hade öppnat sitt hjärta utan förbehåll och, sanna mina ord, jag kände att jag rycktes med, förhäxades. Det var en sådan naivitet och rörande uppriktighet att varje liderlig tanke försvann – det var en kvinna som besjöng kvinnan! Och sällsamt nog, varken hennes uppträdande eller minspel gav intryck av viragon, mankvinnan, nej, det var den älskande kvinnan, öm, hemlighetsfull, gåtfull, ogripbar.

De närmaste fyra åren ska hon flytta med honom och deras barn till Othmarsingen, till Weggis, till Gersau, till Lindau, till Köpenhamn, till Klampenborg, till Taarbæk, till Skovlyst, till Holte – i en plågsamt långsam färd hem.

På vägen, ett kort ögonblick, ett sista, hjälper han henne att spela teater.

Men något inom henne har förändrats.

Och hon fortsätter att driva dem hemåt, för att få fast mark under fötterna. I utbyte lovar hon honom att aldrig mer träffa den unga kvinnan med det stolta ansiktet och de sorgsna ögonen.

För endast så blir livet uthärdligt.

67

1893

De anlände till Helsingfors i slutet av maj. De kom med en båt över Östersjön, för att börja ett nytt liv. Siri var fyrtiotre år gammal, Marie var tjugoåtta.

Det första de såg var kupolerna på Sveaborgs militärkyrka, som glimmade i solen. Och strax där bakom reliefen av staden. Byggnader står alltid kvar, generation efter generation, medan människoliv kommer och går.

Hon var den enda av dem som någonsin tidigare varit där. De hade följt henne tillbaka hem.

"Titta, Karin!" sa hon till sin äldsta dotter. "Titta. Det var där mamma föddes."

Det hade gått snart ett år sedan rättegången. Varför ville hon till Helsingfors? För att vi förr eller senare alltid återvänder hem, om vi får möjlighet? För att detta är en rimlig slutdestination i ett liv, om inget annat tvingar en att förbli hemifrån?

Förmodligen var det så. Av de senaste arton åren hade kanske åtta varit hennes och resten helt och hållet någon annans.

Hon hade nyligen klippt sitt hår helt kort, liksom Marie. Hon var glad. Ja, hon var förhoppningsfull.

De tog sig från hamnen till Socis, liksom den gången hon kom för att fira sina triumfer på tiljan. Då var det 1882. Nu var det 1893.

Skulle hon försöka igen?

När morgonen grydde öppnade de sina fönster, högt uppe i hotellet, och tittade ut mot den brusande nya staden – mot Södra hamnen och det glittrande vattnet, mot Observatorieberget intill, mot Skatuddens kåkstad till vänster, och den magnifika Uspenskijkatedralen med sina ryska lökkupoler. Esplanaden, som låg alldeles till höger, fylldes redan av isvoshikdroskor och andra fordon. Och så rakt nedanför: det stimmiga och stökiga Salutorget. Babusjkor med dukar på huvudet. Vagnar som dignade av grönsaker eller kött. Bönder som kommit in från landsbygden, som hojtade invid sina varor, medan stadsborna gick omkring, granskade, jämförde och prutade. Och mitt ibland dem soldaterna, de som spatserade som om de ägde världen, fast de egentligen endast ägde sina uniformer. Ända upp till deras fönster hördes de tre språken som korsade varandra i Salutorgets vimmel, tre språk som var sinsemellan obegripliga och ändå alla hörde denna staden till.

För barnen var detta en spännande ny värld.

För Marie var det ett nytt hem. Men var det ett hem hon under andra omständigheter skulle ha valt? Så långt från kontinenten. Så långt från det slags miljöer som ändå hade närt henne.

Fast nu hade hon en familj.

"Det är en Guds lycka för oss att vi kommit hit till Finland", sa Siri. "Här har vi vänner, och här har jag utsikter för framtiden."

Men mycket hinner hända på elva år. Och liv är bräckligare än byggnader. Både Constance och Ada hade gått bort under tiden Siri var ute i Europa. Den enda som fanns kvar av dem som var henne riktigt kära var Hulda, fostersystern, den trofasta.

Hon mötte dem redan första dagen. Hon såg oroad ut.

"Älskade vän!" Så sa Hulda, gång på gång. "Älskade vän." Och det skulle Hulda fortsätta att säga, år efter år. Med alltmer bekymrad min.

Men än så länge skrattade Siri bara åt fostersysterns oroliga uppsyn och hennes förmaningar att Siri skulle tänka på sitt rykte, beakta "den allmänna meningen".

"Nå, så jag hör inte till de förträffliga", sa hon leende och klappade Hulda på handen. "Men jag bryr mig inte vad folk säger, bara jag slipper veta det."

Hulda hade ordnat gratis sommarboende åt dem i en stuga intill Mariefors herrgård utanför Helsingfors. Här skulle de i lugn och ro samla sig inför hösten, härifrån skulle de finna bostad, försörjning, hitta en mer stabil tillvaro.

Och Siri visste att det skulle bli en icke ringa utmaning.

För August hade ännu inte betalat något underhåll, inte en enda gång. Och det faktum att han just gift sig med dottern till en förmögen österrikisk tidningsman hade inte förändrat detta faktum. Inte heller att Siri skrivit brev efter brev till barnens förmyndare, farbror Oscar. Till att börja med hade Oscar lagt ut ur egen ficka. Men han blev aldrig ersatt av sin bror. Så han slutade.

Och den sommaren förmedlar han ett förslag, ett från Augusts nya hustru, som han "hoppas Ni är nog förståndig att antaga".

Först skrattar Siri när hon läser brevet. Men skrattet fastnar i halsen.

Och när hon svarar honom har hon hunnit bli riktigt upprörd:

Herr Oscar Strindberg, Stockholm.
Ert brev av den 13e juli uppfyllde mig med både fasa och för-
våning. Känner Ni då alls icke till förhållandena? Vet Ni då icke
att jag gick in på skilsmässan allenast på det villkor att alla tre
barnen skulle stanna hos mig.
Jag betvivlar inte att barnen därborta skulle få ett vida ele-

gantare hem än hos mig. Men består väl barnens lycka däri? Är
då deras hjärtans känslor, deras frid intet att ta i beaktande?
Det vore ett brott, ett oerhört brott att skilja dessa tre barn från
varandra. De är sinsemellan fästade med den innerligaste syskon-
kärlek. Jag tror inte det råd Ni härvidlag givit mig kunnat utgå
från Ert hjärta, Herr Strindberg. Ni säger att Hans är i den ål-
dern att han behöver en fars ledning. Gode Herr Strindberg! Hur
svag ni än må vara för Er bror, så blind kan Ni väl ändå inte
vara att Ni ej inser att en man med Augusts excentriska lynne och
egendomliga grundsatser är allt utom ägnad att leda ett barn.

Ni behöver inte frukta att min son hos mig skall uppfostras
till en vekling därför att jag är kvinna – jag kan inte tåla pjåsk
varken hos män eller kvinnor.

För mig är mina barn allt! Förhoppningsvis skall denna unga
kvinna en dag förstå hur orimlig den begäran är, som hon nu i
sin barnsliga naivitet framställer till mig. Då skall hon kanske
fatta att en mor kan offra allt, utom sina barn; att för deras
välfärd är henne intet arbete för tungt, ingen omtanke för mö-
dosam, men att hon också skall veta att försvara dem, gällde det
så mot en hel värld.

Och detta var samma Siri von Essen som en gång – i en annan tid –
lämnade bort ett barn utan att tveka.

Kanske hade hon förändrats i grunden, om än gradvis, såsom man
kan göra under livets resa.

"Ska du inte börja spela, Siri?" skulle den vänlige redaktör Frenck-
ell på Hufvudstadsbladet fråga henne några månader senare. "Stå på
scen, som förr?"

"Nej, jag förmår inte slita mig från barnen", skulle hon svara. "Da-
gar, kvällar, nätter, turnéer. Jag kan inte."

Och hon verkade faktiskt inte tveka. Och hon verkade faktiskt inte
sörja.

Och barnen förblev hos henne och Marie, vars fortsatta närvaro Oscar inte kände till, och August inte lyckades få någon bekräftelse på.

Till hösten flyttade de in i en billig femrummare i Helsingfors, på tredje våningen i ett gammalt trähus inne på gården på Nylandsgatan 36. Möbler hade de nästan inga. Men det var stort, där fanns ett riktigt badrum, och barnen kunde springa fritt.

Ett av sovrummen blev barnens, ett blev Siris, ett blev Maries. Och ett skulle Siri ha som lektionssal när hon fick sina elever, dem som hon skulle inviga i skådespeleriets ädla konst. Så, tänkte hon, skulle hon kunna vara nära teatern, nära barnen, och samtidigt försöka försörja dem.

Det visade sig bli svårare än hon hade hoppats. Unga människor i Helsingfors hade aldrig hört talas om aktrisen Siri von Essen, och de äldre hade nog glömt bort.

Så hon blev ändå tvungen. Hon tog ändå kontakt med Svenska Teatern – som Nya Teatern numera hette – och frågade om hon kunde få göra ett gästspel. "Men bara för att göra mitt namn bekant."

Den 30 oktober och den 1 november 1893, två magiska kvällar, spelade Siri von Essen för sista gången teater, i rollen som Rose Morel i François Coppées *Pater Noster*. Och för första gången fick barnen se henne som skådespelerska. De skulle aldrig glömma det, så länge de levde.

Recensionerna blev utmärkta. Och med hjälp av dessa, och de gratisannonser som Frenckell lät henne sätta in i Hufvudstadsbladet, lyckades hon få igång sin verksamhet som skådespelarlärarinna. Det blev ett kärleksarbete. Ett som till skillnad från scenen inte var det minsta konfliktfyllt.

För att ytterligare dryga ut kassan fick hon översättningsarbeten från Hufvudstadsbladet, uppdrag som den snälle Arthur Frenckell troget slussade till henne.

Och så byggde de långsamt upp en ny tillvaro. I deras hem fick gamla filtar tjäna som rullgardiner till natten. Som läx- och matbord användes två donerade kafébord med en duk över. Och när det blev riktigt kallt försvann bordsduken för att användas som fönsterisolering. Möbleringen i övrigt var lika originell: de få kvarvarande familjeporträtten jäms med slitna tvärrandiga yllegardiner, en brokig samling antika möbler som Marie kommit över i en diversehandel för inga pengar. Och så en kanariefågel som inackorderats hos dem.

Egenartat var det, men faktiskt hemtrevligt.

Siris barn skulle alltid komma att minnas denna första period i Helsingfors som en lycklig tid, även om de ibland, trots Siris ansträngningar att skydda dem, förnam hennes oro. Deras mor var ju som en barometer: spänd som en fiolsträng när hon var orolig – vilket hon numera bara var över pengar – men så, vid minsta lättnad, frimodig som ett barn.

"Kan jag bara få så mycket elever att ekonomin går ihop, ja, får jag bara så mycket arbete att jag inte behöver förlita mig på August, så blir jag den lyckligaste människan i världen!"

Hon lekte med dem, så mycket oftare nu än under Lemshagatiden. När de längtade efter ett husdjur erbjöd sig Siri att bli deras hund. Och nästan varje kväll lade hon sig på golvet, och medan barnen skulle föreställa flugor som svärmade runt henne presterade hon en storslagen pantomim från byracka under dåsig eftermiddagslur till rasande vilddjur. Något som snart förlänade henne smeknamnet Moppe.

Marie, då? Ja, Marie fanns där, som en lugn, stabil gestalt, så olik Siri till sin natur. Hon hade klivit in i deras tillvaro för två och ett halvt år sedan, och hon befann sig nu där med självklarhet. Maries person hade något lysande och varmt över sig, trots att till och med barnen kunde uppfatta det svårmod som ibland låg i hennes lugna grågröna ögon. Hon kände djupt och tyst, men gav sällan uttryck åt sina känslor. Ändå förnam de det stora liv som fanns inom henne, hennes starka oberoende, hennes frihet från tillgjordhet, en bildning, en spänning. De tjusades av henne, kunde inte slita sig från henne. Hon talade till dem som till vuxna, och ändå inte. Hon berättade det som hon visste att de skulle tycka om att höra, men hon gjorde aldrig några försök att anpassa berättelsen till ett barn.

De förstod *verkligen* att Marie skulle bli författarinna! Trots att de aldrig såg henne skriva.

Tantis gav dem smeknamn, så som man gör med människor man älskar: Karin blev Fröken Kastrull, Greta blev Lilla Gumman, och Putte, som redan visat intresse och talang för vetenskapliga ting, blev Apotekaren.

Och så levde de. I en tillvaro som på många sätt inte var enkel, och ändå var det.

På dagarna gav Siri teaterlektioner. På kvällarna satt hon vid skrivbordet, med huvudet tätt intill lampkupan. Invid henne, i en fåtölj, satt Marie. De översatte tillsammans, Siri från tyska, Marie hjälpte henne med franskan.

Ibland gick Siri upp för att stoppa om barnen, eller ge dem något att äta. Ibland gick Marie in för att berätta för dem, något spännande ur sitt liv, kanske något uppdiktat.

Och sedan, när allt ljud i huset tystnat, fick de äntligen vara tillsammans. Några få timmar. Sedan gick Siri in till sig. För barnen fick inte veta.

Det var ett liv, det var det. Kanske inte det liv hon en gång tänkt sig. Men i tillvaron är det nu en gång så att det vi värdesätter, det som ger vår existens mening, omärkligt kan skifta. Och det som en gång i tiden var ens veritabla livsluft, har, utan att man märkt hur det har gått till, ersatts av något annat, något som vuxit in i ens själ, något man aldrig tidigare hade tillmätt en sådan betydelse.

För så lite det egentligen finns i livet som man kan räkna ut på förhand.

*

"Adolf Paul." Den gänglige mannen bockade.

"Jaha …", sa Siri och tittade undrande på den obekante besökaren.

"Jag är god vän till August Strindberg."

Siri ryckte till.

"Jaha …?"

"Hur står det till?"

"Tack bra."

"Jag är på tillfälligt besök från Berlin, och har med mig en av Augusts målningar. Han har sagt mig att om jag lyckas få den såld ska jag lämna pengarna till fru Strindberg … ursäkta, fru …?"

"von Essen."

"von Essen."

"Jaha, det var ju vänligt", sa hon tvekande.

Gästen var tyst ett ögonblick.

"Och så bad han mig höra sig för hur det är med er", sa han än en gång.

"Tack, det är bra", svarade Siri, än en gång. "Men August har inte betalat underhåll som han ska."

"Då hoppas jag verkligen att jag lyckas sälja tavlan", svarade herr Paul. "Finns möjligen en Marie David här?"

Siri svarade inte.

Då skruvade herr Paul lite på sig.

"Ja, ni känner kanske till att August gett ut en ny bok …"

"Nej, det visste jag inte", svarade hon spänt.

"*En dåres bikt,* kallar han den."

"*En dåres …?*"

"Den har precis kommit ut i Tyskland."

"Jaha …" Siri svalde. "Vad har detta med Marie David att göra?"

"Allt, är jag rädd", svarade gästen. "Och med er också, fru von Essen."

*

"Jinka …" Siri låg i sängen och tittade på henne. "Jinka, låt bli …"

Men Marie svarade inte. Och den vedervärdiga boken låg i hennes händer. Och där läste Marie om sig själv, om den "avskyvärdaste, otäckaste varelse man kunde föreställa sig". Sida upp och sida ner, om en grotesk människa som var hon själv.

Siri blev rädd när hon såg på Marie. För någonstans anade hon att den unga kvinnan som väntat på henne så länge, följt henne genom så mycket och ända hit, till ett för henne obekant land, befann sig vid ett vägskäl, eller vid något slags gräns.

Kanske hade det inte bara med August att göra. Kanske inte bara med den ohyggliga boken.

Hon sträckte fram en hand, Marie såg den inte.

Hon tog boken försiktigt ur hennes händer.

"Jag tycker att vi ska låta August vara nu, Marie. Han har förpestat våra liv nog."

Och då tittade Marie på henne. Och till slut lade hon sig ner, med huvudet bredvid Siris, på deras enda kudde. Och hennes röda lockar rörde vid hennes kind. Men Marie tittade inte på henne. Hon stirrade upp i taket. Och Siri betraktade den ännu unga kvinnans gamla ögon. Och hon var så rädd, så rädd.

"Jinka", sa hon, än en gång, och strök hennes kind. "Snälla Jinka."

Äntligen tycktes Marie slappna av. Och hon vände sig mot henne. Och hon nickade. Och det fanns åter värme i hennes ögon, som om hon äntligen kommit tillbaka från en vansinnig värld.

Och Siri lade sina läppar mot den unga gamla kvinnans stolta panna, mot hennes sorgsna ögon, mot hennes mjuka kinder, mot hennes läppar.

Och hon rörde vid henne och tröstade henne, och tröstade sig själv, och höll henne tätt intill sig, och lade hennes huvud mot sitt bröst. Och när Marie äntligen, äntligen var hos henne så älskade de.

Och att älska med en kvinna var något annat. Något helt annat.

*

Marie blev tyst. Och Siri förstod vad det betydde. Hon försökte hitta flaskorna och gjorde det oftast. Men inte alltid.

Och Marie visste att när hon inte kunde behärska sig, då fick hon inte vara nära barnen.

Så hon försökte behärska sig.

Ibland satt hon med dem på kvällarna och allt var som vanligt igen. Men aldrig mer än några dagar.

Hur kunde en så omåttligt stark människa ändå vara så skör?

Och någon gång, redan i Grez, hade Marie berättat om sin rädsla för att med löften binda sig vid en annan människa. "Därför att människan i allmänhet är ganska opålitlig." Det var länge sedan. Men Siri kunde inte sluta tänka på det.

Fast det var inte därför. Och det skulle inte bli därför.

Till julen det året gav Marie barnen en hund, en mopsvalp. Han fick namnet Bob, kallades Bobben.

Så nu behövde de inte längre låtsas vara flugor.

68

Det drog kallt när dörren öppnades. Ett enda ögonblick. Siri sprang upp från fåtöljen och ut i tamburen.

"Vem är det, mamma?" hördes Greta inifrån salen.

Siri svarade inte. Hon var redan framme vid dörren.

Marie stod lutad mot dörrposten, med huvudet framåtböjt. Siri tog tag i hennes arm.

"Förlåt mig, Høne", mumlade hon.

Och plötsligt såg hon det. Blodet som rann nerför Maries panna.

"Vad har hänt?" viskade hon förfärat.

"En isvoshik. Han krängde …"

Sedan föll Marie ihop på golvet.

Hon låg till sängs hela julen med hjärnskakning. Så tillstötte lunginflammation. Och snart började den blodiga hostan. Och det var ju då som linjen drogs. Egentligen först då.

De anställde en svensktalande diakonissa, Serafina Heikkonen, för att vårda Marie. I sitt feberyriga tillstånd trodde Marie att Serafina var en katolsk präst och bad henne om radbandet, det som hade funnits i hennes mors hand när hon dog.

Lungsot hade sjukdomen hetat. Tuberkulos med ett modernare namn. Och det hette den fortfarande. Och lika lite som det var Gud som höjt sin straffande hand över Siris första barn, lika lite var det nu han som hade straffat hennes Marie genom att ge henne denna sjukdom. För vidskepelsen hade Siri genom allt detta förunderligt nog lyckats hålla ifrån sig.

Vilket inte gjorde saken ett enda dugg mindre fruktansvärd.

Om det berodde på Serafina Heikkonen eller inte, om det hade hänt ändå, det skulle hon aldrig få svar på. Men det var den, som det visade sig, nervsjuka diakonissan som tippade Marie över kanten. En dag hördes ett fruktansvärt oväsen från Maries rum. Siri störtade dit. Mitt på golvet i det mörka rummet stod Serafina Heikkonen och vrålade ut att undergången var nära. I sängen, i ett hörn mot väggen, satt en skräckslagen och hopkrupen Marie och darrade.

Några dagar senare blir hon på läkarens enträgna begäran, och efter eget medgivande, inskriven på Doktorinnan Lybecks klinik i Kammio. På "isoleringskur".

*

Ingen fick träffa Marie, ingen utom hennes läkare och översköterskan, fröken Bremer. Och hur mycket Siri än bönade och bad släpptes hon inte in.

Marie hade lungsot, men det var inte därför hon hölls borta från dem. Man sa att hon brutit samman, själsligen, att hon måste få lugn och ro.

*

Det var en lång allé, med vackra lindar på var sida om vägen. I slutet syntes en grupp gråa stenhus, förbjudande tillstängda. Den vackra trädgården i mitten gjorde inte mycket för att lätta upp intrycket. Droskföraren berättade att byggnaderna tidigare varit ett bryggeri.

Siri betalade honom, och med en blandning av känslor som inte kunde sorteras gick hon fram till den stora porten ovanför vilken det stod *Kammio sjukhus.*

Hon hade äntligen fått tillåtelse att besöka Marie, men inte ensam. När hon gick uppför den stora stentrappan till sjukrummet gjorde hon det i sällskap med den person som numera var Maries enda kontakt ut till livet, den stränga, till synes kyliga, översköterskan fröken Bremer.

De stod framför dörren. Siri tog ett djupt andetag. Fröken Bremer öppnade.

Där låg hon. Eller halvlåg. I en järnsäng, med ett stort krucifix hängande ovanför huvudändan. Benen var halvt uppdragna, och gestalten i sängen, för något annat kunde man inte kalla det, visade inte med en min att hon hört eller sett någon komma in i rummet. Siri kämpade mot tårarna.

"Marie", sa hon tyst.

Hon fick inget svar. Gestalten i sängen tittade framför sig med stora, frånvarande, djupt sorgsna ögon.

"Åh, Marie …", sa hon igen. Och tårarna rann nerför hennes kinder.

Nu vände Marie äntligen, äntligen på huvudet och tittade på henne. Och blicken sa: "Snälla, gå."

*

De fick bryta upp hennes knän, så länge hade hon blivit sängliggande. Först fick de bryta sönder broskbildningarna med våld, sedan ge henne massage för att hon åter skulle lära sig att gå. Men hon skulle aldrig mer röra sig utan käpp, trots att hon inte ens fyllt trettio.

Marie kom hem till dem igen efter ett och ett halvt år – till deras nya lägenhet på Wladimirgatan. Återställd, sa de.

Och kanske var hon återställd från sitt sammanbrott. Kanske var det så. Men den andra sjukdomen, den smygande, den som satt sig i hennes lungor, den var där för att stanna. Och Marie hade förändrats i grunden.

Hon raljerade inte längre över andra människor, svor aldrig högt, skrattade sällan åt dråpliga historier.

Hon drack aldrig mer.

Och berättelserna som tidigare bubblat ur henne fanns där inte längre.

"Hønemor, berätta du", sa hon när Putte pockade på att få höra en saga.

Ändå var hon så uppenbart lättad över att vara hemma hos dem igen.

En gång, en enda gång, hade Karin och Greta fått besöka henne på Kammio. Och doktorn hade då berättat att tanten de besökte skulle komma att dö.

Någon vecka efter hemkomsten fick Marie ett brev från herr Zahle. Han meddelade att hennes förmögenhet var förbrukad. Ett och ett halvt år på ett privat sjukhus hade gjort slut på det sista hon ägde.

Och om något kunde tjäna som bevis på att den gamla Marie fanns kvar där inne, någonstans, så var det väl hennes reaktion på detta besked. Hon tog upp en penni ur portmonnän, "min sista", som hon sa, slog hål i den och hängde den i sin klockkedja.

"Nu ska Tantis arbeta!" sa hon.

Men hon fick inget arbete, i alla fall inget i närheten. Hon tvingades ta arbete som guvernant hos en godsägarefamilj, för 50 mark i månaden. Hon klagade inte, åtminstone inte inför dem. Fast till Georg Brandes skrev hon: "Ja, det var ett streck i räkningen, att jag inte kunde dö, när jag ju ändå var så nära." Och sedan: "Vilka framtidsutsikter. Guvernant i Finland! Jag är dessvärre inte mer än trettio år."

Barnen och Siri träffar hon nu bara på söndagarna. När hon är hos dem håller hon sig lite avsides, nära men ändå borta. Hon är rädd att smitta dem. Och när hon sover hos dem gör hon det i inventionssoffan i salen. För den nya lägenheten har bara två sovrum. Ett till barnen, ett till Siri.

Och ja, Marie har lämnat henne.

Men inte bara henne.

"Det är som om Tantis lyfts ut ur sig själv och lämnat bara skalet kvar åt oss", säger Karin.

Och Siri förklarar för sin dotter att Tantis kanske måste lösa sina jordiska band lite, för att orka. "Men hon älskar er, Karin."

Och Siri gör vad hon kan, vilket inte är mycket. Men hon ger ännu Marie ett hem. Och hon påminner barnen om att om de någon gång under livet blir så lyckligt lottade att de får pengar, "så det första ni gör är att betala igen Tantis vad hon lagt ut för oss".

De börjar gå tillsammans till kyrkan, den katolska. Det är dit Marie längtar. Och det är på något sätt dit hela familjen nu dras.

Siri har anlitats att åta sig ledningen för kyrkans kör och spela på dess orgel under gudstjänsterna. Så nu blir det två besök varje söndag, samt repetition med kören på lördag kväll.

Marie följer alltid med henne på gudstjänsterna. Hon går långsamt, stödd på sitt paraply, "Juliana", som också tjänstgör som käpp och kompanjon. Hon går allra längst fram, till den högra bänken. Och där sitter hon för sig själv, i tystnad med knäppta händer, medan Siri arbetar.

Det är ett själens snarare än ett fickans värv. Men det håller lynnena friska medan allt runt dem blir svårare och svårare.

*

Och de sitter fortfarande tillsammans på helgkvällarna, efter att barnen lagt sig. Nu i salen. Marie röker sina Bird's Eye, Siri syr i knappar eller stoppar tröjor.

Och de hittar tillbaka till varandra i vissa ting. De tycker om att prata om Paris, en stad de båda älskar. Och ibland pratar de om politik eller någon ny bok. *Kreutzersonaten*, den av Tolstoj, talar de mycket om.

Och de är fortfarande varandras sällskap. Men en av dem är på väg bort.

*

Marie lämnade dem en dag i början av juni 1896. Hon reste till Köpenhamn medan de åkte till en stuga i Tervalampi över sommaren. Avskedet blev så blekt att inget av barnen senare kunde minnas det. Men så visste de heller inte att de aldrig mer skulle få träffa Tantis.

Hon skrev till dem från Danmark att hon var så sysslolös att hon inte visste vad hon skulle ta sig till. Att hon längtade efter Finland så att det gjorde ont.

> *Fy sjutton, vad det är otäckt att vara i främmande land, utan någon hederlig själ att kunna meddela sig med. Jag längtar oändligt efter Finland, har aldrig förr längtat sådant efter en bestämd vrå av världen.*

Så Danmark hade blivit främmande land, och Finland hade blivit hem.

Ändå kom hon inte. Hon väntade på något.

Och hon var förtegen, nästan som om hon avgett tysthetslöfte till någon osynlig kraft, vilken hon tillmätte enorm betydelse.

> *Tänker Frk Kastrull och lilla Gumman inte skriva igen samt apotekaren? Vore jag bara mig själv räkenskap skyldig för, vad jag gör, packade jag idag och for imorgon till Finland, men nu ska moster David lära sig lyda och icke bara följa sina egna idéer, så sade den enda, som jag har att rätta mig efter nu mera, ja, ja, missförstå mig icke, Biskop Johannes sade icke Moster David till mig! Fast härom dagen förklarade "Juliana", i det hon kastade sig på golvet i Biskopens rum, att hon återvänder till Finland,*

om hon så skall simma eller flyga därtill, hon kan båda delarna
säger hon, och mycket riktigt, igår var vi på en promenad i vagn
ner till stranden, och där gömde hon sig; hade naturligtvis tänkt
sig att få någon bonde att spänna sig upp och så i väg!

Och Tantis förhandlade väl med den osynliga kraften. Och hon lät
sitt paraply härbärgera det sista av den gamla Marie. Och Juliana fick
skriva brev till hunden Bobben, på vers:

Jag trivs ej här i denna usla stad – jag spännas upp, men är ej
glad. En tidig död helt visst mig väntar – om ej du Bob rätt snart
mig hämtar.

Juliana

Men den osynliga kraften vann förstås. För den 5 augusti lades Marie
in på sjukhus med hög feber, och "lungförtätning". Hon kom ut igen
efter tio dagar, men efter det slutade hon att förhandla.

Och trots att hon ibland fortfarande skriver att hon ska komma
tillbaka till dem, så kommer hon aldrig.

Och strax före julafton anländer ett brev, från Köpenhamn.

Käraste Siri,
I morgon kväll reser jag till Breslau, där det har lyckats mig att
bli antagen vid ett katolskt sjukhus. Fast jag egentligen skulle
betala för lärotiden har man varit god nog att ta mig, fattig
som jag är. Du må tro jag är glad vid att nu äntligen få arbete,
bara nu hälsan må räcka till. Men för mig behöver Du inte
mer vara orolig, jag kommer i lugna förhållanden bland goda
människor. Jag är så tacksam att jag nu har utsikt till ett lugnt
bekymmersfritt liv med träget arbete, utan att mera kastas om
i livet, det orkar jag inte mera. Men arbeta duktigt det orkar
jag nog.

Nu kan du vara så lugn för din Jinka. Även om det från och
med nu inte kommer att komma många brev från mig.

Och Siri blev alldeles förtvivlad. Och ursinnig. Och vanmäktig. För
först nu förstod hon – och strax därefter fick hon det bekräftat –
att Marie skulle gå i kloster. I kloster! Där det enda som gällde var
fullständig lydnad och underkastelse, där alla personliga initiativ
fördömdes, all nära vänskap var förbjuden, allt det som var ens eget
skulle lösas upp. Där man blev instängd bland åldrande kvinnor intill
livets slut! Var det så Marie hade förhandlat med döden – eller var det
med Gud? "Jag lovar att ge upp allt det jag är, allt jag trott på, allt det
jag en gång stått för, all min självständighet, min personlighet, min
humor, mina intressen, i utbyte mot din nåd." Var det detta hon hop-
pades uppnå genom att gå in i S:t Josephsystrarnas kloster i Breslau?

"Marie! Marie! Vad har du gjort!" Hon skrek ut sin förtvivlan, en-
sam på sitt rum, ensam i lägenheten.

Och hon kände sådana fruktansvärda skuldkänslor, en sådan djup
sorg, nästan som efter en död.

Och hon bad Marie, bad henne på sina bara knän – om man kan
göra det i ett brev – att inte avge några löften, att hålla en dörr öppen.

I det sista brev hon någonsin skulle få från Marie svarade hennes
vän att Siri inte skulle vara rädd, att Marie inte skulle avge några löf-
ten som hon inte *kunde* hålla, att det ännu inte var något beslut för
livet. Och så tillade hon att *om* hon någon gång skulle lova något för
livet, då skulle det vara Gud som hon skulle binda sig till.

Det gjorde ont, det gjorde det. Att hon inte ens längre fick ge Ma-
rie tröst.

Sedan kom ännu ett litet paket med posten. Inslaget i grovt brunt
papper, med ett snöre. Frimärkena var från Preussen.

Det var till "kycklingarna":

Älskade barn. Här kommer nu den gamla Tantis och säger adjö
till Er, ty nu ses vi ej på länge. Ni kan ej fatta, vad det vill säga
för mig att veta, att jag ej i lång tid skall återse Er, ty fast jag nog
tror att ni håller av mig, så kan ni, som är så unga, ännu inte
förstå hur det känns i ett så gammalt Tantishjärta att ta avsked
av tre sådana ungar, som jag känt sedan ni som några små vall-
moblommor tultade om i Grez.

Jag kan ej skriva mer ty jag känner att jag börjar gråta då. En
god och lycklig jul.

Tantis

Under brevet låg tre små kuvert. I dessa fanns de enda tre personliga
tillhörigheter Marie ännu hade. Det första kuvertet innehöll hennes
klockkedja med den genomborrade pennin. Den skulle Putte ha. I
det andra fanns en ring, den ring som Siri en gång hade gett Marie.
Den skulle Karin ha. Och så det tredje lilla kuvertet, det till Greta.
I det låg ytterligare en ring, en briljantring. Greta kände omedelbart
igen den. Det var den ring som Marie alltid bar på sitt högra ring-
finger, den som Georg Brandes en gång hade gett till hennes mor och
som Caroline David hade tagit av sig, och gett till sin dotter, när hon
visste att hon skulle dö.

Och så hade Tantis verkligen lämnat dem.

För sin mor, eller för Gud. Kanske var det samma sak.

69

1897

Det var den första julen med presenter. De hade nu levt fyra år i Finland och äntligen började det lossna lite. August skickade sedan den påsken då och då de hundra kronorna – han var tillbaka i Sverige efter att ha genomlevt ett mentalt sammanbrott i Paris. Och han höll nu på att skriva en bok om sina upplevelser. Han tänkte kalla den *Inferno*. Inferno … Så sammanbrottet, det totala, hade alltså kommit till slut. Gift var han heller inte längre.

August skrev till dem att de ska använda pengarna till "privata små fantasier". Det var vänliga brev, gulliga nästan. Och han skrev till barnen att de måste "rådgöra med mamma".

Barnen köpte Siri en golvlampa den julen. Och hon gav dem var sitt par skidor. De hade haft så mycket att göra med allt julstök, och alla visiter, att granen fortfarande låg oklädd i farstun. Man fick kliva över den för att komma in.

Men det var nog den lugnaste jul de haft på flera år. För så mycket kan pengar betyda.

Tre dagar senare, när posten åter började delas ut, låg det två brev i deras låda. Båda kom från Malmö.

Det ena var från herr Anton Aron, äldsta bror till Marie David. Det var poststämplat den 21 december 1897.

Där stod att hans syster Marie hade förts från Breslau till S:t Josephsystrarnas sjukhem i Malmö. Hon hade inte långt kvar att leva.

Marie hade blivit lycklig under året i kloster, skrev herr Aron, men de senaste dagarna hade hon talat mycket om Siri och barnen. Kunde de kanske skicka henne några rader? Detta skulle göra henne så glad. Adressen var: "Syster Benedetta (Marie David), 14 Lilla Nygatan, Malmö".

Det andra brevet var poststämplat den 23 december, två dagar senare. Det kom från S:t Josephsystrarnas sjukhem i Malmö. Där meddelades fru Siri von Essen att Syster Benedetta gått bort klockan fem samma morgon, i lungsot, "styrkt av altarets heliga sakrament" och lugnad av "sista smörjelsens saliggörande nåd".

Endast så många gånger i livet ger man sig själv möjligheten att verkligt känna. Endast så många besvikelser klarar människohjärtat av, innan det sluter sig. Och kanske bidrar åldern med sitt. Kanske stelnar med tiden även de leder som vaktar porten till vårt inre. Och det som lagt sig till ro där inne, det får förbli. Medan sorlet utanför, ja, det blir som mest en alltmer fjärran distraktion.

Men om sanningen ska fram, så var det nu längesedan, den dagen som Marie David lämnade henne.

70

Hennes liv blev på samma gång mindre och större, men med ett allt tydligare fokus. Hon hade levt med barnen tätt, tätt, så många år, att de nu, liksom en gång för August, var en del av hennes blodomlopp, en del av hennes organism. Hon var så upptagen av deras liv, av deras känslomässiga, studiemässiga och materiella välgång, att detta var mer än nog för att fylla henne. Detta och arbetet.

För energin hade hon kvar. Hon undervisade nu ungdomar i dans – vals, polka, masurka och fransäs. Ibland gav hon små soaréer. Och dessemellan fortsatte hon med sina deklamations- och teaterkurser, de som blivit hennes huvudsakliga värv. Märtha Hedman, som en dag skulle komma att stå på Broadways estrader, skulle aldrig glömma sin lärarinna. "Unga människor avgudade Siri von Essen", skrev hon på ålderns höst. "Hur kunde de låta bli? Fanns det någonsin en lika inspirerande person? Med sådan förståelse för ungdom? Med sådan generositet, storsinthet? Med ett sådant förtjusande sinne för humor? Fanns det någonsin någon så tapper, och som visade detta med så glatt mod."

Att se en annan människa lära sig tala, och allra helst agera, att bli länken till den andras skådespeleri, gav Siri en oerhörd njutning. Hon gjorde sig då till ett med både eleven och rollen, förvandlade sig själv till dem båda – tills eleven var framme och hon kunde lämna dem åt varandra. Så var en bit av henne kvar i det som nu skulle ske.

Och ja, i detta arbete kunde en annan människa stundom ta sig hela vägen in till hennes hjärta.

Mycket inkomst gav det inte, men lite, och desto mera tillfredsställelse.

"Inte ge efter, inte ge efter!" hördes hon ibland mumla till sig själv. "Inte ge efter", när hon var så trött att hon befann sig nära bristningsgränsen.

Och var hon utan detta, befann hon sig i en miljö där inga kryckor fanns, då längtade hon så intensivt tillbaka att det gjorde ont.

Så, en dag, tog plötsligt "välgörenheten" från August slut. Han sa sig vara förolämpad. Fast i själva verket var han kär. Så han behövde dem inte längre.

Och så sjönk de åter ner i en pressad jakt på försörjning. Marknaden för dans- och teaterlektioner hade utarmats av den ekonomiska depressionen i landet. Och Siris små soaréer gav om än fortsatt bifall, så allt mindre intäkter. Både Karin och Putte tvingades sluta skolan och söka arbete. Karin hade drömt om att studera på universitet, Putte om att gå på Polytecnicum för att bli kemist. Karin tar nu i stället kontorsarbete, Putte en informatorstjänst i Mokulla. Endast Greta, som sedan barnsben bestämt sig för att bli skådespelerska, hoppas kunna fortsätta på denna väg och flyttar till Åbo.

Men hemmet går inte att rädda. Den 1 september 1901 flyttar Siri och Karin in i ett rum hos en fröken Sandström på Skarpskyttegatan. Med de andra hyresgästerna äter de middag i fröken Sandströms matsal, där Siri också får hålla sina lektioner. Putte får äta med dem, men han får inte plats i huset. Han får ett rum någon annanstans i staden, och saknar Siris mat.

Så tar de sig långsamt upp igen. I slutet av år 1903 får de hyra en tvårumslägenhet på Båtsmansgatan. Putte, som nu pluggar matematik, får det ena rummet, som Siri på dagarna också använder som lektionssal. Det andra blir Siris och Karins sovrum och allas vardagsrum och matsal. Och i köket bor gamla Katrina, den trotjänarinna Siri anställt under sötebrödsdagarna i slutet av seklet, och sedan inte kunnat förmå sig att ta avsked från. Greta kommer under en period till dem, men flyttar sedan till Sverige, där hon spelar teater under Augusts tillfälliga beskydd. August är nämligen åter separerad, från sin tredje hustru, och söker kontakt med sina barn.

Så försvinner de från henne, en efter en. Och det är med fasa Siri för första gången upptäcker sin egen svartsjuka. Hon döljer den så gott hon kan men kan inte låta bli att varna flickorna för egoistiska män och alltför höga förväntningar på äktenskapet.

Midsommarafton 1907 gifter sig Greta i Stockholm med sin kusin, Henry von Philp. Tre år senare är det Puttes tur. Hans hustru är en karelska som snart ska föda ett barn som inte är hans, men som han ändå ska ta under sitt beskydd.

"Det är bra, Putte", säger Siri. "Putte blir en god make och far." Och hon tänker att all hennes tidiga oro för sonen kommit på skam. En lättsam man var han inte, och han hade sina nervspänningar. Men som August skulle han aldrig bli.

Och så är endast Karin kvar. Hennes äldsta.

De bor samman i ett soligt rum på Sjömansgatan, ovanpå ett bageri. Och i det lilla köket sover ännu gamla Katrina. Siri är endast sextio, men det är som om alla krafter bara under det senaste året runnit ur henne. Hon har fått reumatism, och ena knäet är svullet, så att hon endast kan förflytta sig med hjälp av käpp. Dessutom drabbas hon nu åter ofta av långvariga luftrörsproblem. Hon ligger gärna till sängs ända till mitt på dagen och lämnar sällan lägenheten. Men laga middagsmaten, det gör hon, varje kväll. Och när hon orkar ger hon ännu lektioner i välläsning.

Hon har också skaffat sig en ny liten hobby. Hon ritar och inreder små våningar, på papper, in i minsta detalj. Hon gör tusentals, och klurar över trappor och eldstäder och dörrar och kök. Och hade någon arkitektfirma upptäckt hennes talanger hade hon nog kunnat bli dem synnerligen behjälplig. Men den tanken slår henne förstås aldrig.

"Jag duger till ingenting numera", kan hon ibland med ett vemodigt leende säga till Karin. "Måtte bara vår Herre unna mig en lugn död." Och kommer Karin in till rummet där Siri oftast sitter framför brasan under vintrarna, så torkar mamman ofta snabbt sina ögon, gömmer näsduken och säger: "Inte gråter jag, barn lilla ..."

De ska bo samman i det lilla rummet ovanpå bageriet i ett år. För sommaren 1911 förlovar sig Karin. Hon är trettioett år gammal. Hennes fästman är lektorn i ryska vid universitetet i Helsingfors, Wladimir Smirnóff.

Och så lämnar till slut den äldsta flickan hemmet.

Barn är fantastiska härbärgerare av omsorger, kärlek, tid och livsfokus. Men ibland får de denna exklusiva roll efter att något annat uteslutits, och, ja, som en ersättning.

"Jag låter aldrig det förflutna gripa mig om hjärtat." Så sa hon ofta, under den period av livet då hon som ivrigast fyllde sin tid med lektioner och barnuppfostran och matinköp och kassaböcker. "Jag tål ovanligt mycket, men det som en gång gått sönder är sönder för alltid. Det som är förbi, det är förbi."

Det var August hon talade om.

Men en gång, i början av deras tid i Helsingfors, hade Marie hörts säga till en vän: "Ja, Siri är stolt. Men om någon kunde se in i Siri Essens hjärta, är jag inte så säker på att han skulle finna vad hon själv ser. Kanske skulle han finna det hon icke vill se."

En solig vårdag, i april 1912, drabbas Siri von Essen av ett slaganfall. Hon lever några dagar till, i sitt lilla rum på Fredriksgatan 19, halvsidigt förlamad och knappt förmögen att tala. Hon är sextioett år gammal. Hennes sista kväll i livet kommer Putte upp till henne. Han sätter sig invid henne. Hon ber om hjälp att lägga sin arm runt hans hals. Sedan talar hon till honom, i en timme, med värme, ja nästan muntert. Trots att orden nästan inte finns.

Det var Greta som framförde dödsbudet till August. Han låg då själv på sitt yttersta, i långt framskriden magcancer. Han hade bara tre veckor kvar att leva.

Och en gång hade Siri sagt åt honom att hon inte hade några planer på att överleva honom.

Det berättades senare, av brodern Axel, som också var närvarande, att August efter att ha mottagit dödsbudet blev tyst i hela tio minuter. Sedan sa han:

"Hon var lika hård, lika kall, lika känslolös i det sista ..."

Sedan reste han sig ur sängen, gick mödosamt in i det andra rummet, och återkom klädd i en svart nattrock och en vit halsduk. Så som man klär sig vid en nära anhörigs bortgång.

TACK OCH KOMMENTARER

Det finns många jag vill tacka för inspiration och hjälp i skrivandet av denna bok, som växte fram långsamt, under ett par års tid. Siri fångade mitt intresse redan när jag första gången läste P O Enquists enastående pjäs *Tribadernas natt*, för säkert trettio år sedan, och jag fick anledning att närmare återknyta bekantskapen med henne när jag gjorde tevedokumentären *Strindberg – Ett djefla liv*, 2007. Mitt största tack går förstås till Siri själv, vars öde och person grep mig på ett så tidigt stadium, och vars liv, liksom Strindbergs, utgör en sådan oemotståndlig berättelse. Jag vill också tacka Eva Gedin, min förläggare, som gav mig förtroendet att gå över från fackboksgebitet till skönlitteraturen, och som hela tiden varit en bra, tuff och utmanande samtalspartner. Likaså riktar jag mitt tack till Annika Hultman Löfvendahl, en utomordentligt säker och engagerad redaktör, och till Elsa Wohlfahrt Larsson, som skapat det spännande omslaget. Jag vill också tacka Natasha Stern, och en lång rad andra vänner som läst hela eller delar av manuskriptet under skrivandets gång, och gett mig ovärderliga synpunkter: Sara Janowski, Per Faustino, Guri Fjeldberg, Stefan Einhorn, Mirjam Kellermann, Anette Sallmander, Agneta Åkesson, Elisabeth Åsbrink och Pernilla Hindsefelt. Lovise Brade Haj har korrigerat min bristfälliga danska.

Siri är en roman, men den ligger onekligen nära det verkliga skeendet – eller vad man kan tolka som det verkliga skeendet (samtidigt som det givetvis bör påpekas att det ibland finns utrymme för olika tolkningar). Alla brev inkluderade i texten är autentiska, om än ibland förkortade och med modernare stavning, utom i ett par fall, där innehållet kunnat rekonstrueras från svarsbrev eller beskrivningar. Jag är givetvis utomordentligt tacksam för att Siri von Essens liv är ett som skildrats – indirekt skönlitterärt och direkt dokumentärt – av så många före mig, framför allt av August Strindberg och av deras dotter Karin Smirnoff. För den som vill lära sig mer om Siri bifogar jag här mina viktigaste informations- och inspirationskällor:

Karin Smirnoff: *Strindbergs första hustru* (1925); K. Smirnoff: *Så var det i verkligheten* (1956); K. Smirnoff: *Strindbergs finländska familj* (opublicerat manuskript, Strindbergsmuseet); Maj Dahlbäck: *Siri von Essen i verkligheten* (1989); David Norrman: *Strindbergs skilsmässa från Siri von Essen* (1953); Harry Jacobsen: *Strindberg och hans första hustru* (1946); Eivor Martinus: *Lite djävul, lite ängel: Strindberg och hans kvinnor* (2007); Olof Lagercrantz: *August Strindberg* (1979); *August Strindbergs brev 1–2* (utg. av T. Eklund; 1948, 1950); August Strindberg: *Han och hon* (brevväxlingen mellan August och Siri 1875–76; utg. 1919); A. Strindberg: *En dåres försvarstal* (1893); A. Strindberg: "Solrök", "Segling", "Högsommar i Vinter" m.fl. (*Dikter på vers och prosa,* 1883); A. Strindberg: *Giftas I* (1884); A. Strindberg: "Andra natten" (*Sömngångarnätter,* 1884); A. Strindberg: "Carl Larsson" (*Kalendern Svea,* 1884); A. Strindberg: "Björnstjerne Björnson" (*Tiden,* 1884); A. Strindberg: "Marthas bekymmer" (*Från Seinens strand,* 1884; *Tryckt och otryckt II,* 1890); A. Strindberg: "Kvarstadsresan" (*Budkaflen,* 1885); A. Strindberg: *Tjänstekvinnans son I, III, IV* (1886–1909); A. Strindberg: *Marodörer* (1886); A. Strindberg: *Fadren* (1887); A. Strindberg: *Bland franska bönder* (1889); A. Strindberg: "Laokoon" (*Nutid,* utg. av G. af Geijerstam, 1891); A. Strindberg: *Himmelrikets nycklar* (1892); A. Strindberg: "Silverträsket" (*Vintergatan,* 1898); Siri von Essen (pseudonymen "Sn"): "På sommarnöje i Upland" (*Dagens Nyheter,* 1876); Siri von Essen: "Artistkolonien i Grez par Nemours" (*Ny Illustrerad Tidning,* 1884); Carl Larsson: *Jag* (1931); Hélène Welinder: "Strindberg i Schweiz" (*Ord och*

Bild, 1912); Edvard Selander: "Några av mina vänner" (*Carl XV:s glada dagar*, 1927). En del av detta material kan återfinnas i databasen Projekt Runeberg, tillgänglig över internet.

Stockholm i maj 2011

Lena Einhorn

INTERVJU MED LENA EINHORN

Siri är din första roman. Hur kändes det att skriva en roman och inte en faktabok? Det måste ju finnas hyllmeter av litteratur om och kring Strindberg och Siri von Essen. Hur närmar man sig materialet som romanförfattare?

Det finns egentligen väldigt lite fiktion skriven om Siri von Essen – om man bortser från det Strindberg skrev. Däremot finns det naturligtvis mycket biografiskt material och annat faktamaterial. Mina viktigaste inspirationskällor är naturligtvis skildringar skrivna av August Strindberg och av deras gemensamma dotter Karin Smirnoff, och Siris egna brev. Men även små fantastiska betraktelser av utomstående. Vad beträffar fakta kontra fiktion: Bengt Ohlsson har sagt någonstans att för att komma sitt objekt riktigt nära ska man skriva en roman. Det är förstås en paradox, men delvis sant. Utifrån det publicerade material som finns spränger man barriärer. När jag är ute och föreläser får jag ofta frågan: Hur mycket är sant i boken *Siri*? Jag brukar svara att detta är min tolkning av det verkliga skeendet. Och ibland, när t.ex. Strindberg och Smirnoff talar emot varandra, måste jag göra vägval. Men jag upplever det själv som att jag är ganska trogen det historiska skeendet, med det förbehåll jag angett. För övrigt måste man nog säga att även fakta är en stor del fiktion, man gör alltid val.

Du säger i kommentarerna i slutet av den här boken att Per Olov Enqvists pjäs *Tribadernas natt* och arbetet med din egen teve-dokumentär om Strindberg inspirerat dig till att skriva en roman

om Siri von Essen. Vad är det i hennes person och liv som fascinerat dig mest under resans gång?

Det intressanta – och besvärliga – med Siri är att hon är mycket mindre förutsägbar än August, trots alla hans knepigheter. Siri förändras hela tiden, hon är en sammansatt person, svår att fånga. Hon är både modig och feg. Modig som bröt totalt med gängse normer och det man förväntade sig av henne. Samtidigt är hon en människa som behöver kryckor, hon behöver hjälp att frigöra sig. Hon tar August till hjälp att frigöra sig från man och barn, hon tar Maries hjälp att frigöra sig från August, och till slut blir barnen hennes kryckor. Och hennes prioriteringar förändras radikalt under livets gång: Hon offrar sitt första barn för sin karriär, men senare i livet offrar hon sin karriär för barnen. Hon var komplicerad – ambitiös men ingen maktmänniska, varm, både stark och svag. Det är därför hon är så spännande, och så djupt mänsklig.

Skiljer sig din bild från den idag gängse bilden av Siri von Essen?

Jag vet inte om man kan säga att det finns en gängse bild av Siri von Essen. Det beror väl egentligen på vad man tror på. Om man läser *En dåres försvarstal* och tror på den bilden så får man naturligtvis *en* uppfattning om Siri – men många upplever samtidigt Strindbergs skildring i denna bok som så "galen" att de kan få en delvis motsatt bild av Siri än den han beskriver! Och sedan har vi Karin Smirnoffs – barnets – skildring av sin mor. Det är en djupt mänsklig skildring, som i vissa avseenden, men långt ifrån alla, skiljer sig från Strindbergs. Siri har själv sagt apropå *En dåres försvarstal* att allt den beskriver grundar sig på sanningar, men att varje situation är så oerhört förvrängd. Utifrån allt det material jag har haft framför mig har jag försökt skapa en för mig trolig bild av Siri von Essen.

När man läser din bok får man känslan av att längtan till frihet och skapande var en lika stor anledning, om inte större, än förälskelsen till att hon bröt så radikalt mot konventionerna?

Går det att urskilja vad som skapar förälskelse? Han hjälpte henne till möjligheten att få ett liv, men det var ingen tvekan om att hon var förälskad. Siri sade på ålderns höst till sin dotter: "Om jag älskade Strindberg? Herregud, vad jag älskade Strindberg." Det var väl både människan och konstnären som lockade. Och hon hade väldigt svårt att ta sig ur äktenskapet – det är ju en av paradoxerna. Kanske hade de till och med aldrig skiljt sig om inte Strindberg känt att han höll på att förlora henne. Han dödade hennes kärlek och drev bort henne med sin svartsjuka och sitt kvinnohat.

Det är så mycket man, kanske främst som kvinna, fascineras av i ditt levande porträtt av Siri; tiden, borgerligheten, moderskapet, könsrollerna, att vara kvinna. Det var ett annat sekel, men ändå inte så länge sedan. Man kan ju inte låta bli att fundera över hur långt vi egentligen kommit, hur är det idag med konflikten i konstnärsskap och moderskap, två konstnärssjälar under samma tak?

Det kan jag inte svara på så där generellt, men att allt går igen är helt klart. Det var stora saker som Siri hade att tampas med. Man får inte glömma att just på 1880-talet inträdde en stor feministisk era, i stor utsträckning inspirerad av Ibsens *Ett dockhem*. Strindberg kom att stå för en av de starkaste motreaktionerna mot just denna pjäs, och dess syn på könen. Och Siri kom att stå i korselden. Hon var inte utpräglat politisk i egentlig mening, hon var både konservativ och öppen, men påverkades naturligtvis i allra högsta grad av den tid hon levde i.

Märta Tikkanen skriver i sitt förord till den nya pocketutgåvan av *En dåres försvarstal* att man bara kan vara tacksam över att det inte var Strindberg man gick och förälskade sig i. Har din inställning till Strindberg ändrats efter den här boken?

Nej inte alls. Strindberg var så öppen med sig själv, så tydlig och klar. Han gick ju igenom en kris under tiden för *Inferno*, men han var ändå i grunden samma människa, samma karaktär. Strindberg lär man snabbt känna, han var komplicerad, men ändå förutsägbar. Han var en sådan fantastisk författare, han skrev inte enligt en mall utan inifrån sig själv. På så sätt kommer man även nära tiden som omgav honom.

Kan man läsa *En dåres försvarstal* efter att ha läst din bok?

Det kan jag inte svara på. Jag hade naturligtvis läst *En dåres försvarstal* innan jag skrev boken och för mig känns det omöjligt att tänka att man kan göra tvärtom. Men nu har jag hört flera som läst min bok först, och *En dåres försvarstal* efter det, och gillat det. Det är intressant.

Du har till pocketutgåvan ändrat några rader i slutet, precis när vi möter Siri vid hennes dödsbädd. Vad var det som fick dig att göra det?

Jag läste en kort beskrivning, i Maj Dahlbäcks bok, och blev berörd av den. Att Siri in i det sista försökte ge sina barn – och speciellt kanske den sköre Hans – ett så bra liv hon bara kunde. Till och med när hon inte längre förmådde.

Om du fick en möjlighet att fråga Siri om det var värt det, vad tror du hon skulle svara?

Hon fick ett tufft liv. Hon gjorde vad hon kunde, men hon fick kämpa. Det var fruktansvärda saker Strindberg utsatte henne för. Men jag tror inte hon skulle ha ångrat att hon lämnade Carl, i det äktenskapet och den miljön var hon levande begravd. Inte heller att hon fick leva konstnärslivet, att hon till slut fick stå på scen. Det är väl sällan man ångrar stora skeenden i ens liv.

Hon fick det tufft, men jag tror hon skulle svara att ja, jag var tvungen att ta de steg jag tog.